PANORAMA CRÍTICO
DE LA GENERACIÓN DEL 27

LITERATURA  Y SOCIEDAD

DIRECTOR
ANDRÉS AMORÓS

Colaboradores de los volúmenes publicados:

F. J. DÍEZ DE REVENGA

Panorama crítico de la generación del 27

EDITORIAL  CASTALIA

Copyright © Editorial Castalia, S. A., 1987
Zurbano, 39 - 28010 Madrid - Tel. 419 58 57

Cubierta de Víctor Sanz

Impreso en España - Printed in Spain
Unigraf, S. A. Móstoles (Madrid)

I.S.B.N.: 84-7039-498-3
Depósito Legal: M. 26.451-1988

SUMARIO

A Conchita, siempre.

INTRODUCCIÓN

No TIENE otra intención este libro que la de asumir su condición de manual universitario con la que, desde un principio, ha sido concebido. Se trata de una obra que ante todo pretende llegar a ser un medio auxiliar para leer a los poetas de la generación del 27, de la mano de las múltiples aportaciones críticas que aquí se reseñan o anotan. Sirvan estas palabras previas como manifestación de que no se ha intentado en ningún momento llevar a cabo una reseña bibliográfica exhaustiva. Más bien nos hemos propuesto orientar al posible lector por los caminos de la obra de un grupo poético excepcional, sin precedentes —cuantitativa o cualitativamente— en nuestra historia literaria.

Para conseguir este tono orientativo, y con el fin de evitar prolijas y farragosas acumulaciones bibliográficas, se ha optado por la vía de la selección —tan difícil en algunos casos— hasta construir un «panorama crítico», que, como ya advirtió el profesor López Estrada en ocasión similar, «no es plano pormenorizado y completo, sino una perspectiva indicativa, la mejor situada posible dentro de un conjunto». De la dificultad del proyecto da cuenta algún hecho singular como lo es la presencia, entre los poetas del 27, de Federico García Lorca, cuya bibliografía crece diariamente a un lado y al otro del Atlántico. Tal situación no ha desbordado, sin embargo, un obligado sentido del equilibrio y nuestro deseo de que cada poeta dispusiese en el panorama de un espacio proporcional a su interés, importancia y, sobre todo, a la atención de la crítica precedente.

Hemos procurado, a la hora de estructurar el esquema de la obra, dar entrada a todos los problemas que en torno a la generación del 27, y a la obra poética —y en algunos casos dramática— de sus componentes, ha planteado la crítica especializada, y hemos querido en todo momento ofrecer las referencias precisas para que el lector interesado pueda continuar una determinada línea de investigación partiendo de lo ya realizado.

No ha sido fácil la selección del material utilizado y es posible que algún lector se sienta decepcionado al no encontrar reflejada alguna aportación preferida, pero lo cierto es que del límite inicial que nos habíamos propuesto, de manejar unas quinientas entradas, hemos superado en porcentaje más que cuantioso de un tercio, la cifra prevista, que se ha visto así notablemente incrementada. Ha de tenerse en cuenta que nos hemos propuesto en esta selección que los libros y artículos manejados reúnan la doble condición de asequibles y actuales, aunque hayamos dado entrada también a aportaciones más antiguas, prestigiosas en su campo, o convenientes y oportunas al hilo de nuestra exposición.

A la hora de manejar la bibliografía, se ha de observar —como es habitual— que los números entre paréntesis, reflejados en el texto, aluden al año de publicación y a la página del documento utilizado en cada caso. Por medio de esa fecha puede ser fácilmente localizado en la bibliografía final, ordenada alfabéticamente por autores. Hemos pretendido complicar lo menos posible la mecánica de la relación bibliográfica, por lo que hemos reducido al máximo, en las condiciones ya señaladas, las referencias, de manera que en los casos en que uno o varios artículos o breves ensayos se encuentran posteriormente recopilados en un volumen, sólo hemos citado, para evitar multiplicaciones interminables y ociosas, el libro correspondiente. Buen ejemplo de cuanto decimos lo constituyen, entre otros muchos, los libros de Debicki (1968), Cano (1986), Vivanco (1971), Zardoya (1974) o Dámaso Alonso (1969), que contienen numerosos artículos previamente publicados en revistas diversas del hispanismo internacional. Igualmente, y con la misma intención de simplicidad y para comodidad del lector que quiera seguir las referencias aquí apuntadas, y ampliar algún aspecto sugerido, hemos preferido citar los artículos y libros, en lo posible, por la edición más reciente y por la versión castellana si existe, optando en todo caso por la versión ofrecida por libros de conjunto del tipo de «El Escritor y la Crítica».

Una obra de esta clase —volvemos a recordar palabras de López Estrada en la introducción a su *Panorama crítico sobre el «Poema del Cid»*— no puede convencer a todos y es muy posible que otro autor, en nuestra misma situación, hubiese elegido otras referencias para explicar un determinado aspecto. En la seguridad de que somos conscientes de esta limitación, dejamos constancia de nuestro respeto hacia otras formas de plantear este panorama o algún aspecto del mismo. Nuestra propuesta ha procurado ser en todo momento objetiva y ha intentado abrir caminos de investigación y situarlos dentro de un conjunto que, por fecundo, se ofrece complejo. Nuestro objetivo se habrá visto satisfecho si conseguimos colaborar con el lector de este extraordinario grupo de poetas y logramos hacerle más fácil, grata y provechosa su personal lectura de la múltiple y variada obra de los que denominamos «poetas del 27».

1
LA GENERACIÓN DEL 27

1

1.1. UNA ÉPOCA ÁUREA

AL HABLAR de generación del 27 o de grupo poético del 27 no nos referimos ya —dada la amplitud que ha adquirido el término, nacido con su natural restricción— sólo a un conjunto de poetas, sino a la más brillante promoción de la literatura española de nuestro siglo, que pudo conocer cómo, en el espacio de unos pocos años, casi tan sólo en el de unos meses, surgieron una serie de poetas que, asimilando la rica tradición literaria española e imbuidos en las nuevas corrientes de vanguardia, con espíritu selecto e innovador, habrían de configurar lo que no se ha dudado en comparar con la brillantez de nuestro Siglo de Oro.

Lo que, probablemente, se hubiera consagrado como el conjunto —compacto y variado a un tiempo— más importante de poetas de nuestra literatura, que cabe pensar que hubiesen creado discipulaje excepcional —el nombre de Miguel Hernández queda vinculado por Dámaso Alonso como «genial epígono» (1969, 158)—, el destino, la vida y la historia se encargaron de destruir a los muy pocos años de nacer, dispersando lo que Jorge Guillén no dudaría en considerar por ello otra «lost generation», nueva generación perdida, que jamás volvería a encontrarse, si exceptuamos los esporádicos contactos en la ancianidad, en la hora del reconocimiento de la España contemporánea.

Sin embargo, la poderosa individualidad de sus componentes permitiría que, en los años que siguieron a la guerra civil, años de exilio interior y exterior, sus componentes, los ya para siempre poetas del 27, produjeran sus mejores obras, manifestando, ahora, su magisterio y su permanencia, reconocidos por todas las promociones posteriores de la poesía española, admirados por multitud de lectores y estudiados por críticos de todos los rincones del hispanismo internacional. Lo que no pudo ser con García Lorca, muerto injusta y prematuramente —un buen sector de sus estudiosos se pregunta, a la luz de sus proyectos, cómo habría podido ser su futuro literario imposible—, se hizo realidad en el resto de los poetas del 27, que han permanecido —y permanecen— hasta hoy trabajando en la creación de una obra literaria y confirmando la realidad de esa época áurea, a la que tantos se han referido.

1.1.1.   *Concepto y sentido*

Posiblemente, el término «generación del 27» sea uno de los más discutidos entre los críticos de la literatura española que, desde su «entronización» en 1948 por Dámaso Alonso —en pleno fervor hacia la otra «generación», la del 98— hasta ahora, han venido proponiendo posibles sustitutos de la conocida denominación —con otras aún más inaceptables—, cuando no la han aceptado sin más con absoluta resignación y dejando clara constancia de su carácter convencional, hasta el punto de ser habitual entre muchos críticos referirse a la «llamada generación del 27». Parece claro, hoy día, que el término, descargado de todas las complicaciones de carácter ideológico que plantea la palabra «generación» (frente a la minimizadora «grupo» o a la de extrañas resonancias «movimiento») y salvando las inevitables implicaciones gongoristas atribuibles al guarismo, ha prevalecido sobre las demás, y hoy, sin especiales problemas, en todo el hispanismo se utiliza el término «generación del 27» o el menos comprometido «poetas del 27», para designar el grupo de poetas (especialmente a los ocho fundamentales: Salinas, Guillén, Diego, Aleixandre, Lorca, Alonso, Cernuda y Alberti), que empezaron a publicar poemas y libros de poesía en los años veinte y han constituido y constituyen la página más importante de nuestra historia literaria del siglo xx, hasta el punto de hablarse de la existencia de un segundo medio Siglo de Oro en la literatura española, del que, extendido desde 1898 a 1936, a ellos correspondería la sección más significativa desde el punto de vista de la poesía lírica.

Así lo vienen reconociendo muchos críticos que ven en este grupo de poetas no sólo un afán de renovación, sino también una peculiar cohesión entre ellos, como señala Antonio Blanch:

> Partimos de una constatación innegable: durante los años 1920-1930 varios escritores jóvenes españoles empiezan a publicar poemas de una manera semejante y nueva en las revistas literarias de la época, con un grandioso anhelo de pulcritud y perfección. Son todavía autores desconocidos y desdeñados a veces por el gran público; pero es tan noble la afinidad que existe entre ellos, que llegan a constituir muy pronto un grupo de verdaderos amigos. No tienen un programa común, pero todos se sienten empujados por un mismo deseo incoercible de pureza y de renovación lírica que les hace acercarse y caminar juntos (1976, 14).

El término «generación», aplicado a los del 27, no es utilizado comúnmente, quizá porque no se ve en él una referencia directa al método literario de las generaciones, que posee implicaciones biológicas, actualmente superadas en el campo de la crítica literaria, pero quizá más aún porque el tal término es incapaz, bastante incapaz de designar a una generación que está presidida por las individualidades, en una época en que la personal lucha por imponerse sobre las estéticas colectivas y, más aún, en un país como España donde sus creadores artísticos imponen sus peculiaridades. Ángel González se refirió a «la generación de los grupos» y aludió a que este «grupo poético» surge precisamente en unos años en que el regusto por lo minoritario y aristocratizante dominaba sobre la sensación de *masa* y el horror a ella. Era la época en que Juan Ramón Jiménez marca, y muchos le siguen, los límites del individualismo más exacerbado. La originalidad, el individualismo, la autoafirmación de personalidades constituye la más notable característica paradójicamente de los poetas del 27, «una generación —concluye Ángel González— cuya acta fundacional, por exigencia ineludible de los valores en ella misma invocados —la originalidad, el individualismo—, decretaba su disolución inmediata. El hecho de que el individualismo haya propiciado la formación de grupos es, como hemos visto, una paradoja sólo aparente. Tales grupos constituyen entidades más reales y más visibles que la generación en que están integrados. Los poetas *del 27* forman uno de esos grupos; no uno cualquiera, sino el más importante y riguroso» (1985, 11).

Aun así, y teniendo en cuenta todas las razones que abogan por la preferencia hacia el término *grupo,* también el de *generación,* hoy aceptado universalmente, tiene igualmente sus defensores, aunque éstos lleven a cabo la defensa finalmente, desposeyéndolo de toda su carga biológica, histórica, total. Juan Manuel Rozas señalaba que, aunque ya nadie se cree que funcione con exactitud tal concepto a la manera en que lo acuñó Petersen y lo aplicó Julián Marías,

> el concepto de generación formulado sin dogmatismos, por vía de hipótesis de trabajo, de metodología, y otorgando la última palabra siempre a la lectura de cada autor y obra, no es desechable si queremos lanzar una mirada totalizadora a la literatura que culmina en el 27, lo que historiográficamente es aconsejable, y tal vez necesario. Miraríamos así el conjunto de escritores coetáneos —de nacimiento y aparición pública— que viven unas experiencias semejantes, tienen unas lecturas parecidas —están inmersos en el mismo momento cultural— y empiezan a escribir en unos mismos años, atentos unos a otros, presionados por las mismas modas (1980, 8).

Quedaría por justificar la segunda parte del término «generación del 27» y la aceptación general de este segundo guarismo —27— para designar indiscutiblemente a la generación o al grupo poético. Para ello, hay que tener en cuenta las otras posibilidades que resume Ángel González, reduciendo a seis los títulos para definir al grupo y que son los siguientes:

Generación del 27, vinculado a la revalorización de Góngora y la celebración del centenario por un grupo de poetas que se hace denominar «nietos de Góngora» —Diego, Guillén, Salinas, Alonso, Lorca y Alberti— y que convocan actos variados —desde el funeral hasta la excursión famosa a Sevilla— para festejar el acontecimiento. Se considera el más justificado de los términos porque no sólo constituye la presentación literaria del grupo, sino también porque en efecto existe una inicial relación con Góngora.

Generación de la amistad, deducida de los testimonios de muchos de sus componentes —Gerardo Diego, Jorge Guillén, Dámaso Alonso, Luis Cernuda— y alusiva a una clara intención desmitificadora y comprometida con la grandeza de un término excesivo. El hecho de querer pasar a la historia, más que como otra cosa, como un «grupo de amigos» incide en la realidad de esta denominación, escasamente utilizada y propuesta, entre otros por José Luis Cano (1986), más como apelativo complementario que como nombre propio. «La amistad existió —asegura Ángel González—, pero es más que la causa otra consecuencia de las mismas afinidades estéticas que motivaron el agrupamiento: la amistad surgió al mismo tiempo que el grupo literario, o incluso después; no antes» (1985, 15).

Generación de los poetas-profesores, relativa a la condición profesoral de la mayoría de los poetas del grupo y reveladora de su condición cultural de amplitud insólita y hasta entonces desconocida en nuestras letras. Precisamente, de ella se deriva también el universalismo cultural en estos poetas que, según González, adquirieron este afán en la Residencia de Estudiantes, por lo que también podrían denominarse «poetas de la Residencia». «Si el núcleo profesoral ya citado estimuló las preocupaciones intelectuales del grupo, la Residencia constituyó el laboratorio donde tuvieron la oportunidad de experimentar la cultura más viva e interesante de su tiempo» (1985, 16).

Generación Lorca-Guillén o de «Guillén-Lorca», como la denomina González Muela (1954) en un temprano estudio. Con esta titulación se trata de caracterizar los dos extremos que definirían la generación desde una perspectiva estilística, aunque no poseen estos dos nombres —por su influencia posterior— la fuerza que podrían tener otros, en opinión de González, como Luis Cernuda o Vicente Aleixandre (1985, 17).

Generación de 1925, utilizada en sus artículos por Gullón (1953) y por Cernuda (1957) y, en parte, por Debicki, que prefiere 1924-25 (1968). Cernuda la defiende como fecha que, aunque nada significa históricamente, «representa al menos un término medio en la aparición de sus primeros libros».

Generación de la Dictadura, la más torpe y rechazada de las denominaciones, porque si bien guarda una evidente relación con la realidad cronológica, es indudable que políticamente nada tienen que ver con este sistema de gobierno y menos con el supuesto por el general Primo de Rivera. Ya Vicente Gaos rechazaba el término porque los vinculaba a la Dictadura, «con la que estos poetas no tuvieron nada que ver o de la que discreparon ideológicamente» (1969, 7).

Aparte de estos seis nombres, señalados por Ángel González, se han barajado o utilizado en algún momento algunos otros términos, como

Generación de la «Revista de Occidente», recordado por Gaos y justificado «tanto porque en dicha revista se dieron a conocer algunos de los poetas como por la influencia que el director de la misma, Ortega y Gasset, ejerció sobre ellos» (1969, 7).

Nietos del 98, «aceptable —según Gaos— hasta cierto punto, aunque todos se sintieron poco ligados a Unamuno y Antonio Machado, máximos líricos de tal generación, cuyos afanes sociales les fueron ajenos» (1969, 7). Verdaderamente, de quien ellos se consideraron en un momento determinado «nietos» fue de Góngora, bastante lejano desde luego de la estética noventayochista. Por otra parte, ni siquiera cronológicamente pudieron ser nietos del 98 unos escritores que, justamente, nacieron alrededor de esa fecha, de 1898.

Hay, por último, alguna otra denominación, como la preferida por Marichal (1986) de *generación de 1931,* relacionada también con una realidad política —proclamación de la República— y por ser el punto central de la gran década de nuestra literatura contemporánea (1926-1936), o las señaladas —junto a algunas de las anteriores— por González Muela: *generación de 1921, de 1923, de la República, de vanguardia, nueva literatura, joven poesía, joven literatura,* etc. (1974).

Aun así, y quizá por la falta de consistencia de los diferentes nombres, la fecha de 1927 es la que ha parecido la más idónea, como recuerda Rozas, sobre todo por tres razones: por ser la del centenario de Góngora, por iniciarse en ese año las más importantes revistas del grupo y por publicarse ese año o el siguiente los más significativos libros de los poetas del 27: *Perfil del aire, El alba del alhelí, Canciones* y *Romancero gitano, Ámbito* y *Cántico.* Esta fecha —concluye Rozas—, además —casualidad o causalidad—, encaja muy bien en la sucesión de fechas de las gene-

raciones admitidas —en parte algunas— por críticos e historiadores: 1868, 1883, 1898 y 1914 (1980, 11).

1.1.2. *Cronología del 27*

En el libro misceláneo de Joaquín González Muela y Juan Manuel Rozas sobre *La generación poética de 1927* (1974, 51 y ss.),
figura una completa cronología de los años de nuestro siglo que
da buena cuenta de las principales fechas que se refieren a la generación del 27 y a sus componentes. Con el fin de situar adecua-
damente la sucesión de acontecimientos literarios que justifican
la cohesión del panorama, partimos del año del comienzo de la
Dictadura de Primo de Rivera para finalizar en 1936, el año de
la muerte de García Lorca y el del comienzo de la guerra civil, a
partir del cual la realidad de la generación desaparecerá con la dispersión de sus miembros.

Mil novecientos veintitrés es significativo, aparte de su dimensión histórica como fecha del comienzo de la Dictadura, por ser
también el de la fundación de la *Revista de Occidente* por Ortega
y Gasset, quien venía a culminar con esta creación las apetencias
de un importante grupo de intelectuales entre los que los componentes de la generación del 27 se encuentran. Gerardo Diego publica este año *Soria,* libro que supone el regreso hacia la temática
más austera y castellana. Antes había publicado algún otro, como
Imagen, de signo abiertamente vanguardista. Su destino como catedrático en aquella ciudad castellana, desde 1920, le ha inspirado
esta nueva corriente renovadora de su poesía y, sin duda alguna,
interesante en el cuadro de la variedad generacional. Salinas, que
ha sido catedrático en la Universidad de Sevilla y lector en la Universidad de Cambridge, publica su primer libro, *Presagios,* algunos de cuyos poemas eran ya conocidos por los lectores de las
revistas literarias. La significación de esta primera obra es fundamental en el panorama de la generación, ya que, desde el principio,
revela una inspiración y verso personalísimos, que culminarán más
adelante en otros libros. Pero quizá la novedad más destacada
como tal, de las producidas en 1923, la suponga el libro *Hélices,*
de Guillermo de Torre, una de las pocas producciones del ultraís-

mo. Junto a los nombres de poetas como Laforgue, Whitman, Apollinaire y otros, encontramos poemas que fijarán la contextura tipográfica, temática y métrica de las obras ultraístas.

Mil novecientos veinticuatro se inicia con la publicación que tiene rápido eco en nuestras letras y que abre otra puerta al arte de vanguardia: el *Manifiesto surrealista* de André Breton (1969). Gerardo Diego ofrece entonces otro de sus libros creacionistas, *Manual de Espumas,* escrito dos años antes y que ahora, al final de éste, es publicado por el autor, fuertemente influido por conversaciones en París con Vicente Huidobro, Juan Gris y otros artistas de vanguardia, como él mismo confiesa (1970, 37). El año siguiente, 1925, es fundamental para el futuro de algunos de los poetas: Guillén obtiene la cátedra de la Universidad de Murcia y Alberti y Gerardo Diego consiguen juntos el Premio Nacional de Literatura por sus libros *Marinero en tierra* y *Versos Humanos,* respectivamente, tal como ha relatado Rafael Alberti en *La arboleda perdida* (1959). Desde otro punto de vista, más ensayístico o teórico, destacan las ediciones de las dos obras fundamentales en la forja de la estética del momento y que aparecen también por esas fechas. De un lado, *La deshumanización del arte,* de Ortega, cuya influencia sobre las jóvenes generaciones fue mucho más allá de lo que en principio se podía esperar de un libro de estética. El otro libro de interés en este sentido es *Literaturas europeas de vanguardia,* de Guillermo de Torre, que abrió el panorama revolucionario de la literatura del otro lado de los Pirineos para los escritores españoles. «Venía a ser —como indica su propio autor más tarde— el testimonio del espíritu de un estado de ánimo ardiente, tanto o más que el espejo de un tiempo» (1971, I, 17).

El año 1926 es más parco en lo que a novedades se refiere. En la Residencia de Estudiantes, donde Lorca vive desde su llegada a Madrid en 1919, se empieza a publicar una efímera revista titulada *Residencia,* de escasa resonancia posterior. Alberti publica *La amante* en Málaga, donde también, en la misma fecha, dan a conocer sus libros *Canciones del farero,* Emilio Prados, y *Las islas invitadas,* Manuel Altolaguirre. Mil novecientos veintisiete surge presidido por la idea de la conmemoración del centenario gongorino, y para obtener un adecuado recuento de los actos no hay otro documento mejor que el artículo de Dámaso Alonso «Una generación poética» (1969), que culmina con el relato de la excursión sevillana. En enero de ese año se inicia en Murcia *Verso y Prosa* y, tras ella, aparecen *Carmen* y su suplemento *Lola* en Gijón-Santander, mientras que Gerardo Diego, con su *Antología poética en honor de Góngora,* realiza uno de los más interesantes proyectos que se llevan a cabo para conmemorar el centenario del poeta cordobés (1980), al tiempo que Dámaso Alonso llevará a buen fin sus investigaciones gongorinas. Entre los nuevos libros, 1927 es más parco que otros años de la década, y sólo *Perfil del aire,* de Cernuda, inicia, con la contención expresiva de los grandes maestros, la andadura de sensibilidad, delicadeza y fuerte personalidad de su autor.

Mil novecientos veintiocho es el año de *Cántico,* libro con el que Guillén, ya muy conocido por su participación en las revistas poéticas, hace su aparición bibliográfica. Este año también se inicia Aleixandre con *Ámbito* y García Lorca publica su «primer» *Romancero gitano.* Sin embargo, 1929 es año de viajes. Guillén marcha a Oxford y García Lorca a Nueva York como estudiante de Columbia University. Publican libros los poetas del 27 Pedro Salinas, con *Seguro azar,* y Alberti, con *Cal y canto* y *Sobre los ángeles.* Aparece en la *Revista de Occidente* la traducción del *Cementerio marino,* de Valéry, por Guillén.

El trienio 1930-32 verá disminuida la producción editorial y las actividades de los poetas del 27, que reducen la publicación de libros. En 1930 muere Gabriel Miró, con quien los poetas del 27 mantenían especiales vínculos de admiración y afecto, tal como hemos estudiado (1979 *b*). Mil novecientos treinta y uno, el año de la República, publicarán, aunque libros secundarios, un buen número de poetas: Salinas (*Fábula y signo*), Lorca (*Poema del cante jondo*), Gerardo Diego (*Viacrucis*) y Jorge Guillén (*Ardor*), pero al año siguiente, el trienio se cierra con la aparición de un libro significativo: *Espadas como labios,* de Aleixandre.

Mil novecientos treinta y tres trae consigo significativas novedades, que van desde el primer número de *Cruz y Raya* hasta el estreno de *Bodas de sangre.* Alberti comienza su poesía político-social con la publicación de *Consignas* y *Un fantasma recorre Europa,* mientras aparecen otros libros de Lorca, Salinas, Cernuda y Miguel Hernández, que se incorpora a la nómina de poetas de la época con su *Perito en lunas*. El bienio 1934-35 contará con la aparición de *La voz a ti debida*, de Salinas, en 1934, y nuevos poemarios de Lorca (*Llanto, Seis poemas galegos*), Aleixandre (*Pasión de la tierra, La destrucción o el amor*), Alberti (*Verte y no verte, De un momento a otro*) y Cernuda (*Donde habite el olvido*). Alberti inicia la publicación de la revista revolucionaria *Octubre*, y Pablo Neruda, que publica en Madrid su *Residencia en la tierra*, inicia *Caballo verde para la poesía*.

La fecha final de estas intensas relaciones será 1936, año de la aparición de *Razón de amor*, el segundo *Cántico, 13 bandas y 48 estrellas, La realidad y el deseo, Primeras canciones, Llanto subterráneo*, año del comienzo de la guerra civil y del asesinato de García Lorca, con lo que quedaría rota la cohesión del grupo poético del 27. Los años siguientes, de guerra, ya no presenciaron la publicación masiva, como hemos visto en los precedentes, de libros poéticos. Únicamente alguna novedad aislada de los más activos (Alberti, Hernández) nos llevará al final de la guerra y al exilio de la mayoría de los del 27, ya que en España sólo quedan Aleixandre (enfermo), Diego y Alonso. Es la hora de la dispersión y de la ruptura de los vínculos —más de relaciones que otra cosa— de la generación del 27.

1.1.3. *Componentes del grupo*

C. B. Morris llamó a los poetas del 27 «the brilliant pleiad» (1969, 1), mientras trataba de establecer quiénes pertenecían a este grupo poético. Para él, fundamentalmente forman parte del grupo Alberti, Aleixandre, Altolaguirre, Cernuda, Lorca, Guillén, Prados y Salinas, con lo que quedan fuera Dámaso Alonso y Gerardo Diego, entre otros. Aunque reconoce que es a aquéllos a los que va a dedicar sus estudios, a continuación cita los siguientes nombres con los que los ocho escogidos tendrán relación: Dámaso Alonso, Mauricio Bacarisse, José Bergamín, Juan Chabás, Juan José Domenchina, Antonio Espina, Pedro Garfias, Ernesto Giménez Caballero, José María Hinojosa, Vicente Huidobro, Juan Larrea, José Moreno Villa y Gerardo Diego, a quien —citado en último lugar y fuera del orden alfabético— concede mayor importancia que por su poesía, por su participación en los actos gongorinos y su valor en la recopilación de la que había de ser primera antología del grupo (1969, 3).

Quizá la mayor contribución a definir la idea del 27 pertenece a Dámaso Alonso, que en su tantas veces citado artículo «Una generación poética», ya trazó, en 1948, el esquema fundamental de los que habían de ser componentes del grupo. Sus palabras fueron definidas, aunque la historia ha tenido que dar obligados retoques, a los que aludiremos inmediatamente:

> Los que hicimos el viaje fuimos Guillén, Gerardo Diego, Rafael Alberti, Federico, Bergamín, Chabás y yo. Es evidente que si tomamos los cinco primeros nombres (el de Bergamín como prosista muy cercano al grupo) y añadimos el de Salinas, que no sé por qué causa no fue con nosotros, y el de Cernuda, muy joven entonces, que figuró en el auditorio (pero de quien también se leyeron poemas en aquellas veladas), el de Aleixandre, que no había publicado aún su primer libro, tenemos completo el grupo nuclear, las figuras más importantes de la generación poética anterior a nuestra guerra. (No: hay que mencionar aún el del benjamín, Manolito Altolaguirre, casi un niño, que allá, en Málaga, fundaba ese mismo año la revista *Litoral,* y el de su compañero Emilio Prados) (1969, 157-158).

Otra de las nóminas más conocidas es la realizada en 1957-1958 por Jorge Guillén y recogida en su *Lenguaje y poesía.* Su interés radica en la extraordinaria difusión que tuvo entre los hispanistas —especialmente norteamericanos— en los años siguientes. Sus argumentos son interesantes, así como el nivel de ampliación:

> Hacia 1925 se hallaban más o menos relacionados ciertos poetas españoles. Si una generación agrupa a hombres nacidos durante un período de quince años, esta generación tendría su fecha capital en 1898: entonces nacen Federico García Lorca, Dámaso Alonso, Vicente Aleixandre. Mayores eran Pedro Salinas, Jorge Guillén, Gerardo Diego: del 91, del 93, del 96. Un año más joven que Lorca es Emilio Prados, del 99. A este siglo pertenecen Luis Cernuda, de 1902; Rafael Alberti, del 3, y el benjamín Manuel Altolaguirre, del 5. De Salinas a Altolaguirre se extienden los tres lustros de rigor —de rigor histórico—. Sería superfluo añadir más fechas. También cumplen con su deber cro-

nológico Antonio Espina, Pedro Garfias, Adriano del Valle, Juan Larrea, Juan Chabás, Juan José Domenchina, José María Hinojosa, José María Quiroga, los de la revista *Meseta* de Valladolid, los de *Mediodía* de Sevilla, Miguel Pizarro, Miguel Valdivieso, Antonio Oliver... (1972, 184).

Desde la primera lista de los componentes del grupo, publicada en el mismo 1927 por Fernández Almagro en *Verso y Prosa* (en aquella «nómina de la joven literatura» figuraron Alberti, Alonso, Bergamín, Chabás, Diego, Espina, Lorca, Guillén, Jarnés, Marichalar, Salinas, Claudio de la Torre, X, Neville, Guillermo de Torre y el propio Fernández Almagro, incluido por la revista), ha sido una constante de la crítica especializada la recopilación de estas nóminas que aún podremos comentar una vez más cuando nos refiramos, dentro de este panorama, a las antologías como medio de expresión y difusión no sólo de la poesía del grupo, sino también de la idea de generación. Lo que resulta innegable es la conciencia de grupo que estos poetas tuvieron desde el primer momento y que sus componentes mismos —Alonso, Guillén, Diego, Cernuda— propiciaron con sus artículos sobre el particular.

Ahora, cuando ya han transcurrido sesenta años desde aquella repetida fecha, nos interesa observar qué quedó de aquel grupo y tener en cuenta la supervivencia histórica de esos ocho poetas principales (Salinas, Guillén, Diego, Aleixandre, Lorca, Alonso, Cernuda y Alberti), que reciben una mayor atención bibliográfica, frente al relativo interés que despierta hoy cualquiera del resto de los citados.

1.1.4. *Actividades comunes*

La justificación más clara de la existencia de un grupo generacional la otorgan las actividades comunes de sus componentes. Fundamentalmente, hasta 1936 son muchos los actos, las participaciones en actos colectivos, las empresas variadas en que nos encontramos a los componentes del grupo. Entre ellas, habría que citar la conmemoración gongorina como la que mayor resonancia posterior ha tenido. La revista *Lola* y Dámaso Alonso (1969, 169) han dado cuenta, entre otros, de la conmemoración y de su sentido. Pero a ello hay que añadir las revistas poéticas —a las que nos referiremos más adelante— y que constituían los periódicos encuentros entre los componentes del grupo; las reuniones y banquetes —el homenaje a Cernuda por *La realidad y el deseo,* ofrecido por Lorca semanas antes del comienzo de la guerra, fue el último—; las relaciones epistolares —que se van conociendo ahora y que propiciaba la dispersión geográfica del grupo—; las reuniones en la Residencia de Estudiantes, verdadero foco cultural de la época, que ha sido estudiado por John Crispin (1981), etc.

Quizá, entre las actividades comunes, ninguna sea más notoria que las sucesivas antologías de Gerardo Diego, que fue el primero en ofrecer en dimensión histórica, como comentaremos más adelante, a la nómina más importante del grupo en su actividad común más permanente, más definitoria y, sin duda, más genuina: el cultivo de la poesía.

Juan Manuel Rozas ha tratado de demostrar la coherencia del concepto de generación del 27 observando cómo los que él considera el núcleo central de seis poetas participan en seis actividades comunes, que determinan su posterior consideración histórica. Los *seis* son, para Rozas, Salinas, Guillén, Alonso, Diego, Lorca y Alberti. De ellos, cuatro son catedráticos de Literatura, más los «dos primos andaluces», y las actividades que justifican su carácter de grupo señaladas son las siguientes:

1.º Los seis (más Aleixandre, que está un tanto alejado por enfermedad) habitan en Madrid fijos (o en frecuentes viajes) desde muy pronto, y en los años claves 1925-28. Salinas y Alonso son madrileños. Guillén está en íntimo contacto con ellos. Alberti vive en Madrid desde 1917; Lorca reside en la capital como estudiante desde 1919; Diego acaba la carrera en Madrid, y pasa allí muchas temporadas, aunque su Instituto esté en Soria, Gijón, Santander (luego en Madrid).

2.º Los seis (más Bergamín y Chabás) son los que realizan el acto famoso del Ateneo de Sevilla en 1927, es decir, su manifiesto andaluz. Viajan juntos, actúan juntos (parece, sin embargo, que Salinas no estaba entre ellos).

3.º Es fundamental ver que a la hora de firmar las invitaciones para el Homenaje a don Luis de Góngora lo hacen exactamente estos seis y no otros.

4.º Junto con varios prosistas, ellos seis son los fundamentales representantes de la poesía en la fundamental *Nómina incompleta de la joven literatura* que en el número 1 de *Verso y Prosa* publica en enero de 1927 Melchor Fernández Almagro, el crítico de la generación más respetado por todos.

5.º Todos ellos tienen parte en la creación y relación con los grupos fundamentales originales: con Andalucía occidental (Salinas), con la oriental (Lorca), con Levante (Guillén), con Santander (Diego).

6.º Los seis, menos Diego, estarán en la revista *Los Cuatro Vientos,* último intento de mantener el grupo en pureza estética y liberal, pero ya en el segundo no figura Alberti en la redacción. Alberti en esa fecha funda *Octubre,* revista revolucionaria (1978, 40).

1.1.5. *El exilio y la dispersión*

El devenir histórico de los poetas del 27 tiene una importante quiebra, de extraordinaria gravedad personal e intelectual y de consecuencias enormes, tras la guerra civil. Dámaso Alonso y otros muchos han hablado de una generación poética «1920-1936», y lo han hecho con razón, ya que el exilio y la dispersión son las características que definen las actitudes del grupo en la posguerra y años siguientes, y hasta tal punto es poderosa esa actitud, que se ha podido hablar incluso de un «exilio interior» padecido por Aleixandre y, en cierto modo, por Dámaso Alonso.

Paralelamente, se ha venido señalando, en lo que Debicki denomina «segunda fase», un cambio de actitud en algunos poetas, que será más que perceptible en autores como Guillén, Salinas, etc. Como señala González Muela,

la guerra española (1936-1939) alteró los destinos de muchos españoles, para no hablar de los que perdieron la vida en la contienda. Una buena parte de los poetas del 27 eran liberales y republicanos y tomaron el camino del exilio al terminar la guerra (1974, 20).

Está claro que tras la ruptura hay una dispersión que Rozas analizaba años más tarde así:

La generación se ha dispersado dramáticamente, pero no se han roto los lazos de amistad entre ellos. Los tres que quedan en España cumplen una misión importante de enlace con los desterrados y a la vez con los poetas más jóvenes de dentro del país, de los que son ahora maestros indiscutibles (1980, 16).

Se ha tratado con frecuencia, y es un aspecto que debe ser analizado para cada poeta en particular, de la incidencia de los problemas del mundo en la poesía de los componentes del grupo a partir de la guerra civil, más llamativamente en aquellos autores que expresaron un mundo poético, antes de la guerra, bien distinto. Pero también se ha exagerado al descubrir una actitud común, incomprensible en aquellos que ya practicaron una poesía de contenido social, e incluso poético, antes de la guerra. Debicki ha sido el que con más claridad ha enfocado el sentido de esta segunda fase al advertir lo relativo de los cambios de algunas actitudes:

> La diferencia no radica, como pudiera esperarse, en un mayor énfasis de lo social en la segunda época [...]. Tampoco se nota en la segunda fase una pérdida de exactitud y de valor artístico respecto a la primera. Lo que sí resulta en la segunda fase es la mayor importancia que se da a temas filosóficos fundamentales: la búsqueda de la eternidad por medio de la poesía, la angustia existencial y a veces religiosa, el significado de nuestra existencia (1968, 55).

Lo cierto es que algunos de los poetas del 27 produjeron, en la etapa que va desde 1939 hasta los finales de los sesenta, obras maestras de la poesía española, escritas entre nosotros (no hay más que citar *Hijos de la ira, Sombra del paraíso* o *Historia del corazón*) o fuera de nuestras fronteras (*A la Pintura, Clamor, Ocnos, La desolación de la quimera, El contemplado*), poniendo de relieve la calidad estética y la originalidad y trascendencia de un grupo que supo sobrevivir al horror de la guerra y el exilio y que supo mantener, salvo las excepciones de costumbre, el nivel de amistad que le dio vida y que no interrumpió ni el exilio ni la distancia.

1.2. LAS TENDENCIAS ESTÉTICAS

Se ha afirmado en alguna ocasión que la generación del 27 es la generación de la variedad. Dámaso Alonso lo adelantó como uno de los signos más peculiares, cuando advirtió que la suya no era sino una generación que acumulaba valores individuales: «Lo que me maravilla en esa generación —añadía el ilustre filólogo— a la que tuve la fortuna de acompañar es la intensa personalidad artística de sus componentes, lo vario y netamente diferenciado de sus voces, lo generoso de su empeño, principio casi extrahumano y humanizado a la postre» (1969, 176). Precisamente, esa variedad característica es la que va a definir su credo estético, y todos los críticos que a la generación se han acercado se han sorprendido de la paradójica diferenciación de sus creaciones literarias y lo poco común de sus actitudes. Podríamos decir que existen diferencias tanto sincrónicas —entre unos poetas y otros— como diacrónicas —en las sucesivas experiencias que todos y cada uno de ellos habrán de ir incorporando a su poesía—. Tal multiplicidad de cambios y estructuras les hará muchas veces coincidir y encontrarse, pero otras muchas separarse y caminar por sendas diferentes. A las distintas modalidades de esta estética los especialistas han dedicado mucha atención, y no es extraño que una buena parte de la bibliografía hable en ocasiones más de puntos de desacuerdo que de aspectos comunes. Se pone de manifiesto, una vez más, la variedad como peculiaridad curiosa de esta generación.

1.2.1.   *Características del arte nuevo*

La joven literatura se presenta en España con una intención claramente innovadora, de la que será heredera directa la generación del 27. La intención es, ante todo, renovar sensiblemente el panorama literario y buscar un arte nuevo que colmase los deseos de renovación característicos del grupo de jóvenes escritores. El arte de vanguardia surge, no queriendo, como tantas veces se ha dicho, romper con lo anterior, sino haciendo tabla rasa de todo lo que le precedió, y situarse, como señalaba Vicente Gaos, «más acá o más allá de las viejas culturas, de los orígenes de lo humano y en los albores de un futuro incomprometido. Surge así el arte nuevo, vinculado, en España, a las teorías de la deshumanización del arte de Ortega y Gasset, que observa una serie de característisticas, clásicas ya en los estudios de la época, y que Gaos resumía y concretaba en los siguientes extremos (1969, 14-28):

Afán de originalidad: revelación de lo radical del empeño, que llega incluso a determinar la falta de sentido lógico y que desde el punto de vista formal se expresa por los más diversos medios.

Hermetismo: renovación de la vieja tendencia a lo minoritario y conversión de la poesía en coto cerrado para el lector «entendido y minoritario».

Autosuficiencia del arte: defensa de la autonorma de la expresión artística y persecución del ideal de la poesía pura, ajena a todo lo humano: sentimientos, emociones, anécdota, descripción, etcétera.

Antirrealismo y antirromanticismo. La tendencia a la «insignificancia absoluta», que perseguía Gide, le hace incurrir en una doble labor de «deformación y abstracción» que supone la ruptura absoluta de los cánones tradicionales.

Sobrerrealismo. Con este término designa Gaos el intento de superación de la realidad culminado en el movimiento surrealista, cuya magia y misterio sobrepasan los esquemas de la consecuencia y de la realidad.

Intrascendencia. «Uno de los dogmas del vanguardismo —escribe Gaos— aseguraba que el arte "es una actividad inmanente que debe carecer de toda finalidad extraestética, de toda trascendencia moral, social, filosófica"» (1969, 23).

Predominio de la metáfora. Parte de la definición de Ortega de que «la poesía es el álgebra superior de las metáforas» y se relaciona con los experimentos vanguardistas en España, que parten de Ramón Gómez de la Serna.

Escritura onírica. Reflejo máximo de la ruptura con la realidad y defensa del automatismo psíquico como medio de expresión característico.

Atomización. Tendencia a la disolución literaria y «descomposición de los esquemas tradicionales de géneros y sus límites», al desorden y a la descomposición expresada por Gómez de la Serna en sus greguerías, por ejemplo.

Tales supuestos, debidamente matizados y compensados por la actitud de los poetas, fueron la base en la que la nueva literatura se apoyó a la hora de surgir como un movimiento poético innovador, del que el 27 fue la síntesis y también el camino abierto hacia una combinación de lo tradicional y lo vanguardista, gesto genuino y único de este grupo poético.

1.2.2. *Poética del 27: de la vanguardia al compromiso*

Los diferentes autores que se han ocupado de la poética del 27 han advertido con claridad su tendencia a la multiplicidad estética. Así lo han hecho, entre otros, Zuleta (1971), Debicki (1968), Rozas (1980) y Geist (1980). Este último, rastreando opiniones en las revistas literarias de la época, ha recorrido la incidencia de los movimientos por el ultraísmo y creacionismo para llegar al surrealismo pasando por una etapa de evasión y pureza, como máximo exponente de la transición del ultra al 27.

De la incidencia del arte de vanguardia en España son muchos los que se ocupan del fenómeno, indudablemente previo al 27. Desde el libro de Gloria Videla sobre el ultraísmo (1963) hasta las más recientes investigaciones de Brihuega (1979, 1982) y de Buckley y Crispin (1973), Germán Gullón (1981), etc., todos dan una idea de la amplitud del tema, que lo será más aún cuando al surrealismo nos refiramos. De la diferente incidencia de tales movimientos en los distintos poetas del 27 se irá dando cuenta oportunamente, aunque conviene destacar la condición de indispensables, tanto como panoramas generales como referencias específicas a determinados poetas de la generación, de los libros de Bodini (1971), Ilie (1972), Morris (1972), Onís (1974), Durán (1950), sin olvidar las aproximaciones de Corbalán (1974), Earle y G. Gullón (1977), Guillén (1970), que define el estímulo superrealista como un medio fundamental en la lírica de aquellos años, Neira (1983), Carnero (1983), etc.

Aun así, tomada conciencia de la importancia del arte de vanguardia en nuestras letras, como bien ha estudiado García de la Concha (1979), el signo del 27 no es exclusivamente vanguardista, ya que de él forma parte, con gran incidencia, la tradición, justificada en la condición de estudiosos de la literatura oficiales de muchos de sus componentes. Como señala Rozas, la palabra equilibrio, mencionada por Diego, equilibrio entre vanguardismo y tradición, expresa la virtud más acusada de la poesía del 27. Lo que Jorge Guillén —disminuyendo el valor de nuestro surrealismo— escribe acerca de *El estímulo surrealista,* explicando cómo éste no fue un fin sino un medio estimulante, es aplicable para todo el empleo que de los novedosos *ismos* va a hacer esta poesía llegado el momento generacional (1980, 44).

Un aspecto muy interesante, en lo que al «momento generacional» se refiere, es el examen de las «poéticas» de los propios poetas del 27. Una comparación de esas «poéticas», incluidas por los jóvenes del 27 en la Antología de Gerardo Diego (1932), resulta de gran interés para comprobar las ideas que sobre la poesía tenían en la década de los treinta todos los autores que nos ocupan. José Carlos Mainer, que ha hecho este recorrido «curioso», señala que «todos coinciden en lo imposible del quehacer poético. Ni éste responde a una manera específica de ver —y exaltar— la realidad ni a una tensión personal que exige la comunicación de unos sentimientos o hallazgos personales. Más bien, la poesía parece una zona exenta donde se encuentran el poeta, el poema y el lector, casual y fugazmente» (1975, 220). Así lo explica Pedro Salinas, que finalmente considera la poesía una aventura hacia lo absoluto, mientras que Dámaso Alonso «está más cercano a la posición tradicional de considerar la poesía como una fuerza —una actitud, un vehículo— que conduce a poeta y lector a un ámbito de profundidad inasequible por otro procedimiento» (1975, 220). Guillén, por su parte, rechaza la identificación de poesía con el fantasma metafísico e inasible de la poesía pura y apuesta por el poema como unidad de arte y esfuerzo, mientras Diego, entre otras cosas, cree que la poesía es creación al margen de la realidad. De otra forma piensan Aleixandre —que rechaza la divinización de la poesía—, Cernuda y Rafael Alberti, cuyas opiniones ya avisan de los rumbos que caracterizarán la poesía de la década recién comenzada (1975, 220-222).

Otro aspecto muy tenido en cuenta es el referente a la «tradición» como formante del pensamiento estético del 27. No debemos olvidar que, en el importante componente que podríamos agrupar bajo ese término, tendríamos que situar el regreso de los poetas del grupo, en dos sentidos fundamentales, a nuestra tradición, la oral y la escrita. La incidencia de los cancioneros de los siglos xv y xvi, la importante vuelta a los clásicos castellanos, especialmente propiciada por el reconocimiento de Góngora, que ha estudiado Dehennin (1962), y a otros poetas del Siglo de Oro, es única en los movimientos literarios europeos del siglo xx, y se combina con la incorporación de la tradición oral, de la poesía de tipo tradicional, que constituye, con Lorca y Alberti, lo que se vino a denominar «neopopularismo». Fue Cirre (1950) el que concedió a estas experiencias una importancia extraordinaria, hasta el punto de haberse convertido en uno de los sellos característicos de la poesía de esta generación, a pesar de lo discutible del término «neopopularismo». En este mismo orden de cosas, habría que incluir las etapas neobarrocas o neoculteranas, en el caso de Alberti, o neolopistas, en los de Lorca y Diego, como experimentos genuinos de este grupo poético, que consigue así una interesante y única simbiosis entre tradición y modernidad.

Cabe citarse, por último, y como uno de los centros de atención de la crítica, que caracteriza así toda una época, el tránsito entre pureza y revolución que la poesía del 27 experimenta, como estudia con amplitud y detalle Juan Cano Ballesta (1972). De la incidencia del movimiento europeo de la poesía pura en España se ocupó detalladamente Antonio Blanch, que parte de una, para él, constatación innegable: «Durante los años 1920-1930, varios escritores jóvenes españoles empiezan a publicar poemas de una manera semejante y nueva en las revistas literarias de la época, con un grandioso anhelo de pulcritud y perfección» (1976, 14). Se trata de lo que él denomina una literatura no comprometida, que viene a sustituir a las graves preocupaciones sociales y políticas que aquejaban a los escritores del 98 y que aparece propiciada por la falta de libertad de expresión de la dictadura. El refugio en la poesía y la evasión parecen momentáneos: «No se nos oculta —concluye Blanch— el tremendo problema que entraña este distanciamiento de la sociedad; afortunadamente, casi todos los poetas españoles recuperarán muy pronto el contacto imprescindible con la masa humana y lamentarán aquel paréntesis de fingida pureza» (1976, 35).

De estos ideales, tan difíciles de sostener, se pasó pronto al surrealismo, y de ahí a la poesía de protesta social. Es un hecho evidente hoy, entre los críticos, que el surrealismo, como señaló Ángel González, sirvió para sustentar, coincidiendo con el advenimiento de la República, los primeros brotes de poesía de protesta social. «En tales circunstancias, el surrealismo llegó a ser algo más que un estímulo para la libertad de la imaginación: se convirtió en un excelente medio para expresar las inquietudes sociales que la poesía pretendía incorporar» (1985, 32). Comienzan entonces a surgir la protesta, la rebeldía que caracteriza, por ejemplo, al Cernuda simbolista; y los manifiestos de «poesía impura», en la que entrasen en juego esos elementos precisamente que pocos años, muy pocos años antes, se pretendieron rechazar. En el libro de Lechner (1968) se hace un balance, desde sus antecedentes, de toda esta poesía comprometida, cuya paulatina integración en las letras españolas, conviviendo incluso durante algunos años con los ya caducos ideales, ha estudiado Cano Ballesta, refiriéndose al período entre 1930 y 1936 (1972).

Todo cambiará, como hemos repetido, al terminar la guerra civil, y los ideales de poesía pura, así como los de poesía revolucionaria, recibirán un nuevo enfoque a través ahora de una perspectiva bastante diferente: la producida por el exilio. Rozas resume bien la situación:

> Después de la guerra muchos de estos escritores abandonan con su actitud de poetas directamente combativos. Así ocurre con Prados, Altolaguirre y Cernuda. No con Alberti, que en el exilio fue alternando la poesía política con la personal, según el dictado de su libro *Entre el clavel y la espada*. Pero en compensación, poetas que no habían abordado el tema del compromiso social y político, lo hacen ahora. Ya desde dentro, Dámaso Alonso con *Hijos de la ira,* ya en el destierro como *Maremágnum* de Guillén. No sólo la guerra española, sino la mundial, les ocupa ahora. Por ejemplo, el poema *Cero* de Salinas (1980, 37).

1.3. LOS MODELOS

En la bibliografía de los poetas del 27, ya sea general o particular, existe un importante capítulo dedicado a los «modelos», a lo que otros consideran los «maestros». Es interesante apreciar, en consecuencia, que a los poetas de este grupo se les advierte un extraordinario afecto hacia una serie muy selecta de escritores que influyen directa o indirectamente sobre ellos. En la selección de estos maestros ha advertido González el signo de este grupo de poetas y una de las consecuencias de sus anhelos de pureza poética:

> A tal tentación responde la rigurosa selección que estos poetas hicieron de la tradición literaria. El árbol genealógico que los autotitulados «nietos de Góngora» se elaboraron confirma sus pretensiones de «pureza de sangre» lírica [...] Los poetas del 27 ejercieron su espíritu de selectividad también con carácter retroactivo (1985, 27).

1.3.1. *Modelos inmediatos*

En la formación de los poetas del 27 se ha tenido muy en cuenta la influencia de los inmediatos escritores españoles, aquellos que, pertenecientes a las generaciones anteriores, configuraron la realidad mental de muchos de los del 27. Juan Manuel Rozas se ha referido, en este contexto, al sustrato liberal constituido por el pensamiento de los escritores del 98 y novecentistas, vinculado posteriormente a la Institución Libre de Enseñanza. Sin embargo, hubo durante los años veinte y treinta grandes diferencias entre los poetas del 98 —en particular Machado y Unamuno— y los del 27, ya que estos últimos, más orteguianos, perseguían un universalismo bien distinto, como si hubiese habido en las generaciones sucesivas un proceso de apertura y cosmopolitismo que acabaría en estos últimos: «El 98 —escribe Rozas— se angustia por el pasado y presente de la realidad española en desgarradoras, solitarias y melancólicas elucubraciones. Se angustian con el problema de Dios y del amor, con el binomio España-Europa. Después de la labor cauterizadora de los ensayistas —estilistas y europeístas de la generación de Ortega—, los del 27 se encuentran en una situación opuesta a la de sus abuelos [...] al hablar de sus temas predilectos. Les interesa poco lo sobrenatural, viven gozosamente el amor y se sienten ciudadanos no sólo de Europa, sino del mundo» (1980, 24).

Aun así, González Muela hizo referencia a lo que los poetas del grupo debían a algunas de las figuras del 98: «Pero de Unamuno y Machado aprendieron también una cosa muy importante: el uso de la *imaginación*. La verdadera *realidad* de las cosas no es la cosa misma, sino lo que pensamos, imaginamos o soñamos de la cosa» (1974, 13).

Un capítulo muy importante en lo que a este aspecto se refiere, y que señalan con todo detalle los especialistas —ya hemos visto las caracterizaciones del «arte nuevo» de Gaos—, lo representa Ortega y Gasset, cuya vinculación con los poetas del 27 no sólo es ideológica o teórica, sino también práctica, ya que muchos de ellos —introduciendo el mundo de la poesía en un mundo ajeno (el de la filosofía, el pensamiento)— publicaron sus poemas en la *Revista de Occidente*. E. López Campillo ha estudiado la influencia de esta fundación orteguiana en la formación de las minorías (1972), y lo cierto es que la influencia de Ortega en la juventud creadora fue grande, muy grande, a pesar de que ninguno de estos poetas llegó a suscribir plenamente sus teorías de la deshumanización del arte, como también se ha puesto de manifiesto muchas veces. Destaca en este sentido la opinión de González Muela, que llega a situar a Ortega en el «polo opuesto» de los poetas del 27 (1974, 13).

Más unánime es la consideración de maestro que Juan Ramón Jiménez recibe y que, reconocida —a pesar de posteriores diferencias— por los propios poetas del grupo, hay que situarla como algo fundamental en los inicios de esta nueva época. Juan Ramón, como señala José Luis Cano, fue el guía en los inicios de muchos de ellos: «En el umbral de la generación, la influencia y ejemplo de Juan Ramón Jiménez fueron decisivos y comparables al influjo de Rubén Darío en los primeros pasos de la generación modernista española» (1982, 23). Para dar cuenta a continuación de las conocidas relaciones de los poetas del 27, a través de *Índice*, con su editor, como hemos de ver más adelante. A esta relación también se ha referido Rozas dando cuenta de las lamentables desavenencias que el poeta de Moguer tuvo con bastantes de los componentes del grupo, ya que se produjo una extraña situación de amor/desamor, muy curiosa y singular en las letras universales que, como bien apunta el citado estudioso, está pendiente aún de estudio (1980, 30).

No sería completa esta relación si no aludiéramos aún a tres modelos inmediatos cuya referencia ha merecido distinta atención por parte de la crítica especializada: Rubén Darío, Gómez de la Serna y Gabriel Miró. Las diferentes actitudes de los propios poetas del 27 ante Darío, que tendrían extremos notables en la admiración de Gerardo Diego, el desdén manifiesto de Luis Cernuda y la atención crítica de Salinas, ha sido objeto de mi estudio (1986), aunque ya se habían realizado previamente algunas aproximaciones particulares, como en el caso de García Lorca en Devoto (1967), en Gibson (1984) y en Eutimio Martín (1986), y una observación muy general en González Muela (1974, 14), quien compara su atractivo con el ejercido por Gustavo Adolfo Bécquer en algunos de los poetas como Alberti y Cernuda.

Para Rozas (1980, 26-27), es fundamental el magisterio de Ramón Gómez de la Serna entre los del 27, más que como otra cosa, como promotor y como importador de novedades extranjeras. A través de su revista *Prometeo,* de sus empresas editoriales, fueron conocidos autores como Cocteau, Morand, Lautréamont, Apollinaire, etc., en España. A esto hay que añadir sus funciones de gran sacerdote de Pombo y sus actividades literarias con importantes innovaciones en el mundo de la metáfora a través de las greguerías. La influencia de este nuevo género literario en la novela del 27 también ha sido analizada por el citado Rozas (1979).

Por último, la gran influencia de Gabriel Miró, por mí revisada con detalle (1979 *b*), ha sido reconocida en raros casos. Podríamos citar la excepción representada por Antonio Blanch, que consideraba que «la obra de Gabriel Miró se relaciona estrechamente con la de los poetas de la generación del 27 por la elevación del estilo, el empleo de las imágenes yuxtapuestas y el alto grado de concentración de la frase» (1976, 43). Pero, además, hay que citar la extraordinaria muestra de respeto y admiración de todos los poetas hacia el novelista alicantino, evidenciado en las numerosas páginas que a él dedican tras su muerte y que culminan en los artículos de Dámaso Alonso o de Jorge Guillén, ambos curiosamente incluidos en libros dedicados a «poetas» (*Poetas españoles contemporáneos* y *Lenguaje y poesía,* respectivamente), y

que denotan la consideración de *poeta* que el narrador alicantino
—que quería ante todo ser novelista— recibía por parte de los
del 27 siguiendo la línea iniciada por Valery Larbaud, que en 1920
se refería a Miró ya como «du plus remarquable des poètes es-
pagnols contemporains», tal como bien recuerda Antonio Blanch
(1976, 43).

1.3.2. *Modelos clásicos*

Ya se ha dicho, y se viene repitiendo con insistencia inusita-
da: la generación del 27 no se levanta contra nada, sino que pretende hacer síntesis del importante componente de conocimiento
y respeto de los clásicos españoles que caracteriza a sus miembros,
próximos por profesión al estudio de nuestra historia literaria.
Tras hacer un balance general, podemos asegurar que ninguno de
nuestros autores del Siglo de Oro es olvidado o rechazado por estos poetas que viven de cerca la literatura de esta época, dando
lugar, en su celo por revivirla, a la resurrección del —entonces— más olvidado gran poeta del Siglo de Oro: don Luis de
Góngora.

De la influencia y de los trabajos en torno a Góngora se viene
ocupando habitualmente un importante sector de la crítica especializada, comenzando por el más informativo y revelador de los
trabajos al respecto, el de Elsa Dehennin (1962), en el que se
recopilan más de cincuenta artículos en torno a Góngora, publicados en las revistas de la época y que revelan las actividades de
un grupo de jóvenes ante el poeta cordobés. Un buen resumen
de todo lo hecho en torno al poeta puede encontrarse en el libro
de Blanch (1976, 67-73), que recopila y anota todos los proyectos
y resultados, homenajes y artículos en torno a Góngora y 1927.
Como señala González Muela,

> Góngora es el modelo común, porque Góngora llevó a la cúspide, casi
> con rigor científico, el grandioso lenguaje poético que había empezado
> a lograr grandes vuelos con Garcilaso de la Vega y que continuaron
> con Fernando de Herrera, Fray Luis de León, San Juan de la Cruz...,
> en fin, los grandes líricos del Siglo de Oro (1974, 12).

Y es que, en efecto, no se trató de una admiración solamente hacia Góngora, sino hacia prácticamente todos los poetas de la época, comenzando por Lope de Vega, que se configura como maestro de un importante sector del grupo (Diego, Lorca, Alberti) y siguiendo por otros de los poetas que Gerardo Diego incluye en su *Antología poética en honor de Góngora (Desde Lope de Vega a Rubén Darío)*, como, por ejemplo, Soto de Rojas. Desde Garcilaso y Gil Vicente a Fray Luis de León y San Juan de la Cruz (tan presentes estos últimos en Guillén), a Cervantes (estudiado como poeta por Diego y Cernuda) y a, incluso, Quevedo, los poetas del Siglo de Oro aparecían con frecuencia en las antologías de las revistas de la época como modelos. El clima editorial-filológico de los años veinte, realizado en torno a Menéndez Pidal y a sus estudios sobre cancioneros y romanceros, contagia el gusto por los textos clásicos, que ejercen una influencia extraordinaria en los poetas de esta época. Antonio Blanch recuerda y destaca entre las ediciones de la época de 1926 la de Fernández Montesinos de las *Poesías líricas* de Lope de Vega: «Esta recuperación de los clásicos y de la poesía popular —concluye Blanch— ayudó al grupo de poetas del 27 a encontrar su propio camino en el cruce de tantas corrientes de vanguardia que surgían en aquella época. García Lorca, Alberti y Diego fueron los que mejor integraron en su quehacer de escritores cultos los elementos populares de la poesía tradicional (Lope de Vega, Gil Vicente, los cancioneros, etcétera)» (1976, 54).

1.3.3. *Modelos extranjeros*

Una de las grandes novedades que representa la generación del 27 en la historia de España es su apertura hacia el exterior, su europeísmo intelectual y más aún su cosmopolitismo, que se revela ahora más que nunca en la presencia de las innovaciones extranjeras. Rozas ha puesto de manifiesto la clara conexión de los poetas del 27 con lo que él denomina la Europa de los ismos. A través de sus estancias en países europeos (Salinas, Guillén, Diego, Alonso, Cernuda), pero sobre todo a través de las revistas más prestigiosas, nuestros poetas se van sumergiendo en el mundo de los grandes nombres de la Europa de la época, comenzando por los vanguardistas Apollinaire, Max Jacob, Cendrars, Marinetti, pero también teniendo en cuenta a otros poetas, sobre todo Mallarmé, Valéry, Éluard, Aragon, Breton, Larbaud y tantos otros que vinieron a España en aquellos años y hablaron en cenáculos prestigiosos como la Residencia de Estudiantes o el Ateneo de Barcelona. Joyce, Proust y los grandes novelistas renovadores del siglo XX eran traducidos por los poetas del 27, que admiran y difunden en diferentes etapas a los grandes de la lírica universal, desde Hölderlin a Whitman, desde Eliot a Rilke.

Una buena prueba del panorama intelectual de la época en relación con el exterior, y en concreto con los innovadores franceses, lo representa uno de los apéndices del libro de Antonio Blanch, en el que recoge la presencia de la literatura francesa en la *Revista de Occidente* de 1922 a 1930. No sólo Valéry, Jacob, Mallarmé o cualquiera de los autores franceses citados anteriormente, sino una larga y exhaustiva lista, nos permite conocer las posibles lecturas de los jóvenes intelectuales españoles que podían leer traducciones, asistir a polémicas o conocer por reseñas los mejores libros de la Francia contemporánea. Los nombres de la Condesa de Noailles, Maurice Barrès, Cocteau, Morand, Mauriac, Loti, Giraudoux, Supervielle, Gide, Breton, Montherland, Larbaud, Maurois, Cassou, Prévost, Reverdy, Claudel, Proust, Mac Orlan, se harían familiares a los lectores de la *Revista de Occidente,* que publicará en sus páginas traducciones fundamentales, entre las que destacará la de *El cementerio marino,* de Valéry, que Guillén ofrece en uno de los números de 1929 (1976, 308-315). El mismo Blanch dedica un importante capítulo de su libro a la presencia de la literatura francesa en España, desde Apollinaire a Cocteau, desde Mallarmé a Valéry (1976, 178-203).

1.4. LOS MEDIOS DE EXPRESIÓN

Si esta generación se distingue por algo, verdaderamente genuino, es por la gran originalidad de los medios de expresión utilizados en su tiempo por los poetas de la época y lugar de «expresión y reunión» generacional. Hacemos referencia a las revistas poéticas, a las revistas literarias que, con extraordinaria y fecunda floración en la época, sirvieron de aglutinador excepcional del grupo o generación del 27. Así lo ha puesto de manifiesto, entre otros, José Carlos Mainer, que ha destacado que «su forma de expresión predilecta fueron las pequeñas revistas poéticas de breve tirada y cuidadosa tipografía que renovaron ampliamente en la inquieta juventud universitaria de todo el país» (1975, 213).

Paralelamente, hay que dar cuenta de las editoriales, medio de expresión no secundario vinculado estrechamente en muchos de los casos a las más importantes revistas. La nota más peculiar de todo este campo rico y fecundo viene representada por la presencia o existencia de un poeta detrás de cada una de estas empresas editoras. El caso más llamativo vendría representado por Altolaguirre; pero, del mismo modo, tras las principales revistas, Guillén, Diego, Lorca, Bergamín y tantos otros continúan a la cabeza de un grupo que sustentaba la publicación.

Hay que insistir también en la valoración de la descentralización que tales actividades supusieron en el campo de la literatura del momento, también señalada por Mainer, que destacaba que se «creó una suerte de descentralización artística a nivel peninsular», «la más eficaz de nuestra historia», aunque Madrid continuase siendo el centro indiscutible de toda la actividad literaria de la época (1975, 214). La presencia de las regiones, de las provincias, en el panorama poético constituye así un hecho socio-cultural pocas veces repetido entre nosotros. La vinculación, por nacimiento o profesión, de los poetas del 27 a algunas capitales provinciales trajo consigo la descentralización de la actividad literaria española que, alejada de los cenáculos madrileños, sólo tiene parangón en nuestra literatura, como ya hemos señalado (1979, 15), con nuestro Siglo de Oro, cuando las grandes escuelas regionales seguían de cerca los movimientos literarios de la Corte, donde triunfaban Lope, Góngora y Quevedo, con sus innovaciones y atrevimientos. Una nueva e importante conexión entre Siglo de Oro y el 27.

1.4.1. *Revistas y editoriales: el 27 y las regiones*

Ya hemos señalado que uno de los más peculiares modos de expresión de los poetas del 27, y no sólo de ellos, sino también de todos aquellos escritores que podemos allegar al modo generacional de pensar, lo constituye la revista poética, que con más amplitud podríamos denominar literaria. Nacidas con una misma finalidad práctica —dar salida a las creaciones de los nuevos escritores—, se sitúan al mismo tiempo como medios de expresión de los nuevos ideales, en los que coinciden generalmente. Su número fue extraordinario, ya que, unas más efímeras, otras de mayor permanencia en el tiempo, se pueden contar hasta casi medio centenar en que de manera directa o indirecta intervienen los componentes del 27. Tanto es así, que Gallego Morell ha podido decir que ésta es «la generación de las revistas de poesía» (1956, 47). Cada poeta tenía su revista fuera cual fuera su lugar de residencia, en cuyas imprentas y con la colaboración de los escritores locales, que compartían esta inquietud generacional, van realizando una serie de pequeñas empresas que enriquecen el panorama literario español. Con razón *La Gaceta Literaria,* en su número 21 de 1927, con motivo de la salida a la luz de *Carmen,* publica unos versos bastante reveladores de este extraordinario fenómeno: «Cada maestrillo, su librillo. / Cada poeta, su revista. / Cada catedrático, su Cátedra. / Jorge Guillén, en Murcia. / Lorca, a punto de tenerla en Granada. / Ahora, Gerardo Diego, en Santander.»

Señalaba Guillermo de Torre que sería interesante elaborar una historia literaria del XIX y del XX a través de las publicaciones periódicas que cada grupo de escritores ha ido realizando (1969, 12), y es que, en general, toda revista poética de un grupo, normalmente minoritario, que expone sus ideas más o menos avanzadas al gran público. A pesar de ello, el lector de la publicación sigue siendo minoría, del mismo modo que los que las realizan. De ahí que las empresas económicas en este terreno fracasan con facilidad y las revistas tengan como principal característica su efímera existencia. Aun así, el interés para el estudioso es primordial, ya que, como escribía Larbaud, «las revistas jóvenes son los borradores del mañana. Gerardo Diego, que en su Antología fue el primero en dar cuenta del dato excepcional que caracteriza a su generación, señalaba que

tales revistas, la mayor parte generosas y efímeras, han albergado en sus páginas buena parte de los versos reunidos después en los libros, y a veces en versiones provisionales, con variantes cuyo cotejo con las definitivas es una de las genuinas delicias del buen catador y curioso en la poesía. Pero además conservan otras poesías que no merecieron a sus autores el honor de la inclusión en libro, y que son por lo mismo del mayor interés para una investigación completa (1968, 576).

Y a continuación de esa primera relación, que recoge los títulos de las revistas más importantes comprendidas entre 1915-1931, fechas de su Antología:

> Son todas madrileñas salvo indicación en contrario: *Índice, Litoral* (Málaga), *Verso y Prosa* (Murcia), *Carmen* (Gijón-Santander). Estas cuatro, las más representativas. Tres muy amplias, con reducidas dosis de poesía: *España, La Pluma* y *Revista de Occidente*. Las tres principales del movimiento ultraísta: *Grecia* (Sevilla-Madrid), *Cervantes, Ultra*. Además de *Índice*, Juan Ramón Jiménez publicó *Ley, Sí, Diario Poético*. Y finalmente *Horizonte, Alfar* (Coruña-Montevideo), la hoja literaria de *La Verdad* (Murcia), *Mediodía* (Sevilla), *Papel de Aleluyas* (Huelva-Sevilla), *Parábola* (Burgos), *Gallo* (Granada), *Manantial* (Segovia), *Meseta* (Valladolid), *Nueva Revista, La Gaceta Literaria, DDooss* (Valladolid), *Poesía* (Málaga-París) y *Sudeste* (Murcia). Las cuatro últimas en curso de publicación (1968, 576-577).

La participación de todos los poetas del 27 en todas estas revistas surge ya desde aquellas que inspiró Juan Ramón Jiménez, de quien ha quedado probada la más poderosa influencia sobre el grupo. La más importante de ellas es *Índice,* de la que publica solamente cuatro números. Su aparición data de 1921 y en ella figuran como director el poeta de Moguer y como secretario Juan Guerrero Ruiz. La revista «debe considerarse —según ha escrito José María de Cossío— como la inicial de la nueva poesía» (1970, 12), y es que, junto a los nombres de Ortega, Azorín, Ramón Gómez de la Serna, los hermanos Machado y Pérez de Ayala, figuraron entre sus colaboradores los de Salinas, Guillén, Diego, Alonso, Lorca, Espina y prosistas como Bergamín y Marichalar. Luis Felipe Vivanco ha revelado que «la nómina del 27 ha quedado casi completa en las páginas de *Índice*. Faltan poetas decisivos en su palabra como Aleixandre y Cernuda, y grupos locales importantes como los de Murcia, Málaga y Sevilla» (1973. 474). *Índice* inicia también la costumbre de incluir poesías clásicas en sus números (romances, canciones, letrillas de Góngora, antología de don Sem Tob) y de completar la actividad de la revista con Suplementos como los titulados *Sí* y *Ley*. Por otro lado, la revista de Juan Ramón, como harán otras de la época, dispone de una biblioteca paralela en la que se publican libros de jóvenes escritores como Bergamín, Espina o Salinas, del que incluye su libro *Presagios*.

Un interesante grupo de revistas lo constituyen, en este contexto, las que se vinculan al ultraísmo, movimiento que, como advierte Gloria Videla, «dio pocos libros» (1963, 39). Tan sólo suelen citarse *Imagen*, de Gerardo Diego, y *Hélices*, de Guillermo de Torre, por lo que la fuerza y expresión del movimiento queda por ello reducida a las revistas, estudiadas sobre todo por Guillermo de Torre (1971, II, 217 y ss.) y Gloria Videla (1963, 39-88), quien reseña y comenta *Los Quijotes, Grecia, Cervantes, Vltra, Cosmópolis, España, Tableros, Perseo, Reflector, Horizonte, Vértices y Tobogán, Alfar, Ronsel* y *Parábola*. Las más significativas en relación con el 27 son las siguientes: *Grecia*, la más antigua dal ultraísmo y «todavía de transición», según Vivanco (1973, 467), que se publica en Sevilla desde 1918, dirigida por Isaac del Vando Villar. Figura como redactor-jefe Adriano del Valle. Más tarde aparecerán nombres significativos como Rafael Cansinos-Asséns, y se trasladará en 1920 a Madrid, año en que, al llegar al número 50, termina su existencia, lo que constituye, como señaló uno de sus últimos colaboradores, Guillermo de Torre, «longevidad excepcional para una publicación de tal índole» (1971, II, 1979). De ella, a la que también se ha referido Gallego Morell (1954 *d*, 6-7), hay que destacar la presencia de traductores de los más significados vanguardistas europeos como Max Jacob, Marinetti, Apollinaire o Tristán Tzara.

De principio no ultraísta es *Cervantes*, que empezó a publicarse en 1916 dirigida por Villaespesa y con colaboraciones de la Pardo Bazán, Unamuno y Pío Baroja. A partir de 1919 la dirige Rafael Cansinos-Asséns, y experimenta un sensible cambio al formar parte de su redacción firmas como la de Adriano del Valle, Vicente Huidobro, Chabás, Espina, Gerardo Diego y Guillermo de Torre y aparecer también traducciones de vanguardistas franceses. Quizá la más coherente de todas ellas es *Vltra* (desde enero de 1921 a febrero de 1922), con un total de 24 números, como ha estudiado Gallego Morell (1955, 6-7). «En *Vltra* —ha escrito Vivanco—, típica publicación de vanguardia, se siguen las huellas del ya lejano futurismo italiano y del más reciente dadaísmo francés, aunque su promoción se deba al paso por Madrid del poeta chileno Vicente Huidobro» (1973, 467). Se destaca esta publicación entre las de su tiempo por el gran impersonalismo que la preside, ya que, siguiendo el ideario dadaísta, no tiene director, y se afirma que está regida por un comité anónimo. Sabemos que su gran inspirador es Guillermo de Torre, quien se ha referido posteriormente a la intención y carácter colectivo de las revistas (1971, II, 222-223). Como reflejo de esta tendencia a la colectividad, Vivanco ha escrito que en *Vltra* «triunfa el nosotros, el trabajo en equipo, sobre la afirmación de cada personalidad aislada» (1973, 467). Entre sus colaboradores destacamos al joven Jorge Luis Borges, que comparte las páginas con Diego, Ciria y Escalante, Del Valle y Luis Buñuel. Cabe citar, por último, la revista *Alfar,* que sobresale por su supervivencia. Su primer número aparece en La Coruña en 1921 y va impulsada por el cónsul uruguayo José Julio Casal, que la mantendrá hasta su muerte en Montevideo en 1954, donde se publicaba desde 1929. Víctor García de la Concha y César Antonio Molina (1984 *a* y *b*) han estudiado esta publicación (1971, 500-534), en la que colaboran, entre otros, Jorge Guillén y Rafael Alberti. José María de Cossío ha destacado en ella su situación como punto de enlace entre el ultraísmo y las nuevas promociones que regresan de «tan inseguras normas» y, sobre todo, considera que la «dignidad literaria y gráfica de la revista es el lugar de partida del grupo que ha de formar la generación del centenario de Góngora» (1970, 195). De gran interés también es otra revista gallega de 1924, *Ronsel,* estudiada igualmente por García de la Concha (1973 *b*, XIX-XXXVI).

Al iniciar el panorama de las revistas más directamente relacionadas con la generación del 27 hay que destacar, en primer lugar, la descentralización cultural que caracterizó estas empresas, alejadas por lo general de Madrid, aunque, como veremos, nada localistas. José María de Cossío ha visto como prueba de la vitalidad de los grupos de provincias que «proliferan espléndidamente, y forman parte sustantiva de esta generación» (1970, 193), incluso más allá de nuestros límites peninsulares, en Canarias, donde *La Rosa de los Vientos,* estudiada por Sebastián de la Nuez (1965, 193-230), y más tarde *La Gaceta del Arte,* representan el extremo patente de este descentralizado panorama literario, como ha estudiado Pérez Minik (1975).

En Andalucía occidental tuvo un amplio desarrollo la estética generacional con la aparición de algunas revistas de tono claramente polémico. Entre ellas se destaca *Mediodía,* que aparece en 1927 dirigida por Eduardo Llosent. Como secretario de redacción figura Rafael Porlán, con Joaquín Romero Murube como redactor-jefe y Alejandro Collantes de Terán como administrador. Sus colaboradores son Rafael Laffón, Fernando Villalón, Manuel Díez Crespo, Adriano del Valle, etc., tal como ha estudiado con rigor Daniele Musacchio (1980). De este grupo desertaron Adriano del Valle, Villalón y Rogelio Buendía, que impulsaron la creación de *Papel de Aleluyas* en Huelva, como unas «Hojillas del calendario de la nueva estética», editada y estudiada por Jacques Issorel (1981). Cossío destaca en ella su cerrado carácter vanguardista y su aspecto «jocundo» (1970, 198).

Es este académico el que también recuerda como allegable a la generación del 27 otro grupo, por él denominado castellano, que llevará a la imprenta sus revistas algo más tarde, en 1928. La más destacable de ellas es *Meseta,* de Valladolid, que aparece en enero de ese mismo año. En el grupo castellano destacan Francisco Martín y Gómez y José Arroyo. En el número inicial figuran cuatro décimas de Jorge Guillén, que así honraba la publicación de sus paisanos. La revista, bastante severa respecto a las innovaciones, hace constar que «no entiende en formar en vanguardia demoledora y arcana». Sólo publicó seis números, igual que la revista burgalesa de Eduardo de Ontañón, titulada *Parábola,* que a pesar de su carácter marcadamente local, como ha señalado Cossío, pertenece, como una piedra más, al edificio de la poesía nacional del momento (1970, 199). En el grupo castellano hay que citar también a la segoviana *Manantial,* cuyo primer número aparece en 1928. Antonio Machado, catedrático entonces en el Instituto de aquella ciudad; el marqués de Lozoya, Unamuno y jóvenes como Alfredo Marqueríe, Mariano Quintanilla o Álvarez Cerón componen los más destacables colaboradores de esta publicación.

En Murcia, *Verso y Prosa* viene a culminar una serie de publicaciones que surgen en torno al diario *La Verdad* en 1923, primero con una «Página literaria», luego, desde 1924, con un «Suplemento literario», para culminar en la revista que, dirigida por Juan Guerrero Ruiz con la colaboración de Jorge Guillén, se publicará entre 1927 y 1928. En sus doce números colaboran todos los poetas del 27, así como algunos escritores murcianos, entre ellos José Ballester, Antonio Oliver, Raimundo de los Reyes, Carmen Conde, etc. Posteriormente, en 1930 y 1931, se publica *Sudeste,* dirigida por los últimos escritores citados, que desarrollaría una biblioteca paralela en la que publicarían sus libros Antonio Oliver (*Tiempo cenital*), Carmen Conde (*Júbilos*) y Miguel Hernández (*Perito en lunas*). De todo ello hemos dado cuenta en sucesivos estudios (1971, 1978 *c*, 1979 *a* y 1983), así como en la edición facsímil (1976).

Tan interesante o más que *Verso y Prosa* es *Litoral,* cuya belleza y plasticidad de conjunto destaca en primer lugar. Para Cossío es la «lanzada con más rumbo de todas las revistas del momento» (1970, 195), y a ella han dedicado estudios Gallego Morell (1954 *b*, 6-7) y más ampliamente Julio Neira (1978). Por suerte para el lector actual se dispone de una magnífica edición facsimilar (1972), en donde se aprecia la calidad de las ilustraciones. La revista estuvo dirigida por Prados y Altolaguirre, llevaba el significativo subtítulo de «Poesía, Música y Dibujos» y su número inicial apareció en noviembre de 1926. Su último número en España, el 9, fue el publicado en 1929, ya que tuvo continuación en México en 1944, segunda época durante la cual sólo aparecieron tres números. Colaboradores plásticos como Pancho Cossío, Ucelay, Manuel Ángeles Ortiz, Benjamín Palencia, Juan Gris, Picasso realizan verdaderas maravillas incluso a todo color, en un alarde tipográfico verdaderamente avanzado para su tiempo. Junto a éstas, colaboraciones musicales de Manuel de Falla y otros. De este último ha sido destacada por Cossío (1970, 195) su musicalización del soneto «A Córdoba», en el número triple de homenaje a Góngora. Ni que decir tiene que los principales colaboradores de la revista son los poetas del 27 en pleno, así como todos aquellos de inquietudes similares. *Litoral* tuvo también una biblioteca paralela en la que publicaron sus primeros libros algunos de los jóvenes escritores, entre quienes merecen ser mencionados García Lorca con *Canciones,* Rafael Alberti con *La amante,* Vicente Aleixandre con *Ámbito* y Luis Cernuda con *Perfil del aire.*

Respecto a la revista de Gerardo Diego, *Carmen,* estudiada igualmente por Gallego Morell (1954 *c,* 6-7) y editada en facsímil con prólogo del propio poeta (1977), junto al suplemento *Lola,* hay que observar que fue publicada en Gijón, donde Diego tenía su destino como catedrático de Instituto, e impresa en Santander. Colabora directamente con él en la puesta en marcha, que será en diciembre de 1927, Luis Álvarez Piner y Manuel de la Escalera. Su propósito inicial fue que sólo estuviera compuesta de seis números, aunque llegó a publicar siete. Llevaba como subtítulo el de «Revista chica de la poesía española» y su más asiduo colaborador fue Juan Larrea. En *Carmen* se publicaron poemas de autores clásicos como Bocángel, Fray Luis de León y Jáuregui. Y junto a ellos, los escritores del 27 en su totalidad. Como compañera inseparable aparece *Lola,* «amiga y suplemento» de la anterior, de carácter muy polémico, porque, como ya advertía su creador, «dirá lo que debe callar *Carmen*». Gallego Morell recuerda el carácter de «enfant terrible» de este suplemento, sobre todo con ocasión del homenaje a Góngora en 1927, cuya crónica aparece en el primer número (1956, 50).

Por último, a pesar de su efímera existencia, no podemos dejar de citar la revista granadina *Gallo,* inspirada por Federico García Lorca, aunque figurara como director, por razones administrativas, su hermano Francisco. *Gallo,* que no publicó más que tres números, aparece el 9 de marzo de 1928. Contiene muy poca poesía y se da el caso inesperado e insólito de que en ella no figuran versos del genial poeta granadino, aunque sí aparecen dibujos suyos, junto a otras ilustraciones de Dalí y Picasso. Por su tono sabrosamente granadino, Gallego Morell ha señalado que es la «revista más ingenua y rabiosamente provinciana a pesar de su decisión de no serlo» (1954 *a,* 7).

De tono algo distinto, ya que no se trata de revistas de poesía, son tanto la *Revista de Occidente* como *La Gaceta Literaria.* La primera, fundada por Ortega, es unánimemente considerada excepcional documento de la época. Pero su contenido ideológico y su carácter general y científico, su tendencia hacia la filosofía y el ensayo, la separan bastante de la línea de las antes citadas. Incluso, en principio, no se publicaron en ella poemas, aunque con el tiempo Ortega daría cabida a colaboraciones en verso de Guillén, Salinas, Aleixandre, etc., lo que en este sentido la relaciona con las revistas poéticas ya comentadas. Tan importante creación orteguiana ha sido estudiada por Evelyne López Campillo (1972) y reeditada (1978) recientemente. Debemos destacar finalmente la publicación en la biblioteca paralela de libros del 27 como *Romancero gitano,* de Lorca; *Cántico,* de Jorge Guillén; *Seguro azar,* de Salinas, y *Cal y canto,* de Alberti.

La Gaceta Literaria, aunque más tardía, ya que comenzó a publicarse en 1927 y terminó en 1936, también se relaciona con la generación del 27, y de forma más notable que ninguna otra, hasta el punto de que Guillermo de Torre, que fue secretario de la revista, ha señalado que constituyó el verdadero órgano de expresión de la generación del 27 (1968, 295). Su director fue, como ha estudiado Miguel Ángel Hernando (1974, 1976), Ernesto Giménez Caballero y en ella colaboran Alberti, Guillén, Alonso, Diego, Lorca, Aleixandre, Cernuda, Altolaguirre, Espina y Miguel Hernández. También, como *Verso y Prosa* y como *Litoral,* dedicaron un homenaje a Góngora. Recientemente también ha sido reeditada con una introducción del que fuera su director (1980) y estudiada por Meregalli (1952) y Sferazza y Tandy (1978).

Señala Juan Manuel Rozas que «a partir del año 29 comienza la politización de la literatura de la generación; al principio más de prisa en la novela, con lentitud en la poesía; después, a medida de los acontecimientos republicanos, más extensa y rápidamente en todos los géneros» (1978, 124). Surgen entonces las nuevas revistas, ya con signo diferente, entre las que destacan *Octubre* (1933-34), de Alberti, que ha editado y estudiado Enrique Montero (1978), y *Caballo Verde para la Poesía* (1935-36), de Pablo Neruda, estudiada y editada por J. Lechner (1974). De esta época es también *Los Cuatro Vientos,* que será la última empresa generacional conjunta, tan efímera como tantas otras (sólo tres números), pero dirigida por toda la «plana mayor» del 27: Alberti (sólo en el primer número), Alonso, Bergamín, Fernández Almagro, Lorca, Guillén, Marichalar, Salinas y Claudio de la Torre. En ella colaboraron, entre otros, además, Altolaguirre y Diego, y Lorca dio a conocer en sus páginas *El público*. Apareció en 1933 y también ha sido reeditada (1976).

Del mismo año es *Cruz y Raya,* que, con sus 39 números, llegó hasta 1936. Su campo, como el de la *Revista de Occidente,* es mucho más amplio, pero su influencia entre los escritores de su tiempo fue extraordinaria. Ha sido estudiada por Jean Bécarud (1969) y antologada (1974) y reeditada (1975 *b*) por su fundador y director, José Bergamín. En su biblioteca paralela publicaron Lorca sus *Bodas de sangre* y *Llanto por Ignacio Sánchez Mejías,* Alberti su *Poesía,* Salinas su *Razón de amor,* Guillén su segundo *Cántico* y Cernuda su *La realidad y el deseo.* Entre sus proyectos se encontraba, al parecer y cuando estalló la guerra, publicar *Poeta en Nueva York,* origen de uno de los más complicados problemas bibliográficos en torno a los libros del 27.

De la República son también tres revistas del infatigable Altolaguirre: *Poesía* (1930-31), reeditada con introducción de Juan Manuel Rozas (1979) y con prólogo de Jorge Guillén (1986); *Héroe* (1932-33), reproducida con prólogo de Aleixandre y epílogo de Dieter Briemeister (1977) y antologada previamente por Francisco Caudet (1975), y *1616 English and Spanish Poetry* (1934-1935), publicada en Londres y reeditada recientemente (1982). *Héroe* también contó con una biblioteca paralela, entre cuyos libros hay que citar *El rayo que no cesa,* de Miguel Hernández, que se publica en 1936.

Cerramos este panorama de las revistas relacionadas con la generación del 27 con la referencia a las dos más importantes de la guerra: *El Mono Azul* (1936-39), en la que participaron Alberti y Bergamín, entre otros, y *Hora de España* (1937-39), también con participación de Alberti, Bergamín y Dámaso Alonso, entre otros. Ambas han sido reeditadas en 1975 —con estudio de Michel García— y 1974, respectivamente.

1.4.2. *Las antologías*

Uno de los medios bibiográficos que más ha contribuido al general conocimiento de los poetas del 27 y a su asimilación por parte de estudiantes, lectores y profesores como «generación» o «grupo poético» lo constituyen las antologías del 27, que a lo largo de los años han ido apareciendo y que, si no son muy numerosas, sí es importante su influencia. Una breve, pero documentada, revisión de Jacques Issorel ha enfrentado las distintas antologías publicadas hasta la fecha y ha puesto de manifiesto el interés de un tema así.

Desde luego, la primera de estas obras no ostenta aún el nombre de «generación del 27», pero sí, sin reservas, el espíritu generacional o de grupo. Se trata de la de Gerardo Diego, tantas veces citada, que, con el título de *Poesía española. Antología 1915-1931,* aparece en 1932 y luego, sustituyendo las fechas por la palabra «contemporáneos», en 1934. Existen reediciones conjuntas recientes (1.ª, 1962; 3.ª, 1968; 7.ª, 1974). Incluye Diego en la primera edición de 1932, junto a cinco poetas mayores (Unamuno, Manuel y Antonio Machado, Juan Ramón y Moreno Villa), los doce poetas que podemos considerar, hoy, del 27. Junto a los ocho poetas principales (Salinas, Guillén, Alonso, Diego, Lorca, Alberti, Cernuda, Aleixandre) aparecen Villalón, Prados, Altolaguirre y Larrea. La ampliación de 1934 romperá con toda claridad el ideal de selección generacional que había tenido el libro en principio. Aparece a la cabeza Rubén Darío y se añaden, a los diecisiete nombres ya citados, catorce más. Entre los mayores, Valle-Inclán, Villaespesa, Marquina, Mesa, Morales, Río Sanz, «Alonso Quesada», Bacarisse, Espina, Domenchina, León Felipe y Basterra. Entre los más jóvenes figuran ahora dos mujeres: Ernestina de Champourcín y Josefina de la Torre.

La segunda antología representativa aparece ya bastantes años después de la guerra civil bajo el título de *Antología del grupo poético del 27,* al cuidado de Vicente Gaos. Se publica por primera vez en 1963 y tiene sucesivas ediciones hasta la actualidad, en que aparece una versión puesta al día por Carlos Sahagún (actualmente la 11.ª edición) (1984). Los poetas recogidos son solamente once, los ocho de la «plana mayor», los dos malagueños y Juan José Domenchina. El excelente prólogo de Vicente Gaos ha sido el máximo valedor de esta antología, la de mayor difusión e influencia dado el carácter escolar con que surgió, aunque hoy figure en una colección de mayor prestigio y alcance. Gaos, en su prólogo, lleva a cabo un planteamiento de la generación del 27, o para él del grupo poético, basado sobre todo en la condición de renovadores de la estética de su tiempo y de creadores de una nueva literatura. Quizá, por eso, a partir de la antología de Gaos ha sido frecuente poner en relación a los del 27 con las innovaciones del arte de vanguardia y también con las teorías de la deshumanización del arte de Ortega, que, como hemos podido comprobar, fueron de influencia relativa en el grupo del 27, más preocupado, bien pronto, por otros temas o por diferentes metas estéticas. Aun así, la difusión del espíritu renovador que caracterizó a los jóvenes poetas de los años veinte queda bastante patente y definida en una introducción y en unas selecciones de los poetas muy acertadas y valiosas.

En 1966, y utilizando ya con toda claridad el término de «generación poética del 27», aparece la valiosa obra de Joaquín González Muela y Juan Manuel Rozas, que se presentará no sólo con el habitual florilegio poético, sino también con una serie de documentos sumamente reveladores. La reedición en dos volúmenes, en 1974, supone la obra más completa, en este terreno, que sobre el 27 se haya podido llevar a cabo hasta aquella fecha. Incluyen González Muela y Rozas en la primera edición diez poetas, los ocho de la «plana mayor» y curiosamente Emilio Prados y León Felipe, quedando excluido Altolaguirre. La segunda versión, mucho más generosa, abrirá con amplitud las puertas, centrando la antología principal en los diez importantes poetas —sustituyen a León Felipe por Altolaguirre— y en una «breve antología complementaria», que encabeza Fernando Villalón, se incluyen León Felipe, Moreno Villa, Basterra, Espina, Del Valle, Bacarisse, Domenchina, Garfias, Larrea, Guillermo de Torre y José María Hinojosa, que, como recuerda Issorel y aseguran los antólogos, permanecen «injustamente olvidados a causa de la mitificación de las grandes figuras del momento» (1984, 202).

La antología de González Muela y Rozas va precedida de una ilustrativa introducción, escrita por el primero de ellos, donde lleva a cabo una valoración convencida de la «generación del 27» examinando con acierto aquellos rasgos generacionales más característicos, especialmente en lo que se refiere a modelos, recursos estilísticos, significación, temas, etc. Quizá lo más valioso de todo el conjunto lo constituye la colección de documentos en torno al 27, selección de una buena serie de textos en prosa, y también en verso, que pone de relieve la multiplicidad de las relaciones de todos estos poetas no sólo en los años veinte y treinta, sino también en la posguerra y el exilio. Quizá no exista mejor argumento para justificar la validez del concepto de «generación del 27», o por lo menos de «grupo», que todos esos documentos de primerísima mano, bien escogidos y cuidadosamente editados.

A partir de 1976 aparecen las diferentes ediciones de la antología realizada por Ángel González, con el título de *El grupo poético de 1927,* reducida sólo a trece poetas, añadiendo a la «plana mayor» los dos malagueños y, junto a ellos, Hinojosa, Larrea y Villalón. La selección de González va precedida de un buen prólogo, en el que el antólogo reflexiona nuevamente sobre la validez de la idea del 27, partiendo incluso con cierto rigor de las denominaciones recibidas por el grupo poético, como ya hemos comentado. Los juicios de González son valiosos cuando se refieren a actitudes definidoras del movimiento por parte de sus componentes, ya que no se queda en las dos décadas anteriores a la guerra civil, sino que refleja también los destinos y los mundos poéticos de los autores después de la contienda española. González se preocupa y valora con originalidad la presencia de los modelos ya conocidos en la formación del grupo, en los que advierte un característico elitismo, poniendo al día algunas consideraciones también sobre poética, tendencias estéticas, etc.

De muy escasa difusión en España —y, en consecuencia, poco conocida entre nuestros lectores— es la antología aparecida en La Habana en 1977, en dos volúmenes y con el título de *Poetas españoles de la generación del 27,* con una larga introducción de su autor, Francisco M. Mota, y la inclusión en la misma de la desmesurada cifra de cuarenta y cuatro poetas, desde los precursores hasta los «epigonales», como Miguel Hernández o Carmen Conde.

La última tentativa, hasta la fecha, de presentar colectivamente el grupo la ha llevado a cabo José Luis Cano en 1982, utilizando el título de *Antología de los poetas del 27,* en la que figuran solamente doce nombres: los ocho habituales y los dos malagueños, junto a Villalón e Hinojosa. Como comenta bien Issorel, Cano, al contrario que Mota, y del mismo modo que Gaos y Gon-

zález, ha construido su antología con los poetas que por su edad
—con la gloriosa excepción de Villalón, joven poeta de cuarenta
y cinco años— y su poética constituyen el grupo de 1927 propiamente dicho, su expresión más pura y representativa. Parece ya
que tras los tanteos de las precedentes selecciones y con la perspectiva del medio siglo transcurrido, se llega con Cano a una selección indiscutible. Por lo menos, termina Issorel, «son todos los
que están» (1984, 203).

La antología de José Luis Cano, publicada por una editorial
de gran difusión, promete convertirse en el portavoz último de
estos poetas y demuestra, por la fecha de su aparición y la sus-
cripción del concepto, que la idea del 27 no está tan obsoleta
como pudiera pensarse. Quizá la mejor demostración de este hecho la constituye, justamente, el tono y carácter de la introducción
planteada por Cano, ya que da entrada a una visión más abierta
y más actual de la idea de generación y grupo del 27, incluyendo
entre los textos antologados las últimas producciones de los poetas del 27 vivos en 1982, lo que, desde luego, constituye una indudable y consciente actualización del grupo poético.

1.5. LOS TEMAS Y LAS FORMAS

No sería lógico tratar de las características comunes del grupo
de poetas del 27 sin aludir a aquellos aspectos internos de la
creación literaria que los ha aproximado, es decir, todo el campo
que podíamos acotar en los amplios límites de lo que denomina-
ríamos «temas y formas» poéticos y que, dicho sea de antemano,
no suele ser atendido conjuntamente por los críticos y antólogos
salvo las excepciones de rigor.

1.5.1. *Mundos poéticos y atenciones temáticas*

Juan Manuel Rozas, en su último libro sobre el 27, hizo referencia a lo que él denominó la «historia interna» de la generación, aludiendo a la inmersión de la literatura del 27 en los grandes temas de la cultura occidental, que él analiza desde la doble

perspectiva de *destino* y *habitat,* es decir, desde el doble punto de vista del poeta y su mundo. De los tres destinos distinguibles, asegura que el individual del hombre, el metafísico, «les interesa poco en comparación con la tradición española», sobre todo antes de 1939; el destino de la pareja tiene «extenso muestrario y fuerte originalidad», mientras que el colectivo carece de interés en los años veinte, pero se intensifica en los años treinta» (1980, 31).

Tres son los temas fundamentales entonces para Rozas en la «literatura del 27»: la *civitas hominum,* la *naturaleza y el amor* y el *compromiso.* Respecto a la primera se plantea con una nueva versión de la ciudad distinta de la tradicional *civitas Dei,* como una ciudad de los hombres en la que entran en juego todos los elementos de la vida moderna, empezando por la maravilla mecánica y culminando en la representación máxima de la ciudad para la literatura de la época: Nueva York. Son definitivos los resultados del enfrentamiento de una cultura y una retórica tradicional con los restos del mundo moderno, que si bien en principio producen atracción y entusiasmo, luego son rechazados, en busca de un espacio nuevo no trivializado, como Guillén sugiere en algunas composiciones de *Y otros poemas.* Para Rozas,

> la visión de la ciudad, positiva primeramente, tuvo después un tratamiento negativo, no en favor de la aldea, sino en favor de la posible ciudad buena de los hombres, frente a los males que acabaron por ver y denunciar en ella. Así *13 bandas y 48 estrellas* de Alberti y *Poeta en Nueva York* de Lorca; o el Salinas del poema titulado precisamente *Civitas Dei* en *El contemplado.* Pero el tema de la ciudad indica casi siempre en el 27 un sentido cosmopolita y hodiernista, ya en su visión positiva, situados en el presente confortable, ya en la visión negativa, en busca de una ciudad mejor» (1980, 33). (También 1980 *a.*)

El segundo grupo importante de temas, para Rozas, vendría constituido por «la naturaleza y el amor», con una interpretación nueva de ambos conceptos frente a la literatura y a la retórica tradicional. Frente a una naturaleza decorada, frente a un *paisaje* rural, que habría caracterizado la literatura desde el Romanticismo al 98, se plantea el «modernismo contemplativo» y se establece el paisaje urbano y los objetos de cada día como elementos alrededor del poeta. El amor se desenvuelve de forma desnuda y el paraíso en el que se desarrolla se reduce a la habitación. La realidad, no el realismo, que observó Jorge Guillén, preside evocaciones y ambientes.

Ideas es aquí signo de realidad en estado de sentimiento. La realidad está representada, pero no descrita según un *parecido* inmediato. Realidad, no realismo. Y el sentimiento, sin el cual no hay poesía, no ha menester gesticulación. Sentimiento, no sentimentalismo, que fue condenado entonces como la peor de las obscenidades (1972, 191).

La Naturaleza pasa a ser así objeto de una interpretación directa que produce múltiples y variados resultados, ya que en las diferentes interpretaciones de cada poeta se observa una vez más la variedad de referencias aportada por cada uno. En una enumeración somera, Rozas recuerda la presencia, sin embargo, de pasajes castellanos (Diego) o andaluces (Villalón, Alberti, Prados, Altolaguirre), mientras que una filosofía de la naturaleza envuelve *El contemplado,* de Salinas, o sirve para la evocación de la tierra y la infancia perdida en *Ocnos,* de Cernuda. «En su madurez —concluye Rozas—, estos poetas tienden a ver la naturaleza que un profundo sentido, ligándola a su propia visión del mundo. Se crean así verdaderos paraísos personales entre los que destacan panteísmos de Aleixandre y Prados, y la añoranza del perdido Edén, recobrado a trechos en México de Cernuda» (1980, 35).

Se ha citado también como tema poético el *compromiso* que afecta a todos y desde el principio si lo aceptamos con amplitud. Se ha hablado de compromiso con su tiempo, de compromiso con las artes y las letras (las recurrencias constantes al mundo de la música en Diego, Lorca, Guillén, Cernuda; a la pintura, en Alberti; a la creación literaria) y de compromiso con los amigos, en los numerosos poemas de circunstancias que con el tiempo han demostrado que ésta es la generación de la amistad, como se la llamó desde el principio. Parece que *Homenaje,* de Jorge Guillén, vendría a representar la culminación de ese compromiso con el mundo de la creación artística y de la amistad. Y se ha hablado de compromiso político y social, que Rozas ha resumido en tres etapas fundamentales: una, anterior a 1936, con *Poeta en Nueva York* y las obras de Alberti y Prados como primeros avances, sin olvidar *La realidad y el deseo,* de Luis Cernuda; la segunda, muy activa, durante la guerra civil; y, finalmente, la tercera, durante el exilio (1980, 35-37). Como señala José Luis Cano,

> el pueblo y la historia entran formalmente en los poetas del 27, como testimonio de un tiempo mísero y también esperanzado, cerrando así el ciclo —o abriendo uno nuevo— que va desde la poesía pura, intimista y surrealista a la poesía de situación temporal e histórica (1982, 33).

Señalaba Jorge Guillén, en su amplísima visión de la generación del 27, en la que ve más diferencias que aglutinantes por más que defienda su sentido, que «los grandes asuntos del hombre —amor, universo, destino, muerte— llenan las obras líricas y dramáticas de esta generación (sólo un gran tema no abunda, el religioso)» (1972, 191). Y lleva toda la razón, ya que el sentido liberal y agnóstico de gran parte de estos poetas consagra como excepción notable a Gerardo Diego, que no está tan solo, como pudiera parecer en principio, en el acercamiento a lo religioso. Así lo advertía también Rozas:

> La preocupación religiosa como compromiso cristiano es escasa en el grupo fuera de la valiosa labor de Gerardo Diego, que había publicado ya en 1931 un famoso *Vía Crucis*. Pero la poesía religiosa, en su sentido etimológico y general del término, no es tan escasa como suele creerse. Esta preocupación se halla en Lorca; pero es después de la guerra cuando más aparece, firmada por Alonso, Domenchina, Ernestina de Champourcín o Altolaguirre. Y de forma agnóstica y a veces anticristiana se preocupan del final del hombre Prados o Cernuda, entre otros (1980, 37).

Sobre este particular habría que añadir, como haremos *in extenso* al final de esta parte introductoria general, que en los años setenta y ochenta los supervivientes adoptarán unas posturas interesantísimas en torno a temas tan trascendentes como pueden ser el final del hombre, su destino, la muerte, el más allá, etc., revelado en los poemarios más valiosos de estos años publicados por Aleixandre, Guillén, Alberti, Alonso o Diego, en un nuevo contraste de inquietudes y perspectivas sobre nuevos temas comunes.

No sería completa la visión de los temas importantes que ha realizado la crítica especializada si no aludiésemos a las aportaciones que en este campo ha llevado a cabo en lo que se refiere a la relación literatura-tecnología, una de las novedades más llamativas de la literatura europea del siglo xx, y que en España adquiere curiosas y reveladoras perspectivas, como ha estudiado Juan Cano Ballesta (1981). En lo que al grupo de poetas del 27 se refiere, hay que anotar la presencia en este conjunto de Gerardo Diego, como «pastor de bulevares», coincidiendo con su etapa más rabiosamente vanguardista, cuando «el sobrecogedor hecho de la revolución industrial acaba por imponerse definitivamente en un espíritu antes nostálgico de épocas superadas» (1981, 148); de Pedro Salinas, que aporta «la modernidad de un humanista», ya que «su mirada profunda no ha quedado cegada por el brillo de superficiales apariencias» (1981, 157-158); pero sobre todo de García Lorca, cuya visión queda planteada como «la rebelión contra un mundo alienante», centrándose sobre todo en la «pesadilla antitecnológica» de *Poeta en Nueva York*. Se trata, dentro del conjunto de nuestra literatura del siglo xx, de un momento en que del entusiasmo y admiración a la máquina se pasa al planteamiento de otros problemas.

> Grandes poetas, algunos de los cuales habían entonado beatíficos himnos a la máquina, sucumben a la desilusión y desencanto ante las consecuencias de la industrialización y las convulsiones históricas de su tiempo. Es un momento de reflexión y de crisis tras los primeros fervores maquinísticos. La angustia personal de Rafael Alberti en *Sobre los ángeles* o de Federico García Lorca en *Poeta en Nueva York* provocan una poesía tempestuosa, desordenada, que rompe moldes y tradiciones formales para encarnar su descontento, su amargura y protesta, en un nuevo lenguaje desquiciado y caótico como el mundo que tratan de proyectar (1981, 18).

1.5.2. *El lenguaje poético*

Muy interesantes son las investigaciones que se han llevado a cabo en torno a las formas utilizadas por los poetas del 27, tanto en una consideración general como en cada caso en particular, especialmente en lo referente al lenguaje poético, aunque también es fundamental la aportación que a la literatura española hacen estos poetas en el campo de la métrica. Es curioso observar que el primer estudio de conjunto que se produjo en la bibliografía especializada sobre la generación —y denominándola con ese título— fuese sobre el lenguaje poético de la que entonces su autor llamó «generación Guillén-Lorca», en un intento de caracterizar con los nombres de estos dos poetas cuáles serían los extremos en la expresión lingüística de los componentes del grupo poético. El libro de González Muela fue un intento pionero de sistematizar las novedades que, en torno a la lengua poética, traían los del 27, especialmente en lo que se refiere a su más revolucionaria aportación: la imagen, aunque llevó a cabo un amplio estudio sobre la «gramática» de estos poetas en busca de los rasgos característicos y definidores de su expresión (1954). En el campo del epíteto hay que recordar la básica aportación de Sobejano (1956).

Jorge Guillén ha expresado la preocupación de sus compañeros por el lenguaje poético, por la expresión, pero ha advertido la diversidad de salidas en lo formal, en esa «forma que se vuelve salvavidas», en lo métrico.

> ¿Cómo se expresa esta generación, cuál es su palabra? ¿Es imposible reducir a unidad el lenguaje —o los lenguajes— de escritores tan diversos? [...] ¿Qué tienen de análogo Salinas y Altolaguirre, Prados y Cernuda? Alrededor de una mesa fraternizan, se comprenden, hablan el mismo idioma, el de su generación. A la hora de la verdad, frente a la página blanca, cada uno va a revelarse con pluma distinta. Esta pluma se mueve desde los artificios de la métrica tradicional a las irregularidades del versículo (1972, 193).

Quizá la mayor aportación actualmente existente al estudio de la lengua poética en toda esta generación, en su conjunto, sea la realizada por Antonio Blanch, aunque la realice desde la perspectiva nada excluyente de la lengua poética de la «poesía pura», en la que se alcanza una máxima valoración teórica de la palabra, de la palabra poética que Luis Felipe Vivanco examinó en su libro sobre el 27 (1971). Textos y comentarios de Guillén, Diego, Alberti y Lorca hacen referencia al valor de las palabras, lo que no quiere decir de la «dicción poética»: «Sin duda, los jóvenes escritores del 27 —señala Blanch— pudieron heredar esta pasión por el valor propio de la palabra de sus antepasados del 98, especialmente Azorín o Unamuno. Para éste, por ejemplo, "hacer lengua" era una de las altas misiones del hombre, y quizá también el medio más eficaz de hacer revolución, [aunque] en la tarea de la depuración verbal, el maestro indiscutible y directo de los poe· tas del 27 fue, sin duda, Juan Ramón Jiménez» (1976, 124).

Las observaciones en cuanto al uso de la palabra pasan también por el orden de las mismas, por la sintaxis que adquiere, como también se ha señalado, peculiar contextura, apartándose del orden lógico y tradicional.

Pero el campo de mayor interés lo constituye el de la imagen y la metáfora. Ya Anthony Leo Geist prestó atención a sus investigaciones en torno a la poética de los del 27, a las distintas y valiosas interpretaciones de la metáfora como base de la expresión y del lenguaje poético en las diferentes etapas teóricas que el grupo experimentó entre 1918 y 1936. Partiendo del peculiar concepto vanguardista de la realidad, los ultraístas se valieron de un instrumento que fuese capaz de dar expresión a ese mundo y que culmina en las «posibilidades creacionistas» de Gerardo Diego, que llega a distinguir las siguientes categorías:

1. Imagen directa (la palabra).
2. Imagen refleja o simple.
3. Imagen doble.
4. Imagen triple, cuádruple, etc.

La imagen, según esta teoría, debe aspirar a su definitiva liberación, y por ello se debe recurrir a la «imagen múltiple», «que es un ente estético en sí, donde la totalidad vale más que sus partes» (1980, 57).

Señala Geist que, tras el tremendo uso y abuso de la metáfora por parte de los ultraístas, se llegó a un cierto cansancio teórico, que no práctico, de este recurso del lenguaje poético. Sin embargo, en los años veinte es cuando se lleva a cabo la máxima revalorización de la imagen, como señala Blanch (1976, 133-136) y destaca, como «elemento primordial», en relación con las experiencias anteriores, Leo Geist:

> Lo que había empezado en manos de unos jóvenes ansiosos de reforma literaria como arma de combate contra la tradición sufre modificaciones cuando llega a la generación del 27; pero a pesar de la moderación en la construcción y el empleo de la metáfora, ésta continúa fiel a su propósito original de crear si no nuevos objetos, al menos nuevas perspectivas en la poesía, maneras inusitadas de percibir y representar el mundo.

Y concluye:

> La imagen y la metáfora nuevas siguen esta trayectoria hasta casi cerrado el ciclo de la generación (1980, 93).

Muy interesantes son, para completar este panorama de la imagen en el 27, las clasificaciones realizadas por Antonio Blanch que parten de la conocida distinción de Antonio Machado entre «imagen del conocimiento» e «imagen del sentimiento», con toda clase de variaciones, entre las que podría destacarse la imagen de fantasía o visión (1976, 133-149). En este punto, son fundamentales las investigaciones realizadas por Carlos Bousoño y que resume González Muela (1974, 24-27) sobre la alegoría, el símbolo, la imagen visionaria continuada, la imagen tradicional, la imagen visionaria simple y la visión (1952), que hace desembocar en posteriores análisis y teorizaciones tendentes a aclarar el irracionalismo poético (1977).

1.5.3. *La métrica*

Tanto González Muela (1974, 29) como Antonio Blanch (1976, 129-133) o Anthony Geist (1980, 132) hacen referencias a la renovación que, desde el punto de vista estilístico, supone la interpretación de la métrica en los poetas del 27. En nuestro estudio de 1973 partimos de la base de que los poetas del 27 constituyen un grupo de origen unitario, pero de tendencias diversas en cada uno de los poetas, tanto en la comparación entre unos y otros como en la observación interna de cada una de las obras en lo que a métrica se refiere. Y llegábamos a la conclusión, que ahora más que nunca se percibía, que la del 27 era, paradójicamente, la generación de la variedad.

En el mundo de la métrica, la variedad por el uso constante y común de las estructuras tradicionales, al tiempo que se incorpora decididamente la métrica más renovada. Los del 27 no utilizan tantos metros y formas como, por ejemplo, el romanticismo y el modernismo; sin embargo, su interpretación es más variada y más rica en recursos, más intuitiva y menos artificiosa, más ligada a los contenidos y menos brillante y ostentosa. Aun así, algo los distingue respecto a otros movimientos, como ya se ha señalado, que afecta notablemente a la métrica: el conocimiento y respeto hacia los clásicos, de los que aprenden, en lo que al uso del verso se refiere, ya sea la autenticidad —Lope de Vega— como el cuidado y la precisión —Góngora— o la espontaneidad —poesía de tipo tradicional.

Hay que destacar la labor realizada por todos los poetas en el campo de la estrofa, a la que vuelven conscientemente, como señalaba Gerardo Diego en un memorable artículo publicado en *Carmen* en 1927, pero sobre todo en el campo de las combinaciones regulares, el más original de todos los que pertenecen a la métrica tradicional. Desde Pedro Salinas hasta Luis Cernuda buscan todos en la combinación de versos regulares la nota nueva que componen de su mundo poético también nuevo, pero a la vez ordenado, lleno de armonía de tonos y acentos. Con todo, la gran innovación e impulso en el verso viene dada por el cultivo por parte de todos del verso libre, tal y como más recientemente ha estudiado con exhaustividad Isabel Paraíso (1985). Sumamente personal, innovador y trascendente —Aleixandre—, inspirado y apropiado cauce de nuevas tendencias —Alberti, Diego, Lorca— o como canal normal de expresión en muchos momentos —Salinas, Guillén, Cernuda, Alonso—, el poeta del 27 cultiva el verso libre descubriéndonos las posibilidades y riqueza expresiva de un mundo métrico nuevo que, no sujeto a medida, responde bien a nuestro mundo moderno, que los del 27, como sabemos, incorporan a nuestra literatura. López Estrada (1970) revisó con detenimiento la aportación de los del 27, entre otros, al campo de esa métrica nueva que surge con el siglo XX.

El otro de los campos en el que los del 27 ofrecen una mayor aportación al acervo métrico español es el de las canciones de tipo tradicional, sólo posible en un grupo tan respetuoso de la tradición como éste. Tanto la tradición culta —Diego, Alberti— como la popular —García Lorca— se combinan en estas prácticas métricas en las que el ritmo y la espontaneidad revelan intuición y, como señaló Cirre, «sublimación de los elementos populares» (1950, 95).

Todas las variedades, opuestas muchas veces y distintas y variadas siempre, responden muy fielmente al contenido. La adecuación métrico-temática, perseguida o intuida, es un resultado común. La variedad de temas y metros caracteriza la actitud de esta generación, pero es precisamente esta diversidad de actitudes la que da un sello común a todos. Las grandes personalidades de sus componentes hacen que su independencia sea todo un signo, y es que, acordes con sus criterios estéticos, consecuentes con su afán primordial de originalidad, reaccionan justamente en busca de una renovación peculiar. No hay dependencias entre unos y otros, pero sí una actitud común ante el verso, producto de un gran conocimiento métrico que no les hace practicar el verso por experimento, sino encauzar acertadamente una intuición poética de gran interés. El gusto y respeto por todas las modalidades y la maestría al realizarlas son también puntos comunes de esta generación, unida más que nada por la amistad y formación, por el afecto mutuo y por el afán de llevar a cabo una renovación creadora y una estética nueva. Las diferentes formas —el lenguaje, la palabra, el verso, el ritmo— crean los mundos poéticos y reforman, renuevan y actualizan los modos literarios de esta España que ahora, en las prodigiosas décadas de los veinte y los treinta, pudo entrar en la modernidad.

Indudablemente, y en conexión con la estética en la que todos estos poetas se han iniciado, los aspectos formales son un campo decisivo a la hora de valorar su peculiaridad, campo que se ha ampliado a otras parcelas, fuera ya de lenguaje y métrica, como el de la expresión sensorial, estudiada en cinco componentes del grupo (Salinas, Guillén, Aleixandre, Alberti y Dámaso Alonso) por M. C. Hernández Valcárcel (1978).

1.6. El ocaso de una gran época

Tras la guerra civil, ya lo sabemos, la dispersión destruyó la unidad física del grupo del 27, pero la obra literaria de cada uno de sus componentes continuó y sobrevivió a guerras y exilios. Puede decirse que la mayor parte de la creación poética de autores tan representativos como Guillén, Alberti o Aleixandre tiene lugar tras la guerra civil, porque está claro que cada uno de ellos —y también los otros— alcanzaría su personal madurez por separado, y la imagen del 27 sobrevivirá, dando plena validez a las palabras con que Guillén cierra su artículo de *Lenguaje y poesía,* cuando ya se ha producido en 1963 la segunda gran fractura —definitiva— del grupo:

> Sabe Dios cuánto habría durado aquella comunidad de amigos si una catástrofe no le hubiese puesto un brusco fin de drama o tragedia. Tragedia absoluta fue la muerte de Federico García Lorca, criatura genial. Tragedia con su coro: España, el mundo entero. También nos falta el mayor de aquel grupo, fallecido prematuramente (1951, Boston) en plena madurez de producción. El final de *Cántico* le llama «amigo perfecto», y así lo fue siempre con una continua generosidad inextinguible. A todos nos ha conmovido la muerte de Manuel Altolaguirre (1959) en un azar de carretera castellana. Emilio Prados (1962) y Luis Cernuda (1963) fallecieron en México (1972, 196).

Puede decirse, entonces, que es en 1964 cuando comienza lo que podríamos denominar «ocaso de una gran época», que se prolonga, en peculiar supervivencia, hasta hoy, aunque la ancianidad, o por lo menos la primera vejez, impida ya las actividades de los supervivientes o por lo menos las mediatice y condicione otorgándoles unas características especiales. En 1984 mueren Jorge Guillén y Vicente Aleixandre, y se ha dicho, no sin razón, que con ellos se marcha ya irremediablemente el espíritu de una época que por fortuna se ha prolongado hasta nuestros días.

En ese 1963, la fecha a que antes nos hemos referido de la muerte de Cernuda y el año en que Guillén cumple los setenta, se abre una nueva etapa en los poetas de la generación del 27 que habría que enfocar desde dos perspectivas diferentes: una, la de los poetas que viven fuera de nuestras fronteras, Guillén y Alberti; y otra, la que se refiere a los poetas que quedan dentro, cuyas existencias inevitablemente coincidirán en España a partir de 1976, fecha del regreso del último, de Alberti, ya que Guillén, instalado en Málaga desde 1975, pasaba temporadas en nuestro país desde algunos años antes.

Precisamente, no son pocas las coincidencias temáticas de todos estos poetas en los años de la vejez. En 1966 cumplirá Diego los setenta y en 1968 lo harán Aleixandre y Alonso. Alberti, que no llegará a esa edad hasta 1973, percibe el tema de la vejez, de la soledad, del dolor y de la muerte, con especial amargura desde esos años; por lo menos presentes están en *Abierto a todas horas,* cuya publicación es de 1964. C. G. Bellver ha visto en los últimos años de destierro del poeta «nuevas preocupaciones para un sexagenario» y ha asegurado que al cumplir los setenta años su visión de la vida y la perspectiva con que le mira han de sufrir modificaciones. «La acumulación de experiencias y años le ha enseñado a resistir, a seguir y a aprovechar las ocasiones que le depara la vida, pero también el precipitado paso de esas experiencias y años le muestran nítidamente lo efímero de la existencia. Alberti se enfrenta a la vejez y hasta a la muerte con valiente serenidad» (1984, 176).

Serenidad ante la muerte y la vejez que parecen ser las notas características de la poesía escrita por Guillén en los años que van desde 1966 a 1984 y que se recoge en sus dos últimos libros, *Y otros poemas* (1973) y *Final.* El poeta ha ido ampliando su obra con el tiempo y registrando en ella, cada vez con mayor fecundidad, los impulsos vitales que han forjado su dilatada existencia, pero lo que puede afirmarse es que sus últimos libros constituyen toda una gran culminación de aquella obra en que lo humano, lo más intensa y entrañablemente humano, ha ido abriéndose paso entre temas más moderadamente superficiales, escasos, por otro lado, en la obra de Guillén. Ambos libros reflejan sobre todo la existencia del hombre en el mundo, en ese mundo nuestro que nos ha tocado vivir, contra el que el poeta viene rebelándose desde los años de *Maremágnum,* aunque ahora el punto de vista, el enfoque, sea mucho más afiladamente irónico en su más frecuente y general expresión. Aun así, no está ausente la nota de desánimo y resignación o la de cólera que supera al «clamor», como ha señalado Oreste Macrí (1976, 51).

Esa obra «completa» que Guillén siempre persiguió, adquiere ahora en la vejez matices singulares en los que indudablemente coincide con los otros poetas de su generación. Unos ejemplos muy claros, reveladores de una patente y común actitud ante la vida, los constituyen el espacio dedicado a «De senectute» en *Y otros poemas* o la constante precisión metafísica perseguida en *Final,* que, desde luego, nos hace volver hacia poemarios de la época como *Poemas de la consumación* o *Diálogos del conocimiento,* de Vicente Aleixandre, en donde se lleva a cabo la más valiente y decidida visión del futuro del anciano, que encara la muerte con serenidad, pero también con lucidez y desolación. Ha escrito José Luis Cano:

> El poeta arroja una honda mirada, desde la última morada de la vida que es la ancianidad, a los sueños, seres, fantasmas e iluminaciones que han poblado su larga existencia. La poesía que era antes comunicación con la amada y con otros seres, ahora es un monólogo solitario, un melancólico repasar su vida y sus sueños. Ahora no canta ya el poeta un paraíso o un cuerpo, una montaña o un río, y su voz se oye como alucinada, como un delirar en voz baja, un susurro o soliloquio inspirado, que se dice a sí mismo el poeta en la soledad y en la penumbra de su cuarto, desde la vida aún, pero ya más cerca del acabamiento final que es la muerte (1981, 29).

Quizá, entre los supervivientes del 27, es Gerardo Diego al que la crítica, espontánea o intencionadamente, más ha tratado de separar, ahora, de sus compañeros de generación, y, sin embargo, con ellos coincide el mismo tono de visión de la vida desde la atalaya de la vejez, aunque —hay que destacarlo— con sus indudables peculiaridades. La serie de libros que aparecen desde su jubilación oficial como catedrático de Instituto muestran claramente el nivel de atención hacia los temas que nos ocupan: *Cementerio civil* (1972), *Carmen jubilar* (1977), *Cometa errante*

(1985). Junto a la muerte —presente en un buen sector de *Cementerio*—, tratada con personal visión, en cuya peculiaridad tiene mucho que ver su confesada fe religiosa, otros temas serán coincidentes con los de sus compañeros de grupo: la amistad, revelada en muchos poemas de circunstancias, pero que sobrepasan, como en Guillén, como en Alberti, el mero gesto circunstancial, para incidir en un lógico y nostálgico repaso del tiempo. Se trata de una indudable sublimación de la poesía laudatoria, en la que entran en juego, junto a la alta estimación poemática de la amistad, granada y fortalecida por el paso del tiempo, la revelación de la obra de arte, de la música, en una de sus más vitales insistencias por Guillén, cuya práctica viene ya de *Homenaje,* por Alberti (*Picasso, Versos sueltos de cada día...*) y por Diego, en todos los libros antes recordados.

En conexión con estas presencias próximas al final de la vida hay que situar la creación del último poemario de Dámaso Alonso, en el que, como sus compañeros de generación, plantea el poeta interesantes problemas existenciales. Así, su autor, con *Duda y amor del Ser Supremo* (1985), declara cansada su vida a sus ochenta y seis años y no encuentra ya más esperanza que la muerte. Establece entonces la duda, la gran duda del alma, de su permanencia, de su destino y de su inmortalidad y manifiesta su deseo de creer en una inmortalidad, de que el alma se eternice cuando el cuerpo se acabe. Una postura metafísica, relacionable con la actitud de otros poetas de su generación, enfrentados a la muerte y al más allá.

En relación con lo antes apuntado como tema habitual en estos poetas, al hacer la valoración del paso del tiempo, también en Dámaso Alonso y en su último poemario es significativa la presencia de los amigos, en una especie de elegía colectiva inmersa en su tremenda meditación del más allá. Tras la representación de sus padres está la de los amigos, los compañeros de una vida, con cuyo más allá el poeta ansía encontrarse, en una especie de unión de un futuro inmediato y deseado que compartirá —de nuevo la representación artística— con los que han sido sus modelos y centros de admiración de su vida en el pasado.

Junto a estos temas, extraordinariamente trascendentes, suelen los viejos poetas del 27 cultivar el humor en claves muy variadas que van desde los ingeniosos epigramas de Guillén o desde sus sátiras, a las «jinojepas» de Gerardo Diego, a las «canciones a pito solo» de Dámaso Alonso, sin olvidar las deslenguadas creaciones de Alberti, dispersas por todas sus obras en este tiempo y culminadas en los *5 destacagados*, «poemas contra los dictadores de América». Distintos tonos, variadas claves, pero un mismo sentido del humor adoptado desde la perspectiva que otorga la vejez, tonos que van desde lo crítico a lo sarcástico, desde lo amistoso a lo satírico.

Lo cierto es que el trabajo de los poetas del 27 ha continuado —y continúa— hasta su mismo final, entre el reconocimiento de todos, españoles e hispanistas e incluso lectores de fuera de nuestras fronteras culturales y lingüísticas. La cumbre de esta general consideración se alcanza quizá en 1977, cuando las más prestigiosas instituciones y las revistas especializadas más conocidas promueven el homenaje colectivo en el 50.º aniversario del 27, que, sin duda, se corona en octubre de ese año, cuando se concede el Premio Nobel de Literatura a Vicente Aleixandre. En la exposición de motivos de la concesión no se duda en aludir a las cualidades que, precisamente, le han unido a los poetas de su generación, ya que el Nobel se le otorga, según la Academia Sueca, «por su gran obra creadora enraizada en la tradición de la lírica española y las modernas corrientes poéticas iluminadoras de la condición del hombre en el cosmos, y en las necesidades de la hora presente». Buena síntesis del mundo poético aleixandrino y de su significación, que no duda José Luis Cano en poner en relación con el resto de los poetas del 27:

> Si la vanguardia —el surrealismo, el irracionalismo poético— influyó en él de modo decisivo, [...] su generación, la generación del 27, en la que se sintió siempre plenamente integrado, no renegó nunca de la mejor tradición de nuestra poesía (1981, 15).

Tras este reconocimiento vendrá el de España a todos los poetas restantes del 27, ya que, como un nuevo signo generacional muy curioso, obtienen sucesivamente el Premio Cervantes Guillén en 1977, Alonso en 1978, Diego en 1979 y Alberti en 1983, consagrando así de forma oficial lo que hoy se considera unánime, por encima de creencias y opiniones políticas: la importancia del magisterio de estos poetas, cuya vida, prolongada excepcionalmente, ha llegado hasta nuestros días, y cuya obra y significación ha quedado patente en la multitud de ediciones y estudios críticos, que convierte a este grupo en uno de los sectores más privilegiados de nuestra literatura, confirmando, definitivamente, que los poetas del 27 han constituido, como ya señaló José Carlos Mainer, «el equipo más coherente y valioso que nuestra literatura ha aportado a la europea» (1975, 207).

2
PEDRO SALINAS

2.1. El poeta

Señala David L. Stixrude que, al leer la cronología biográfica que incluye Solita Salinas en la edición de *Poesías completas* de su padre (1975), tiene la impresión «de estar repasando el *curriculum vitae* de un profesor universitario modelo, o sea, de un profesor incansablemente dedicado a su triple tarea profesional: investigar, servir, enseñar, actividades que no pueden ser separadas en los mejores casos» (1980, 15). Y lo cierto es que la personalidad de Pedro Salinas (1891-1951) que ha trascendido, con su múltiple actividad que le hizo cultivar todos los géneros de la creación —poesía, novela, teatro— y de la crítica —ensayo, investigación literaria—, es la de una figura extraordinariamente culta que se somete, como recuerda Solita Salinas, durante cuatro décadas, empleando términos del poeta, a la «obediencia a la propia musa interna» (1975, 35). Una vida dividida entre dos realidades: la de la España anterior a la guerra civil como universitario excepcional, que culmina en su trabajo en la Universidad de Verano de Santander, y la del voluntario exilio americano, como profesor en unos medios hispánicos, donde estuvo bien, pero rodeado de una cultura norteamericana, en la que no quiso integrarse totalmente. Es significativa su glosa de la frase famosa de Juan Ramón Jiménez («yo no hablo inglés para no estropear mi español»), que Salinas, según recuerda Solita, reformaba para sí: «Yo no hablo inglés para no estropear el inglés» (1976 *b*, 39).

En una breve semblanza de 1941, Ángel del Río destacó la relación de Salinas con los poetas de su época: «Viniendo a coincidir con ellos, Jorge Guillén primero, y un poco más tarde Gerardo Diego y Dámaso Alonso, encabezará una nueva generación poética —de poetas y críticos— surgida entre 1920 y 1925, después de liquidado el modernismo como consecuencia indirecta de la episódica y malograda insurgencia ultraísta» (1976, 15). Y lo cierto es que Salinas, el mayor de los de su generación, es modelo del tipo de poeta-profesor que parece normal en este grupo. La biografía, especialmente documentada por Solita (1975) y comentada por González Muela (1968) o por Stixrude (1980), entre otros, nos permite ver esa personalidad soñadora que González Muela ha sintetizado señalando que «realizó los sueños de juventud viajando, conociendo tierras y gentes. Pero el destino, el seguro azar, le dejó al fin nostálgico de su patria, en un desenlace que seguramente estaba muy lejos de imaginar el poeta (y el hombre) en sus años madrileños y sevillanos» (1968, 11).

La amplia formación universitaria y cultural y las distintas residencias son las que marcan el sentido de su biografía, como ha advertido Ángel del Río, que indica que en su formación destaca, por un lado, su condición de madrileño (castizo, ciudadano-urbano e irónico), sus años de la Sorbona (ingenioso, refinado, mundano, *spirituel*), sus temporadas en el Mediterráneo (quietud, luminosidad, «ardorosa sensualidad espiritualizada» —Miró—) y sus ocho años de Sevilla (gracia señorial, perfil clásico), simbiosis de lo castellano y lo andaluz (1976, 19-20).

No cabe duda que en la formación y desarrollo de la obra de Salinas hay una presencia de lo francés aprendido en sus años de juventud de París, aspecto que ha revisado Gicovate (1960, 7-16), en concreto en su acercamiento a Marcel Proust, tan importante en la personalidad de don Pedro. Como Guillén, Salinas pertenece al grupo de poetas que quisieron europeizar nuestra estética partiendo de nuestra propia realidad literaria: su condición de catedrático e investigador de la literatura española en el Centro de Estudios Históricos, en su época dorada, así lo acreditan. Precisamente, su paralelo con Jorge Guillén y sus diferencias evidentes han llamado la atención de los críticos. Según Ángel del Río,

son los dos máximos representantes de la España de la llamada poesía pura, con el significado, más que estético, histórico que adquiere esta denominación hace unos años. Inseparables en su punto de partida, paralelos en gran parte de su trayectoria, son, en cambio, muy distintos, y aun opuestos en el contenido de su lirismo; en su radical y personalísima visión del mundo (1976, 16).

Concretando la idea, Joaquín González Muela ha insistido en aspectos de esa amistad ejemplar en nuestras letras: «Pedro Salinas es afectado por la realidad, pero prefiere jugar —hacer poesía— con ella y decir que quiere soñársela. Jorge Guillén, con menos humor y con tanta seriedad y solemnidad como su amigo, hace lo mismo» (1976, 203). A estas comparaciones hay que añadir otras que de manera esporádica vemos surgir entre los especialistas, como ocurre, por ejemplo, con la comparación en el terreno de la «esencialidad» que de ambos poetas hace Marta Morello Frosch (1961, 16-22).

Es justamente Jorge Guillén quien ha ofrecido la imagen más certera de la obra de su amigo distribuyendo los nueve libros poéticos en tres fases o etapas: por un lado, una inicial —de 1923 a 1931— comprende *Presagios, Seguro azar* y *Fábula y signo*. La segunda, considerada «ciclo verdadero», va desde 1933 a 1938 y en ella «se desenvuelve el gran tema: *La voz a ti debida, Razón de amor* y *Largo lamento*. Y, finalmente, otros tres libros, correspondientes a los años cuarenta: *El contemplado, Todo más claro* y *Confianza* (1975, 1). La obra poética, cuyos títulos acabamos de recordar, quedó editada definitivamente, en 1971, por Jorge Guillén y Solita Salinas (1975), formando el *corpus* completo de la obra literaria junto a los tres libros de narrativa, *Víspera del gozo, El desnudo impecable y otras narraciones* y *La bomba increíble,* editados por Solita Salinas (1976 a), las trece obras teatrales, editadas por Juan Marichal (1957) —a las que hay que añadir *Los santos*— y los tres volúmenes de *Ensayos* recogidos también por la hija del poeta, esta vez con prólogo de Dámaso Alonso (1983).

La división en tres etapas, con los diferentes desarrollos estructurales en múltiplos de tres, y la división de la vida de Salinas en dos grandes etapas de treinta años realizada por Guillén (1975, 1), ha sido utilizada por Marichal para definir el sentido de cada una de estas tres fases: la primera, como tiempo de *encentración,* búsqueda de la propia voz; la segunda, como época de *descentra-*

ción —presencia de la amada—, y la tercera, de *sobrecentración* o ampliación de su voz en el contemplado (1976).

Se ha considerado muy importante por diversos críticos, en un intento de definir la personalidad del poeta, su relación con la realidad, base, por otro lado, de su poética. Concha Zardoya ha querido ver en la poesía de Salinas la puesta en práctica de su teoría de que la poesía es «una aventura hacia lo absoluto», según el poeta expresó en la antología de Gerardo Diego. Para Salinas, platónicamente, las cosas las conocemos por el accidente de su existencia, que oculta su auténtica realidad, su esencia. Y aspira a descubrir, a través de tales accidentes, simples formas de existencia, lo que no cambia y permanece: «el ser absoluto, la realidad absoluta y atemporal, invariable y eterna: la realidad poética en otros términos» (1976, 63).

Feal Deibe tiene un concepto unitario de esta poesía saliniana, a pesar de reconocer la existencia de las tres fases, y señala que hay un lado común entre toda esta poesía:

> Creemos, efectivamente, que en Salinas, pese a aparentes contradicciones, existe lo que él llama un «tema vital»: intuición básica, que se mantiene fiel a lo largo de su obra. Hemos dividido ésta, sin embargo, en tres partes, porque creemos que, si bien el *tema* se mantiene constante, la formulación del mismo varía (1971 *c*, 11).

En el diálogo creador ha visto Alma de Zubizarreta el sentido de esta poesía basada en tal «recurso expositivo dominante». En los primeros libros (*Presagios, Seguro azar* y *Fábula y signo*) está presente el diálogo con las cosas y consigo mismo; en *La voz a ti debida* y *Razón de amor,* la plenitud de la vivencia y re-creación del diálogo con la amada; pierde en *Largo lamento* la relación con el tú, para aparecer más tarde el diálogo «con el tú esencial, bajo el símbolo del mar de *El contemplado,* libro paralelo a *Razón de amor* por constituir ambos expresión de relación» (1969, 363).

«Profunda coherencia» ha destacado Zuleta en la poesía de Salinas, cuya aventura, como el poeta mismo señaló, consiste en «contemplar, conocer y comprender»,

> una aventura hacia lo absoluto, que no acaba en la poesía escrita, sino que continúa en la poesía misma, en el autor, en el lector, en el silen-

cio; pues la poesía a veces descubre en sí una intención no sospechada y acaba en la iluminación, vale decir, en la revelación del misterio (1971, 59).

2.2. LA POESÍA DE PEDRO SALINAS

Hasta 1923 no publica Pedro Salinas su primer libro, *Presagios*. Antes ha dado a conocer algunos poemas en revistas, iniciando una andadura poética por caminos que luego no serían los que habrían de darle mayor fama. Muchos críticos han visto en esta primera etapa de su poesía la expresión de la «poesía pura» por parte del autor y, al uso, han presentado ésta como «exenta de valores afectivos humanos», tal como hace Luis Cernuda (1957, 156-157), sin duda en comparación con la gran etapa que vendrá a continuación. Debicki ha denunciado esta actitud de algunos críticos destacando «el valor humano y afectivo de estos libros» (1968, 57). En cualquier caso, los críticos han visto en esta poesía primera un curioso comienzo basado en juegos de ingenio en torno a los objetos que nos rodean, en torno a esa realidad que el poeta comienza a presentar: «como punto de partida —ha escrito Luis Felipe Vivanco—, Salinas prefiere humildemente una anécdota, y para realizarla, en vez de imaginación formal autónoma, utiliza —tal vez artesanamente— su nueva especie de imaginación formal aplicada» (1971, 116).

La originalidad de Salinas en esta primera etapa está en la capacidad que tiene de vivir los objetos y de darles un sentido humano. Como advierte Feal Deibe,

> la intuición que está en la base de la compleja poesía de Pedro Salinas es ésta: todos los seres del mundo están dramáticamente escindidos en alma y cuerpo. El afán del poeta se encaminará a lograr la unidad, la reconciliación de esos dos términos. La originalidad consiste en que no sólo se adjudica un alma a los seres humanos, sino también a las cosas (1971 c, 13).

Por ello, Concha Zardoya ha podido hablar de una «trasrealidad», más que de realidad, en esta poesía de la primera etapa saliniana. El poeta adopta ante las cosas una actitud amorosa basada en una gran sensibilidad y se fija en ellas con el fin de encontrar algo más, algo que sobrepasa la común imaginación:

> La realidad —cualquiera que sea— descubre su «otra» realidad, su «trasrealidad», porque el poeta, partiendo de la forma y el color, sometiendo la violencia de una línea a la caricia de la adecuada luz, o combinándola con una sombra que contrasta, en juego de matices cuidadosamente desplegados, consigue la armonía de las disonancias (1974, II, 110).

Bajo el rótulo de «pensar y sentir» ha agrupado Gullón esta primera poesía que inaugura un nuevo arte de los objetos, expresado con singular claridad: «La aportación de Salinas a la poesía contemporánea es, en lo referente al lenguaje, sobremanera importante. Gracias a estos poemas fluidos, densos, de lengua familiar sobria, el mito del lenguaje poético ha recibido un nuevo y considerable golpe» (1976 a, 91). Todo por una necesidad imperiosa de comunicación, a la que desde luego ha de contribuir la fluidez del nuevo verso, singularmente expresivo, como han visto, entre otros, Feal Deibe (1971 c, 32 y ss.) y Jorge Guillén (1975, 2), ya que Salinas inaugura ahora el sistema libre de versos tradicionales perfectamente abierto y amoldado a las necesidades expresivas que habrá de triunfar en *Razón de amor* y en *La voz a ti debida*.

En *Presagios* ha visto Jorge Guillén la primera expresión de un poeta «tímido y exigente» que ordena su libro para que lo publique Juan Ramón Jiménez, situando como centro de la obra tres sonetos (1975, 2) únicos en el poeta. En esta poesía inicial se han visto influencias del poeta de Moguer, de Bécquer y de Machado, pero también el inicio de un estilo y de un conjunto de temas que ya están presentes y que darán contenido a toda la obra, como ha señalado Palley:

> Los grandes temas de la poesía de Salinas están ya planteados en este su libro primero, aunque a veces sólo en ciernes: el *amor* expresado por la antigua dialéctica del amado y de la amada, la idea de la *nada,* lo desconocido, es decir, un mundo que existe detrás de un mundo real o más adentro del alma, el tema de la *voluntad-poder,* de asir lo inasidero, todos se encuentran con más o menos vigencia en *Presagios* (1976, 99).

Su primer enfrentamiento en este libro con la realidad ha ocupado a Feal Deibe (1971 c, 44 y ss.), Debicki (1968, 57 y ss.), Vivanco (1971, I, 110 y ss.) y Zardoya (1974, II, 111 y ss.), mientras que Zubizarreta ha valorado en él la presencia de *las cosas,*

> cosas materiales, tanto las de la factura humana como las naturales; entidades de espíritu y, algunas veces, seres humanos todavía perdidos un poco dentro del conjunto. Podemos decir que el poeta se acerca al mundo múltiple que le rodea, al cual acepta, hace objeto de su poesía y, desde entonces, dirige su palabra (1969, 87).

Un paradójico título, *Seguro azar,* que anunciaba «más sutilezas de intelecto y sentimiento», según Guillén (1975, 5), dio Salinas a su segundo libro, en el que dio entrada a optimistas visiones de aspectos de la vida «moderna», deporte, Far West, bombilla, que quieren captar un gozo por el mundo, aunque, como ha visto Darmangeat, «todo lo que anima a este librito, tantos espectáculos apenas entrevistos, todo enseguida se enturbia y se pone borroso. Subsiste la duda, la desconfianza» (1969, 116).

Se han visto en la brevedad de este libro intermedio otras preocupaciones del poeta, como son el tiempo y la poesía (Debicki, 1968, 70-71), el triunfo de la vida moderna con afán de extratemporalidad (Zardoya, 1974, 115) o el deseo de hacer imperecederas las cosas (Zubizarreta, 1969, 89), aunque el libro supone la consagración de Salinas como observador de la realidad, según apunta Debicki (1978, 71):

> La presencia de un protagonista concreto que mira e interpreta la realidad se hace más evidente en *Seguro azar*: los esquemas geométricos del libro nos hacen sentir constantemente que la realidad se nos revela transformada por un ojo humano y poético.

En el título de *Fábula y signo* ha visto Palley la relación entre el mito creado por el artista (fábula) y la realidad externa (signo) (1966, 46), combinación entre el plano de lo real que será la clave para entender la búsqueda de lo esencial en la expresión del amor a partir de *La voz a ti debida,* como ya vio Dehennin (1957, 41-67). Precisamente, el diálogo con la amada es uno de los hallazgos ya presentes en este libro, en cuyos poemas encontramos antecedentes de la retórica expresiva de *La voz a ti debida* y de *Razón de amor*.

Sin embargo, *Fábula y signo* es recordado, sobre todo, por la consagración que en él se hace de la vida moderna y de los «juguetes» que la pueblan, como señala Guillén (1975, 4). La presencia de alguna de las más felices fabulaciones de esta vida futuro-moderna-cotidiana en el libro —el caso más representativo sería «Underwood girls»— ha hecho reflexionar a diferentes críticos sobre el sentido de esta poesía «de ida». Así, Luis Felipe Vivanco ha observado en el poema, como en otros del libro, un deseo de «resolver» poemáticamente los enigmas propuestos por la técnica reduciéndolos «a realidades humanizadas de siempre. El sentido becqueriano de despertar y hacer crear un mundo poético es todo un "signo" de la actitud del poeta ante la realidad». «*Fábula y signo* —concluye Vivanco— ya es un libro de realidades externas puestas al descubierto por el poeta y que llegan a imponerse a través de una curiosidad convertida en puro entusiasmo» (1971, 119).

No cabe duda de que la primera etapa de la poesía de Pedro Salinas es pura preparación de lo que será su creación más original, cuando la amada —intuida en estos libros— constituya el determinador de lo esencial en la poesía saliniana: el amor. En este sentido, se afirma, en contra de opiniones consideradas superficiales, como la de Cernuda, el sentido humano de esta poesía desde su comienzo, tal como ha demostrado Stixrude (1975 y 1980).

2.3.   «LA VOZ A TI DEBIDA» Y «RAZÓN DE AMOR»

«Era fatal que esta poesía culminase en el tema amoroso», escribe Jorge Guillén con toda razón al iniciar su clarificador comentario (1975, 8) sobre los libros que representan la etapa central-amorosa de la poesía de Salinas: *La voz a ti debida* (1933), *Razón de amor* (1936) y *Largo lamento* (1938). Etapa que, por otro lado, constituye la zona más atendida por la crítica de toda la poesía saliniana, lo que no ha de extrañarnos, ya que estamos ante lo mejor del poeta, aquellos versos en los que se ha llegado a la mayor originalidad.

Ricardo Gullón, en 1956, al referirse al gran tema «del amor», observa que se ve «la voluntad de reflejar en el estilo las vacilaciones e inseguridades del pensamiento y el sentimiento» (1976 *a*, 92). También hace referencia al tema de la invención de la amada, asegurando que si no la inventa «por lo menos la transforma, le infunde distinto ser y la convierte en un concepto que desde entonces se impondrá a través de un repertorio de signos y cualidades seguramente imperceptibles en su realidad primera» (1976 *a*, 92). Ésta es quizá la cuestión más debatida, la de la amada en relación con la *realidad,* tan importante en Salinas. Llama mucho la atención entre los críticos la temprana (de 1941) interpretación de Spitzer, con la que ya nadie está de acuerdo, porque el propio Salinas —así lo asegura Guillén (1975, 9)— rechazó interpretaciones como ésta: «Cosa curiosa: hasta la mujer amada es negada por nuestro poeta; no conozco poesía de amor donde la pareja amorosa se reduzca hasta tal punto al yo del poeta, donde la mujer amada sólo viva en función del espíritu del hombre y no sea más que un "fenómeno de conciencia" de éste...» (1955, 232). Joaquín González Muela ha rechazado este conceptismo interior en tal poesía de Pedro Salinas recordando la presencia de una amada *real* no inventada, de *carne y hueso,* como tantas veces aseguró Guillén y confirmó en el prólogo final (1975, 9). Según González Muela,

> sabemos que existió la mujer real. Ahora bien, ¿qué iba a hacer el poeta?, ¿transmitirnos un diario íntimo, fiel relato de sus horas felices o de sus horas atormentadas? No. Salinas era poeta, y escribir *La voz a ti debida* (una fantasmagoría) era su deber. Una fantasmagoría, pero anclada en la mujer de carne y hueso, en la experiencia vivida, en los besos dados de verdad (1968, 39).

En defensa de esta misma realidad salieron también Horst Baader (1955, 159) y Julieta Gómez Paz (1953, 55-68), quien ve un paralelo entre Salinas y Max Scheler y su concepción del amor partiendo de la realidad hacia una elevación. Sobre todo ello se ocupa extensamente Feal Deibe en su revisión estilística de ambos libros (1971 *c*, 154 y ss.), que concluye que «la *mujer* amada no es negada por el poeta: lo que se niega es la amada corporal, exis-

tencial, que es también la mujer amada, no una amada *utópica*»
(1971 *c*, 157).

Se ha destacado también la gran unión con variaciones entre
los tres libros amorosos, partiendo del primer poema o «proemio»
de *La voz a ti debida,* estudiado por Gilman, que ha percibido la
unidad de este primer libro en el subtítulo de «poema», que tiene
su correspondencia con la unidad temática del amor. No existe
intención de que haya una trama narrativa —como se ha hecho
con la poesía de Bécquer—, ya que la «ambigüedad en cuanto a
forma —poema o poemas, un todo o partes— se usa como un
elemento esencial en el libro» (1976, 120). La ascendencia bec-
queriana de esta poesía ha sido destacada desde el principio del
libro, «aunque el lector no descubra la influencia y el eco de Bécquer a través de las palabras y frases lo prepara para lo que ha
de venir» (1976, 126). Es el medio que tiene Salinas de demos-
trarnos que su musa es de verdad, «proporcionar un clima becqueriano que sirve de puerta de entrada al poema» (1976, 127).

El diálogo creador, al que se refiere Alma de Zubizarreta, se
convierte aquí, en estos libros, en la clave de la poesía, partiendo
de los pronombres *tú* y *yo, nosotros* en *Razón de amor*:

> Este con-vivir, reflejado en el diálogo y logrado gracias a él y desde
> él, culminará en la indisoluble unión de ambos, en la creación de un
> nuevo ser, que trasciende la suma de las dos individualidades, y da
> existencia a una criatura nueva: *nosotros,* desde la cual aparecen escritos
> un gran número de poemas de *Razón de amor.* Y para el poeta esta
> unión dialógica será la salvación (1969, 124).

Se ha trazado también la relación entre los tres volúmenes que
componen el conjunto de la poesía amorosa. Entre los dos primeros hay una relación bien clara, señalada ya por Gullón, que establece que «*La voz a ti debida* es libro ascendente, vital, esperan-
zado. *Razón de amor* el contrapunto, más sensual acaso, pero ale-
jándose de la pura invención amorosa» (1976 *a*, 95). Se considera
el primero como un canto hacia el amor y el segundo como un
canto en el amor. *Largo lamento,* escrito en América, vendría a
representar el alejamiento y el reencuentro imposible. Su publicación completa es muy reciente y supone la confirmación de un final
infeliz para aquellos amores encendidos de *La voz a ti debida* y

de *Razón de amor*. Aunque, como ha señalado Stixrude, «el libro es mucho más que un lamento, a pesar del título. Reafirma constantemente el mensaje de la poesía amorosa: que nunca puede apagarse un espíritu encendido por el amor» (1980, 46). Implícitamente, con la aparición de este libro se niega definitivamente el *romanticismo* que algunos habían visto en Salinas, ya que, como afirmó el propio Stixrude, frente a un posible intento de huir hacia el mundo del mito o de la idea, el poeta insiste en permanecer arraigado a la realidad. «Lo que verdaderamente sobrecoge en *Largo lamento* es la serenidad del poeta frente a la calamidad» (1975, 12-13).

La culminación de una obra y de un tema, el amoroso, ha sido la consideración unánimemente adoptada al analizar todo este conjunto, especialmente al estudiar los dos primeros libros, en los que se ha visto, como han hecho Dehennin (1957, 39) y Palley (1966, 54), una mística concepción del amor, aunque Darmangeat ha optado por el camino intermedio entre la metafísica y el conocimiento inmediato, «ni misticismo ni petrarquismo» (1969, 134), por más que Salinas, como buen poeta de su generación, pretendía vincular los títulos de sus libros a la tradición y a la historia de nuestra literatura a través, como ha señalado Jorge Guillén, del poeta medieval («Razón feita de amor»), del renacentista («pienso mover la voz a ti debida», de la Égloga III de Garcilaso) y del romántico («largo lamento / del ronco viento» de la rima XV de Bécquer), evocados en los títulos, de manera que «la trilogía se levanta y permanece, señera en la mejor literatura española» (1975, 8).

2.4. La poesía última

La madurez de Pedro Salinas como escritor vino, sin embargo, en la década de 1940, cuando desarrolló con amplitud una poesía abierta y variada, que iba desde la pura contemplación mística de *El contemplado* hasta la comprometida con la realidad de nuestro mundo de *Todo más claro* (1949) y de los poemas que se reunirían póstumamente bajo el título de *Confianza* (1955); y también cuando cultiva el teatro, la narración y el ensayo literario con

mayor trascendencia y acierto. Se ha dicho, por ello, como hace
Torres Nebrera, que

> Salinas cultiva, especialmente en su última etapa, todos los géneros lite-
> rarios en un deseo de objetivar sucesivamente su propia cosmovisión:
> el intimismo de sus libros de poemas trasvasados a la anécdota narra-
> tiva o a la trama (escasa) de una de las figuras dialogantes sobre un
> escenario. Pero con una constante al fin: la de ese mismo diálogo
> (1980, 50-51).

El contemplado es el primer libro publicado por Salinas tras
la guerra, y aunque algunos han visto un cambio rotundo en las
intenciones y estética de esta nueva poesía, se trata de dar una
nueva visión de temas antes expresados, enfocados ahora de manera original, como ya advirtió Juan Marichal (1961, 435-442).
Ciertamente, el libro presenta una unidad temática notable al tra-
tarse de un «tema con variaciones» cuyo objeto principal, ese contemplado, no es otro que el mar de Puerto Rico. Los especialistas
han observado de nuevo la presencia de la realidad ante el poeta,
esta vez frente al mar, que constituye este nuevo libro, y así lo
han hecho Margot Arce (1947, 90-97), Gustavo Correa (1976)
y Concha Zardoya (1974, 142-147), mientras que Baader (1956,
252-273) y Feal (1971 *c*, 222 y ss.) han observado aspectos estilísticos y formales.

Según Correa, hay en el libro dos protagonistas: el poeta que
habla y el mar que escucha y es contemplado. Junto al mar se
halla el cielo, con su azul también, y entre los dos, nubes, espuma,
azul, celajes, aire, luz, sonidos, arena, playa, islas, etc. Una intrusa
da definitivamente una acción de armonía: la luz. El conjunto se
estructura a través de una serie de planos: 1) Realidad sensible
con despliegue de materiales cósmicos; 2) realidad metafórica que
transforma los materiales del primer plano; 3) realidad interior
de la nube (correspondencias entre el mar y la conciencia); 4) se
da expresión a una tendencia estimativa de las nociones captadas
con los sentidos de orden analógico y puramente espiritual. Como
concluye Correa,

> *El contemplado*, poema sobre el mar de Puerto Rico, siendo poesía en
> sí mismo, nos enseña el camino de la salvación por la propia poesía.

> *El contemplado* trasciende los límites de sus hondos ámbitos poéticos y llega hasta nosotros con un lenguaje de iluminada sabiduría (1976, 151).

Feal Deibe ha visto, en el júbilo de la exposición saliniana de este «tema con variaciones», una evidente relación de mundo y tono con *Cántico,* de Jorge Guillén (1971 *c*, 230-232), que Debicki ha limitado a aquellos momentos en que «el poeta se sobrepone a la conciencia del tiempo, de su individualidad, y de las realidades que le rodean» (1968, 99): son esos momentos que conceden al libro un carácter *místico,* que también han destacado Margot Arce (1947, 90-97) y Elsa Dehennin (1957, 81-85). Para Zubizarreta, desde luego

> los versos de *El contemplado* son, en conjunto, los más ágiles y alegres de la poesía de Salinas. Envuelto en el júbilo que nace de la posesión total, el poeta no siente la necesidad de poetizar su reflexión en el mismo grado que mostrara en *Razón de amor* primero, en *Todo más claro* después, sino que se deja llevar por la dicha. Contempla el mar, y presenta imágenes que su contemplación le sugiere (1969, 212).

La culminación del libro la constituye la «Variación XII», que lleva el título agustiniano de «Civitas Dei», en la que Salinas opone dos «ciudades»: una, la ciudad de Dios, verdadera ciudad divina, pura, iluminada, y otra, la ciudad «de los negocios», la «ciudad enemiga», que, para muchos, supone un «símbolo, el de la urbe técnica, que Salinas empieza a criticar con cierta dureza y que da paso al libro más amargo y a la vez más humanizado», como ha señalado Torres Nebrera (1980, 51). En el mismo sentido, ven un enlace entre *El contemplado* y *Todo más claro,* en este poema, Zubizarreta (1969, 229), Young (1976, 153-161) y Stixrude (1980, 50).

El sentido de *Todo más claro y otros poemas* lo expresó Salinas en un breve prólogo que precede al libro desde su primera edición, en el que indica que sus poemas tratan de expresar su angustia ante el mundo del progreso y de la técnica, que van a conseguir volver al hombre «del ser al no ser». Tales ideas han puesto en guardia a los críticos que se han apresurado a asegurar que si bien hay una entrada más *clara* de la realidad en la poesía, no se trata de una poesía realista, sino angustiada o preocupada por el mundo. Los nombres que cita como maestros Salinas (Unamuno y Antonio Machado, así como la cita de Quevedo) son bastante representativos del posible «cambio» en la poesía de Salinas, aunque, como decimos, éste sea relativo. «Esto pudiera llevar —afirma Debicki— a la conclusión de que representa un alejamiento de la "poesía pura" hacia la "poesía social". Tal conclusión sería en mi opinión errónea. La actitud fundamental del libro se basa en una defensa de los valores perennes del arte en contra de lo cotidiano» (1968, 110).

Dos poemas han llamado particularmente la atención de este poemario: «Nocturno de avisos» y «Cero». Es el primero una presentación de la calle como mundo ilusorio, símbolo de la vida moderna, ante la que, como Lorca, reacciona poéticamente. Durán ha visto diferencias entre la actitud de ambos poetas al ser uno hombre de ciudad y el otro de campo y naturaleza abierta. Al contemplar Time Square en Broodway, Salinas reacciona ante el mundo moderno no por su deshumanización, ya que posee «un trasfondo mucho más tenebroso y cruel: era también la civilización que acababa de crear, y de usar, la bomba atómica», raíz del desencanto de muchos frentes al mundo moderno.

> El mundo moderno es rechazado, pero al ser proyectado hacia el más allá, hacia la eternidad como prueba, quizá de lo difícil y arriesgada que resulta la poetización de las circunstancias presentes, se introducen en el más allá unos fragmentos del presente caótico y comercial. Triunfo de la poesía, fracaso de la realidad cotidiana en que al poeta le tocó vivir sus últimos años (1976, 167).

Howard T. Young ha insistido en el mismo sentido de angustia y debilidad denunciado por Salinas con cierta ironía (1976, 153-161).

El poema «Cero» va precedido de textos de Machado y de Quevedo en los que se alude al *cero* y a la *nada*. Es el ambiente propicio para un texto en el que se registra el tema del anquilosamiento y la inmolación causados por la bomba (no la atómica, como aclaró, en su día, el propio Salinas (ya que es un poema de 1944), y explica Rodríguez Monegal (1976, 246), cuya trascendencia sobrepasa, nuevamente, los límites de lo anecdóticohistórico, para confluir otra vez en una poesía angustiada. Como ha señalado Zuleta, el tiempo, que se constituye en protagonista de las composiciones más significativas de *Todo más claro*, «se presenta en este poema asociado a la suprema experiencia temporal: la muerte» (1971, 100). Marichal ha explicado con claridad la postura de Salinas ante el mundo moderno, capaz de crear inventos que conseguirán su propia inmolación y destrucción con la máscara de una razón instrumental: «el sueño de la razón produce mostruos», la frase goyesca adquiere ahora un significado distinto, como también lo tiene el verso «la nada tiene prisa» de *El contemplado*: «El desenfreno racionalista (de la «razón instrumental»), acompañado de la codicia sin límites de las sociedades modernas, habían cegado al hombre y le llevaban velozmente a su propia autoinmolación» (1969, 147).

Cierra el conjunto de la poesía de Salinas el libro póstumo *Confianza*, que recoge poemas de 1942 a 1944, y que, como señala Stixrude, «continúan la fuerte veta guilleniana iniciada en *El contemplado*» (1980, 52), a cuya época ciertamente pertenecen. Quizá el poema que más ha llamado la atención de la crítica haya sido el que cierra el libro, sobre todo porque un estudio de Raimundo Lida ha revelado el complejo proceso de elaboración del poema, que lleva por título el del libro: «Confianza». A través del estudio de su génesis se percibe la asimilación de una historia literaria típica de toda la poesía de Salinas —Garcilaso, Góngora, Bécquer, Rubén— hasta el punto de poder constituirlo como síntesis de muchas típicas facetas de su mundo poético:

> Si toda la obra lírica de Salinas es un gran canto de amor con gracias y suavidades de conversación y con intermedios de angustia, estos versos pueden, a despecho de la cronología, servirle de remansado epílogo y testamento. Son una última profesión de fe, de *confianza*: un último sí (1976, 169).

2.5. Narrativa

Señala Young que Salinas, en sus últimos años de vida, en su lucha por defender lo humano y lo poético, sufrió una derrota parcial. «Y lo prueba mejor que nada el hecho de que se pusiera a desarrollar otros géneros en América, el drama y la novela, y principalmente la crítica» (1976, 160-161). Pero es cierto también que ya en los años de España, Salinas dio a conocer su faceta de narrador a través de la colección «Nova Novorum», en la que publicó su *Víspera del gozo* (1926), grupo de relatos con el que se abre su *Narrativa completa,* publicada por Solita Salinas (1976 *a*). Es precisamente la hija del autor la que, con envidiable objetividad, ha hecho la mejor valoración de la narrativa de un escritor poco considerado como narrador. Tras una primera etapa vanguardista, coincidente con los años de Sevilla y en la línea de los «Nova Novorum» (Espina, Jarnés, Ayala), Salinas no vuelve a la novela hasta los últimos años de su vida (1949-1950), y entonces lo hace con *La bomba increíble,* conectada temática y espiritualmente con «Cero» y con *El desnudo impecable,* a su vez emparentables con el teatro. «En suma, la voz narrativa de Pedro Salinas, aunque de tono menor en el conjunto de su obra, emana del centro mismo del espíritu creador de un gran poeta» (1976 *a*, 8).

Para entender bien el significado de *Víspera del gozo,* y el sentido de los siete relatos que la componen, hay que situarse en la aventura estética de los años en que se escriben y observar el medio en que se publican, la *Revista de Occidente* y la colección «Nova Novorum». Sólo así entenderemos su condición de «prosa de arte narrativa» como la designan Oreste Macrí y Luis Felipe Vivanco (1973, 579), y su vinculación al arte de Marcel Proust, que Salinas conocía muy bien, como sabemos por Ángel del Río (1976). Rodríguez Monegal ha destacado en estos relatos la madurez verbal de la prosa y la formulación de algunos temas centrales de su poesía como son el azar, la relación amor, tiempo y realidad, etc. (1976, 240).

Quizá ha obtenido una valoración mayor *La bomba increíble,* que bien pronto Ricardo Gullón (1951, 3) y Manuel Artola (1955, 150-167) pusieron en relación con Huxley y Orwell, en la línea de literatura futurística-profética, aunque Rodríguez Monegal opina que lo que en los anglosajones es fundamental, en Salinas es accidental: «la semejanza no pasa de inevitable coincidencia» (1976, 244). Para él, el verdadero objeto de la novela es la sátira de la precisión del mundo moderno, vista desde la poesía, desde la pasión por lo mágico y lo espiritual. «El poeta se alza, en verdad, contra la deshumanización del mundo moderno.» Su ataque contra la concepción materialista actual del mundo lo realiza acumulando situaciones que desquician su racionalismo y acaban por descubrir «una realidad poética (y poetizable) que subyace el mediocre ámbito de la técnica» (1976, 245).

La última colección de relatos, *El desnudo impecable y otras narraciones,* a pesar de visibles diferencias con la de 1926 —son cuentos largos, de más de cuarenta páginas—, observa interesantes concomitancias que demuestran, como señaló Debicki (1968, 99), que no hay cambio radical en el mundo de Salinas. Un interesante trabajo de Spires ha revelado «una idéntica búsqueda de valores universales en un mundo trivial y deshumanizado» (1976, 249). La riqueza de su estilo y la irónica y bieneducada sátira del mundo norteamericano en que se ambientan son los valores destacados, en esta ocasión, por Rodríguez Monegal (1976, 243).

2.6. TEATRO

Entre 1936 y 1951, Pedro Salinas escribió catorce piezas teatrales, de las cuales están compuestas en tres actos dos de ellas, mientras que el resto lo están en uno. El teatro, a diferencia de la narrativa, el ensayo y, por supuesto, la poesía, no ha merecido la atención editorial completa, ya que lo conocemos a través de una edición de *Teatro completo,* de Marichal (1957), al que, sin embargo, hay que añadir *Los santos,* publicada por Salinas (1954) y por su hija (1981), que no pudo incluirse en la edición española de 1957 por «motivos políticos obvios» (1981, 20).

Dos libros se han ocupado del teatro saliniano, el de Cowes (1965) y el de Pilar Moraleda (1985), y sólo una edición crítica de algunas obras: la de Torres Nebrera, que recoge *La fuente del arcángel, La bella durmiente, El director* y *Caín o una gloria científica* (1979). Tampoco es importante el número de artículos a esta parcela de la obra saliniana dedicados, ya que verdaderamente significativos no llegan a la docena: Edith Helman se ocupa en 1953 del enfrentamiento de verdad y fantasía en las tres obras únicas que hasta entonces había publicado *Ínsula* (1952): *La cabeza de Medusa, La estratoesfera* y *La isla del terror* (1976), al que sigue el estudio de Mario Maurin (1954). Con la aparición de la edición de Marichal se producen algunas otras aportaciones: la reseña de José Luis Cano de 1957 (1986), el artículo de Rodríguez Richart (1960) y el de Martha Morello-Frosch (1960). A éstos seguirán, bastantes años después, los estudios de Wilma Newberry sobre el tema de su especialidad, el «pirandelismo» (1971), y las diferentes aportaciones de Ruiz Ramón (1975-1977, 1979 y 1981), a las que hay que añadir la teoría del teatro de Torres Nebrera (1977) y el más reciente trabajo de Cowes sobre *Los santos* (1976).

En los distintos acercamientos al teatro saliniano hay que destacar que se ha vuelto a plantear el tema central de toda su obra: el poeta y la realidad, y así lo hacen los dos únicos libros que sobre este teatro se han llevado a cabo. Mientras Cowes (1966) habla de encuentros «en la realidad fantástica», «en la realidad literaria», «en la realidad cotidiana», «desencuentros» a causa de la «realidad artística» y de la realidad «económica» y bajo estos epígrafes lleva a cabo el estudio de las obras, Moraleda se ocupa del «descubrimiento de la realidad poética» (*La fuente del arcángel, La isla del tesoro, Sobre seguro* y *La bella durmiente*), «transformación de la realidad por medio sobrenatural» (*El director, Ella y sus fuentes, El parecido*), «la irrupción de la realidad artística en la vida cotidiana» (*La estratoesfera, El chantajista, El precio, La cabeza de Medusa*), «la rebelión contra la realidad política» (*Caín o Una gloria científica, Judit y el tirano* y *Los santos*) (1985). Como se advierte, y así lo señaló Helman, «en el *Teatro* de Pedro Salinas se nos presenta, de nuevo y repetidas veces, uno de sus intentos predilectos, preocupación ya antigua en el autor, a saber las actitudes del poeta ante la realidad, o más bien, ante los distintos aspectos de la realidad» (1976, 207), o como demostró Cowes, por la estructura de los dramas «quedan enfrentadas dos realidades: una realidad en la que los personajes se sienten siendo ellos mismos, y otra en que se sienten fuera de su ser, alienados» (1976, 213).

Muy interesantes son las investigaciones en torno al objetivo que Salinas atribuyó a su teatro, el último de los géneros literarios que cultivó, y las intenciones del mismo. Torres Nebrera ha llevado a cabo un interesante resumen de la poética teatral del autor y ha destacado su elogio del diálogo, de la palabra dialogada y hasta la feliz presencia de esa *palabra,* como elemento-base de toda su producción dramática. Y lo es menos atractiva, la valoración que de esa dramaturgia se ha hecho, con gran objetividad, por parte de Ruiz Ramón, que señala que, si bien no fue «un gran dramaturgo», al haber utilizado formas dramáticas ligadas a «una tradición hoy superada», su teatro alcanza un gran valor, ya que «responde a un compromiso siempre, y nunca a una evasión». Y ese compromiso es valioso y válido ayer como hoy, pues el compromiso de un hombre con su tiempo, un compromiso que pone en guardia contra las formas patentes de alienación y propone vías para la desalienación. Su teatro es la respuesta, como su poesía y su prosa, a una vocación alerta y pura de humanista que ni se miente ni nos miente (1979, 201).

2.7. OBRA ENSAYÍSTICA Y CRÍTICA

La dimensión ensayística y crítica del profesor Pedro Salinas viene dada por la magnitud, variedad y sentido humano de su nutrido *corpus* ensayístico, recogido en su totalidad recientemente por Solita Salinas y Dámaso Alonso (1983), aunque en su mayor parte bastante conocido en los medios hispanísticos internacionales primero y españoles a partir de la década de los setenta. Buenas valoraciones de esa actividad han hecho Emilia de Zuleta (1966), Emir Rodríguez Monegal (1976) y la propia Solita Salinas (1983) al mostrar la calidad y sensibilidad humanística y literaria de su obra crítica.

Cualquier lector curioso conoce el valor de sus libros publicados en vida, como *El defensor* o *Literatura española del siglo XX,* que no son sino colecciones de artículos anteriores, reseñas y breves ensayos que muestran su autoridad como profesor, investigador y crítico, puesta de manifiesto sobre todo en sus dos libros monográficos: *Jorge Manrique o tradición y originalidad* (1947) y *La poesía de Rubén Darío* (1948).

No cabe duda, sin embargo, que el más «saliniano» de sus ensayos lo constituye el libro de 1940 *Reality and the Poet in Spanish Poetry,* que no conoció versión española hasta 1976 y que conforma una interesante perspectiva ensayística de la gran preocupación de Salinas, ahora desarrollada a través de distintos puntos de vista: reproducción de la realidad (*El Cid*), aceptación de la realidad (Manrique y Calderón), idealización de la realidad (Lope), evasión de la realidad (Fray Luis, San Juan), exaltación de la realidad (Góngora) y rebelión de la realidad (Espronceda). Como ha señalado Rodríguez Monegal,

> lograda la fijación del tema vital, Salinas procede a la captación de la realidad poética, operación en la que pondrá en evidencia su extraordinaria ductilidad, porque para alcanzar el tema, la raíz del tema, no ataca un solo camino. Simultáneamente lo envuelve y lo rodea por varios, inquiriendo profundamente los distintos planos de su realidad (1976, 236).

Tal perspectiva, a la hora de aproximarnos al crítico Salinas, debe ser completada con su valoración humanística de la literatura española «por afán de integración universal», que ha defendido Juan Marichal (1976, 268).

3
JORGE GUILLÉN

3

3.1. El poeta

Un importante sector de la crítica especializada en los poetas
del 27 se ha empeñado en señalar, a la hora de detenerse en la
personalidad de Jorge Guillén (1893-1984), un paralelo con Pedro Salinas, justificado, desde luego, en un espacio amplio de su
vida (hasta 1950) y así lo ha hecho constar González Muela (1976,
197-205). Sin embargo, hay en Guillén una prolongación vital,
una supervivencia de más de treinta años que ha supuesto un desarrollo posterior de la biografía —regreso a España, vida en la
nueva sociedad española— que Salinas no llegó a conocer y que
los hace estrictamente distintos.

Aun así, repasando la biografía esencial publicada por Ciplijauskaité (1975, 419-420), nos hallamos ante un mismo tipo de
formación y desarrollo profesoral, primero como estudiante en
Suiza y en la Residencia de Estudiantes y luego como profesor
universitario en París, Murcia, Oxford y Sevilla, pudiendo, en los
años anteriores a la guerra civil, participar en las más genuinas
actividades del 27, desde la fundación de *Verso y Prosa* a la excursión de Sevilla, desde su presencia en la *Antología* de Gerardo
Diego hasta su integración en el mundo del 27 andaluz-sevillano,
tal como han visto Dámaso Alonso (1965), Gerardo Diego (1968),
López Estrada (1979), Díez de Revenga (1979 a), Cruz Giráldez
(1986) y Guerrero Ruiz (1983). Las dos cumbres de esta etapa
las constituyen indudablemente la aparición de las dos primeras
versiones de *Cántico* en los tan prestigiosos ámbitos editoriales
de la *Revista de Occidente* (1928) y de *Cruz y Raya* (1936).

La guerra civil y el exilio convierten a Guillén en un profesor admirado y querido —como Salinas— en los medios hispanísticos norteamericanos, lo que consigue a través de sus diferentes destinos en Middlebury, Montreal, Wellesley, Yale, Berkeley, Ohio, Harvard, Río Piedras, Pittsburg y San Diego, además de México y Bogotá, dejando tras de sí la estela de una personalidad excepcional como poeta y maestro de generaciones, tal y como han expresado Justina Ruiz-de-Conde y otras (1978) y Debicki (1973, 319-320). Pero su vida, una vez jubilado de sus actividades profesionales, se prolonga en un «final» activo hasta su muerte en Málaga en 1984, en el que instalado en la bella capital andaluza, se convierte, a través de una intensa correspondencia literaria, en el centro de la vida cultural española, como ha visto, entre otros, Dámaso Alonso (1984) y Alvar (1984).

En la formación del poeta y en el desarrollo de su obra impecable han visto los críticos notables y variadas influencias, aunque ya en 1929 Bergamín (1975 a) proclamó que «ni Valéry, ni Góngora, ni Juan Ramón Jiménez». Pero fue una constante, durante muchos años, la consideración obligada de la relación Guillén-Valéry y los simbolistas. Así, llevan a cabo su estudio Pleak (1952); Vigée (1975), que se refiere a la tradición simbolista en Guillén; Ciplijauskaité (1964) y, finalmente, Concha Zardoya (1974, II, 168-219), que rechaza el dictado de «Valéry español» otorgado al poeta. Interesantes en esta polémica son las opiniones de Dámaso Alonso (1965), Darmangeat (1969) y Blanch (1976). Otras fuentes y relaciones sugestivas han sido señaladas: Barnstone (1975) ha visto la relación con los griegos y San Juan de la Cruz y, en un segundo plano, con Lope de Vega, Jorge Manrique y Fray Luis, que ha ampliado, en esta última relación, Lorenzo-Rivero (1975). Franz Büchler (1975) se ha referido a la insólita relación con Virginia Woolf, al tiempo que Bousoño (1978) ha comentado las concomitancias con el «esencialismo juanramoniano», mientras Costa (1978) ha visto las más lejanas relaciones con *La Divina Comedia*. Carlos Meneses y Silvia Carretero se han detenido, por último, en la presencia de Rubén Darío (1981, 43-50).

Otro de los aspectos generales más atendidos de la bibliografía de don Jorge es el de su poética, que, desde la famosa «Carta a Fernando Vela», publicada en la *Antología* de Gerardo Diego (1968), ha ido el poeta estableciendo a través una obra crítica muy variada y de algunos de sus poemas. No han sido pocos los estudiosos que este aspecto han tratado. Así, Emilia de Zuleta hace un interesante recorrido a través de algunos poemas significativos (1971, 124-134), como antes habían hecho González Muela (1962), Chiarini (1975), Concha Zardoya (1974, 220-228) y Debicki (1973, 321 y ss.) o Lázaro Carreter (1978, 315-326). Alvar (1976) ha indagado, partiendo del soneto «Hacia el poema», la relación entre teoría literaria y realidad poética.

A diferencia de Salinas, Guillén es, ante todo y primordialmente, poeta y podemos asegurar que su importante obra crítica y ensayística está realizada en función de la poesía y teniendo la explicación de la poesía —la suya o la de otros— como el principal objetivo. *Cántico* es un libro con historia. Guillén empieza a construirlo, con numerosos poemas, de los que luego algunos serían rechazados, en 1919 en Tregastel, Bretaña. El trabajo de Sibbald (1980) nos ha permitido conocer el comienzo de la génesis de una obra que iría creciendo con el tiempo y con las sucesivas ediciones (1928, 1936, 1945, 1950). Puede decirse entonces que *Cántico* contiene la poesía de Guillén de treinta años y que las sucesivas ediciones del libro no son sino soluciones para incorporar nuevos poemas.

Este tipo de experiencia, originalísimo de Guillén, no lo volverá a repetir con el resto de sus libros, que se producen de manera más lineal: las tres partes de *Clamor* aparecen en 1957 (*Maremágnum*), 1960 (*...Que van a dar en la mar*) y 1963 (*A la altura de las circunstancias*), mientras que *Homenaje* (1967) reunirá (su subtítulo, «Reunión de vidas», es expresivo) poemas diversos, escritos bastantes de ellos por circunstancias. Al llegar a este punto, Guillén unificó su obra y la tituló *Aire nuestro,* recogiendo en ella todos sus libros anteriores, al aire de los versos de Berceo: «Que sean tres los libros e uno el dictado», y dejándola teóricamente cerrada. Pero nuevas circunstancias y vivencias le hicieron reunir otro volumen al que dio el título anglosajón de *Y otros poemas* con el fin de hacerlo apéndice de lo que el poeta considera algo unitario: su obra. Es 1973. Más tarde, en el libro de Gibbons y Geist (1980, 20), el propio poeta lo explicará:

Se suele repetir que este poeta es el autor de un solo libro: *Cántico*. En realidad hay una sola obra compuesta de cuatro volúmenes: *Cántico, Clamor, Homenajes, Y otros poemas*. Al autor le importa mucho ese bloque unitario con su coherencia significativa: labor de unos cincuenta y cinco años. En suma: unas dos mil doscientas páginas. (Los amigos más exquisitos del autor no se lo perdonan...) *Cántico, Clamor, Homenaje* forman la trinidad de *Aire nuestro* en su primera edición: tres, número dantesco. El autor siguió activo y acogiéndose a la tradición inglesa —«And Others Poems»— compuso un volumen final, que tal vez, quién sabe, no será el último: *Y otros poemas,* estricta continuación simultánea de los tres primeros libros.

Cuando Guillén pronuncia estas palabras filtra ya el que será el título de su último libro o, según su teoría y apreciación de su propia poesía, la parte «final» de su obra. Y así surge *Final*, que cierra, en 1983, definitivamente la fecunda obra de un poeta, sobre todo poeta.

3.2.   «CÁNTICO» EN LA POESÍA DE JORGE GUILLÉN

El hecho de que la obra de Jorge Guillén se presente finalmente como un todo unitario no invalida en absoluto la existencia de estudios parciales de esta poesía que, acordes con el paso del tiempo, van deteniéndose en los diferentes libros de poesía. *Cántico,* que aparece por primera vez «completo» en 1928, se considera ya desde ese mismo momento obra terminada, sin que fuera posible prever la existencia de posteriores ediciones. Tal hecho hace que la bibliografía se ocupe, en gran parte, de este libro únicamente o, como mucho, de este libro inicial y de su «continuación», *Clamor*. Pero queda claro que los acercamientos críticos a Guillén quedan vinculados a la provisionalidad que muchos de ellos han de observar al no ocuparse más que de una parte de su obra, en fechas en que algunos de sus títulos todavía no estaban publicados.

Veamos un ejemplo. Hasta 1957, en que aparece la primera «entrega» de *Clamor,* la obra de Guillén ya había desarrollado una amplia bibliografía, y ésta, por razones obvias, se refería exclusivamente a *Cántico*. Es más, algunas de las mejores y más prestigiosas interpretaciones de Guillén son anteriores a esa fecha y podemos asegurar que la aparición de libros posteriores no las invalidan en absoluto. Así, F. A. Pleak publica (1942) una primera interpretación de toda la poesía de Guillén, como hacen Gullón y Blecua, quienes, por cierto, abrieron caminos definitivos en el campo de la crítica de *Cántico* a pesar de la temprana fecha de la publicación de su conocido estudio (1949). El libro de Casalduero (1974) está en su mayor parte publicado en 1953, pero gran parte del mismo está redactado anteriormente, en 1948, cuando aún no había aparecido la edición definitiva de *Cántico*. Con observaciones respecto a toda la obra, aunque centradas en *Cántico,* otro tanto ocurre con las dilucidadoras visiones de Darmangeat (1969), Gil de Biedma (1980, pero 1960) y González Muela (1962). Lo mismo podemos decir de algunos de los más conocidos e importantes artículos de los años cuarenta y cincuenta. Sin embargo, es normal que los estudios aparecidos a partir de 1960 incorporen referencias a las novedades en la poesía guilleniana, surgidas a partir de la sucesiva aparición de los libros siguientes. Es lo que ocurrirá, por citar sólo algunos ejemplos significativos, con las diferentes aproximaciones de Debicki (1973), que en gran parte sólo afecta a *Clamor* y *Homenaje,* Zuleta (1971) y, sobre todo, Macrí, que incorpora capítulos sincronizados con la aparición de los nuevos libros, aunque nosotros tengamos la oportunidad de leerlos todos juntos en un solo libro (1976).

Uno de los aspectos que la crítica ha atendido con mayor detención ha sido lo que podríamos denominar la «historia» de *Cántico,* sin duda apasionante desde el momento en que es posible realizar una comparación entre las cuatro versiones, de acuerdo con la siguiente distribución: 1.ª, 1928, 75 poemas; 2.ª, 1936, 125 poemas; 3.ª, 1945, 270 poemas; 4.ª, 1950, 334 poemas. Tal situación ha permitido establecer conclusiones a José Manuel Blecua (1970), que, basándose en la edición de 1936, establece las posibles variantes a partir de los manuscritos del poeta. Con su información hemos podido (1984) establecer la génesis de *Cántico* desde 1919 a 1922. Sobre variaciones y renovaciones en poemas diversos se han ocupado Darmangeat (1969), Gil de Biedma (1980), Dehennin (1969), Piero Bigiongiari (1975), Debicki (1973) y Dámaso Alonso (1984), que con gran lucidez, que se podría hacer extensiva a toda la obra, compara tres poemas de *Cántico*. Quizá de todas estas aportaciones, las más clarificadoras sigan siendo las de Gil de Biedma, que estudia el proceso de creación de *Cántico* a través de transformaciones operadas a lo largo de las cuatro ediciones y a la luz de los temas característicos: el hombre y las cosas, el ser, la plenitud del amor, la temporalidad, la muerte, el dolor, el desorden, llegando a trazar la existencia de dos épocas: la primera, formada por las dos primeras ediciones (temas del presente) y la segunda (la de los «claroscuros») para las dos últimas. En el centro queda el tema del amor, como «motivo central del universo guilleniano» (1980, 82).

De los temas más importantes de *Cántico* —y de *Clamor*— se han ocupado varios de los críticos especializados, al hacer referencia a la evolución del pensamiento de Guillén en estos libros. Debicki se ha referido especialmente al tema de la poesía «como manera de penetrar en la realidad y captar sus esencias» (1973, 50), tal como anteriormente había visto González Muela (1962, 127-136). La poesía como medio de captar y expresar un mundo se convierte en el propio objeto de esa lírica, como parte de un oficio sublime que es capaz de transformar el mundo contemplado por medio del lenguaje «haciéndonos sentir cómo la palabra poética puede configurar los valores esenciales de la vida» (1973, 56).

Mucha presencia tiene también el tema del amor, y su realidad en *Cántico* (y en *Clamor*) no ha pasado inadvertida a los estudiosos, ya que, como era de esperar, la interpretación guilleniana es muy particular, porque la relación de los amantes queda enmarcada en el mundo intenso de *Cántico* y forma parte de su realidad. Casalduero se ha referido a «la madurez y el amor» (1974, 156-160), mientras que Gil de Biedma (1980, 56-61) y Elsa Dehennin (1960, 93) han expresado esa relación de los amantes con la realidad. Gullón (1949, 77-78) se ha referido a este tema central en relación con las contraposiciones del amor y de la vida, mientras que Emilia de Zuleta ha destacado que

en *Cántico* el amor confluye en la corriente de exaltación jubilosa del ser que define el libro. El amor acrecienta el ser, participa de todas las calidades del ser enaltecido, o bien aguza la mirada descubridora del poeta y coopera para que esas calidades se perfilen. Más tarde, cuando llega la hora de la conciencia melancólica de las limitaciones, el amor, estrechamente ligado al ser, también se adensa con las mismas sombras (1974, 145).

Por su parte, Debicki ha visto la presencia del amor dentro de lo que *Cántico* supone como comprensión del mundo y ha ido observando la relación de los amantes con la realidad externa, el paralelo y la compenetración entre lo natural y lo amoroso, destacando el sentimiento de perfección que subraya la visión del amor y de la realidad que se nos ofrece. Por otro lado, ha observado la visión del amor como ejemplo de la plenitud del vivir:

> Mediante estos recursos, Guillén universaliza el amor que nos presenta, sin reducir los poemas a mensajes conceptuales; o, diciéndolo de otro modo, nos ofrece el tema universal de la plenitud del vivir ejemplificando concretamente en los poemas de amor y relacionándolo con lo particular de nuestro mundo (1973, 109).

Para Casalduero, el tema del ser está en el fondo de la propia evolución de *Cántico*: «El ser surge de la corriente del tiempo; surge por su voluntad de ser, que se acrecienta al entrar en comunicación con las cosas. Estas, al limitarle, le centran» (1974, 81). En el mundo del ser están también la muerte (con el famoso y comentado «Muerte a lo lejos»), la mañana, la tarde, la noche, el sueño (sin sueños) y el despertar. Cuando el hombre se encuentra ante las cosas, se siente «en relación con las cosas que, con todo su peso, su superficie, su volumen, están ahí presentes» (1974, 94). La exaltación del ser se confirma en el amor, pero más aún en la «unión», «la posesión de la realidad por medio de la contemplación, la cual tiene como base y fundamento esa ansia, erótica y amorosa, de la unión» (1974, 113). «En la poesía de Jorge Guillén —concluye Casalduero— quedarán para siempre estas dos notas: primero, alegría de ver la realidad y entregarla al mundo; segundo, posesión de la realidad y de lo absoluto. Junto al ímpetu juvenil que da forma a cuanto toca y ve, la dignidad del hombre entre las cosas» (1974, 117).

La multiplicidad temática de *Cántico* es una de las notas, sin embargo, más destacadas por la crítica especializada, ya que, junto a esos grandes centros de atención antes citados, Emilia de Zuleta se ha referido a otros muchos, lo que da idea de la riqueza del mundo poético guilleniano desde su comienzo. Entre ellos se destacan el azar y el caos, el dolor, la muerte, la memoria, etc., a los que habría que unir los que podríamos denominar tonos temáticos, tales como la inminencia, el goce, el júbilo y la plenitud (1971, 147-167). En este sentido es muy destacable la aportación de Dehennin al estudiar *Cántico* como una poesía de «claridad» (1969), destacando en la luz, en la plenitud del día, en la perfecta consagración de la «realidad luminosa», tal como evoca Ivask, el sentido tonal de *Cántico* (1969). La luz y su significación en este primer libro también fueron detalladamente estudiados por Blecua (1949, 203-218).

Espacio y tiempo han resultado también aspectos muy tenidos en cuenta, y en su análisis se descubren nuevos matices de gran interés y valor. El tiempo y la vida ocuparon a Mariano Baquero Goyanes (1984) a la hora de estudiar este aspecto en *Cántico,* en el que Guillén se relaciona con la tradición. Por su parte, José Manuel Blecua destacó, a raíz de la aparición de *Cántico* tercero, la característica dominante en los tiempos de Guillén, en un nuevo sentido bien diferente de la retórica tradicional del tiempo:

> El *Tiempo,* esa exclusiva del hombre, como escribe un filósofo, está muy presente en la poesía de Jorge Guillén. Pero no se trata del tiempo a la manera barroca, nostálgica y ascética. Frente a los poemas de la rosa, ejemplo perfecto de la brevedad de la vida, Guillén opone la suya «tranquilamente futura». No se trata tampoco de una incitación a gozar los poetas el *carpe diem,* ni de la nostalgia del tiempo ido, a lo Villon o a lo Manrique. Se trata de algo más original, que nada debe a la expresión de la temporalidad de la poesía anterior (1975, 184).

El tiempo modula constantemente la presencia en el poemario de la realidad, y su existencia en él —y en los libros siguientes— no responde a un sentido elegíaco. Anne Marie Couland ha visto la problemática del tiempo en todo *Aire nuestro* (1978, 165-183) y José María Valverde ha señalado que *Cántico* constituye una excepción dentro de la poesía española de extraordinaria singularidad irrepetible, ya que su poesía «se aborda en torno a un éxta-

sis cenital, en la ascensión a la intuición deslumbrante de ser total, universal». En cuanto a su posición respecto al tiempo, destaca que

> Guillén, el poeta más eleático de la historia —casi el único porque el
> poeta suele ser heraclitiano—, no canta en lucha con el tiempo, en lucha
> que se hace ella misma objeto temporal, musical, es decir, poema, na-
> rrando las vicisitudes del corazón y los irreparables mordiscos de ausen-
> cia que mantienen al hombre siendo una desnuda memoria esperanzado.
> Por el contrario, deteniéndose al margen del fluir temporal, enfoca su
> mirar especulativamente (1975, 217).

Cuestión de máximo interés al relacionar la poesía de Jorge
Guillén con la vida ha sido la de la esencialidad/existencialidad,
que parte del difundidísimo artículo de 1929 de Amado Alonso
«Jorge Guillén, poeta esencial», y que debe leerse teniendo en
cuenta que se refiere sólo a *Cántico,* de 1928, como —así lo ha
clarificado Ciplijauskaité— una «reacción temprana de la crítica»
(1975), aunque, si bien se mira, Amado Alonso supo intuir el valor
de esta poesía como «poesía de interpretar y conocer el mundo
sólo visible desde las ventanas del poeta. Poesía ininteligible,
transparente, compartible por nosotros, también» (1975, 122).
Nada, pues, más alejado de la fácil interpretación de poesía esencial como poesía que nada tiene que ver con la existencia. Porque
en la propia interpretación de esencial va implícito ese existencialismo que ha sido calificado por Eugenio Frutos como «existencialismo jubiloso», no como explicación filosófica, sino como
creación poética que «revela en su autor, y sitúa al lector, en una
posición "existencial", esto es, en el concreto existir de cada uno
en relación con el mundo patentizado en la sensación» (1975, 192).
La condición objetiva y jubilosa de ese existencialismo logrado en un presente continuo podría completarse con la idea de
Xirau que plantea la visión del mundo en Guillén como «relación
y revelación» también en un tiempo de presente y «de presencia», ya que ante todo es un poeta del *estar:*

> Poeta del estar, Guillén es solamente poeta del ser cuando este ser
> se revela, multiplicando en cada árbol, cada río, cada pájaro, en las es-

tancias vitales que van, no del cero al cero como en Valéry, sino del jardín al Jardín por la presencia constante del Jardín del mundo (1975, 140).

Una obra construida con tanta precisión estructural y tan visible maestría «técnica» ha suscitado numerosos comentarios y acercamientos a su contenido a través del análisis de los más variados aspectos formales. Partiendo de las cuestiones de estructura de la obra, a la que han prestado atención desde diferentes perspectivas González Muela (1962), Casalduero (1974) e Ignacio Prat (1974), aunque este último se ha referido, como hemos de ver más adelante, a todo *Aire nuestro* en su interpretación estructural. Para González Muela, es el orden y la arquitectura, la armonía total del libro lo primero que percibe el lector de la obra, que al introducirse en ella, descubre un mundo sujeto a una estricta compensación, ya que cada una de las cinco partes que lo componen tiene al mismo tiempo un equilibrio interno mientras que ellas ante sí observan un perceptible paralelismo: «Todo ha sido calculado, todo responde a una razón de ser, aunque el poeta se reserve la libertad y deje portillos abiertos que hacen de *Cántico* un orbe abierto, una perfección abierta» (1962, 17-18). Por su parte, a Casalduero le interesa mucho la composición que ofrece *Cántico* en su versión definitiva configurada en cinco libros, estructura ya preparada en 1945, según la cual en el primer libro («Al aire de tu vuelo») se halla el hombre situado en la realidad y en el quinto («Pleno ser») se encuentra la realidad en toda su intensidad, mientras que en el segundo («Las horas situadas») y en el cuarto («Aquí mismo») vemos el ser y el existir, y en el tercero («El pájaro en la mano») la realidad en su múltiple variedad en conexión con el hombre. Se relacionan así el primero con el quinto, el segundo con el cuarto, y el tercero queda como centro de una variedad incesante:

La forma circular de *Cántico* se impone porque obedece al sentido de haberse terminado, consumado, *completado* el hecho —el día, el año—, el cual se ofrece depurado en sus correspondencias, cuyos colores se juntan en el blanco como lo vario se contiene en la unidad (1974, 136).

Tanto González Muela como Casalduero, junto a otros como Blecua (1949, 146-173) o Dehennin (1960, 42, 126, 138 y 148), se han ocupado de la incidencia de las distintas formas métricas utilizadas por Guillén en la concepción y la estructura global del libro. Debicki ha demostrado cómo los «esquemas formales» resaltan el contenido de las creaciones poéticas, lo que se descubre a través de una serie de ejemplos en los que se percibe una intención bastante lejana de un formalismo estéril. Entre los esquemas estudiados por Debicki destacan, por su efectividad, las ordenaciones circulares y los encuadramientos, estructuras simétricas, alternancia de dos actitudes —exclamativas, declarativas—, paralelismos, entre otros, que ponen de relieve la importancia de este aspecto y confirman «su visión de la forma poética como instrumento indispensable para captar valores vitales, y nunca un artificio separable del contenido del poema» (1973, 195-196).

De otros aspectos métricos se han ocupado Navarro Tomás (1975), Salinas (1975), y en concreto, de las décimas, Lida (1975) y Havard (1975). Junto a estos trabajos hay que destacar otros que revisan diferentes aspectos gramaticales en Guillén, tales como los de Alarcos (1976), Lapesa (1978) y Ciplijauskaité (1978), y que culminan en el libro de Carmen Bobes (1974), que, precedido de un interesante preámbulo de Alvar, constituye una aportación semiológica que consigue estudiar o explicar *Cántico* en tanto que creación autónoma, independiente respecto a su autor y frente a los sistemas culturales que la rodean, y a la luz de efectivos esquemas de análisis sintáctico, semántico y pragmático, que, sin duda, permite el rico mundo lingüístico-expresivo de *Cántico*. Su «construcción imaginaria» ha sido estudiada con profundidad por Antonio García Berrio, que ha visto en la excepcionalidad lingüística la base de la formación del libro y ha establecido «el régimen global de *Cántico* como construcción textual; cumplimiento de los dos grandes espacios, diurno-postural, y nocturno, copulativo y digestivo». Y esto en un doble orden de sintaxis imaginaria del texto individual y en el textual de la construcción de la obra (1985, 43).

Cántico ha sido, en consecuencia, una obra que ha sido valorada frecuentemente por su amplitud expresiva y por su precisión

a la hora de utilizar registros de la lengua y en definitiva a la hora
de forjar un estilo único, como señaló Gil de Biedma:

> Sin duda, la más aparente singularidad en el estilo guilleniano la
> encontramos en la naturaleza de los vocablos que su poesía habitual-
> mente emplea. La abundancia de términos abstractos, en inesperada con-
> junción de locuciones exclamativas y con puras y simples interjecciones
> monosilábicas, es la que sorprende, antes que ninguna otra cosa, a quien
> por primera vez recorre las páginas de *Cántico* (1980, 145).

3.3.   HACIA «AIRE NUESTRO Y OTROS POEMAS»

El desarrollo cronológico de la poesía de Guillén comienza, a
partir de 1957, a producir nuevos libros que le hacen despegar
de la obra única, de *Cántico,* aunque no de su mundo, porque ya
en ese libro primero están presentes los temas que van a constituir el soporte de *Clamor* y los siguientes, en una obra completa
siempre relacionada. El paso de *Cántico* a *Clamor* constituye tema
de preocupación de diferentes críticos y, conforme avanzan los
años, el paso de ése a otros libros posteriores. En un temprano
artículo, Robert Weber ya logró descubrir cuáles eran los poemas
que servían de puente entre un libro y otro, evidenciando, sobre
todo, la presencia de poemas «nuevos» en la edición de 1950 respecto a la de 1945, llegando a la conclusión de que muchas de
esas composiciones —de mayor longitud— sintonizan con el mundo de *Clamor* (1963, 109-119). Existe, pues, una suave transición
entre ambos tonos, ya que no podemos hablar de mundos poéticos diferentes, por más que, como señala Darmangeat, «se ha hablado de ruptura: brusco pasar del cielo poético a la tierra de
los hombres, toma de conciencia, o lamentable compromiso, una
u otra cosa según cada cual» (1969, 381). Poemas como «Poten-
cia de Pérez» revelan, bruscamente si se quiere, esta «ampliación»
del universo poético, más que cambio.

Oreste Macrí ha percibido en el paso de *Cántico* tercero al
cuarto el peso de la ciudad y la historia. Es esta última la que
subyace en la trilogía de *Clamor* como «tiempo de historia» por
medio de la experiencia de un mundo negativo (*Maremágnum*),

para pasar a una historia personal en ...*Que van a dar en la mar* hacia la historia abierta de *A la altura de las circunstancias* (1976, 297-405). Julián Palley se ha referido, en contra de la opinión de otros muchos, a esa poesía como «poesía de compromiso social», comenzando por la habitual conexión de *Cántico* con *Clamor,* atribuyéndole al primero un deseo de búsqueda de la belleza en el orden y maestría del universo, propósito no abandonado al redactar el siguiente libro, aunque en él se siente la inquietud del poeta por sus semejantes y por el mundo envuelto en los conflictos y en las guerras. «Se trata de una poesía comprometida a favor de la lucha por la dignidad del hombre, por su supervivencia y sus valores esenciales» (1975, 142). Muy interesante también, en la aportación de Palley, es la referencia a los poemas que sirven de enlace entre *Cántico,* que al finalizar con el poema «Cara a cara» presagia la poesía de compromiso de *Maremágnum,* que, sin embargo, se abre con «El acorde» —en el tono de canto a la armonía del libro anterior—, mientras que se cierra con «Sueño común», «una contemplación de la muerte, la cual va a ser el tema del libro siguiente, ...*Que van a dar en la mar*» (1975, 152).

En muy parecidos términos, tratando de establecer un enlace no brusco entre *Cántico y Clamor,* se expresan críticos como Combet, que hace interesantes observaciones en lo referente a lo histórico-social en esta poesía (1961, 25-26), o Concha Zardoya, que en su introducción al estudio de las peculiaridades estilísticas de *Maremágnum* plantea también la cuestión del paso de un conjunto poético a otro (1974, 229-233). Pero son Debicki y Casalduero (1974, 262) quienes de forma más enérgica defienden la continuidad. Particularmente este último, rechazando frente a Castellet, que vio en *Clamor* un cambio hacia la poesía social, que el libro se limite a lo social o que falten esos temas «importantes» típicos del arte guilleniano: «*Clamor,* igual que *Cántico,* trata asuntos esenciales y subraya el valor trascendente de la vida humana. Lo hace, sin embargo, desde una perspectiva más temporal e histórica» (1973, 228).

La publicación en 1967 del libro *Homenaje* supuso la tercera parte de *Aire nuestro,* que quedó constituido definitiva y editorialmente en 1968. De *Homenaje* se ocuparon inmediatamente a su aparición Ricardo Gullón (1969, 107-123), que puso en relación la nueva obra con las aportaciones anteriores de la poesía guilleniana; Ivar Ivask (1969, 124-130) y Oreste Macrí ya en 1972 (1976, 444). Todos ponen de relieve las conexiones de este nuevo libro con la poesía anterior, aunque quizá su condición de «Reunión de vidas» le hace algo diferente. Podríamos decir que *Homenaje* viene a ser una especie de institucionalización de la poesía de circunstancias, ya que son los nombres, como señala Macrí (1976, 419), las lecturas, las traducciones y todo lo que al poeta rodea lo que da forma a esta colección. Aun así, una notable presencia del amor y una revitalización de la intimidad del yo no hacen sino conceder a este libro un aspecto misceláneo y variopinto, tan alejado de la construcción escrupulosa de *Cántico*. Pero en esta variedad también se han visto valores estructurales, como destaca Casalduero, ya que el poeta va desde la Poesía y la cultura a la amistad en un gran conjunto que se enmarca desde el *Génesis* hasta la *Obra completa* que, sin embargo, no elude lo trivial, lo menudo y lo cotidiano en aquellas cosas «que están dando siempre la exacta proporción de ese mundo poético colosal en que lo más concreto está siempre dentro del aire y de la luz. Siempre la Tierra, y en ella el hombre» (1974, 263).

Construido *Aire nuestro,* interesa a los críticos precisamente su génesis y estructura para demostrar lo que siempre fue el anhelo del poeta, por lo menos desde la aparición del libro: la perfecta y meditada unidad de toda su poesía. Así, Juan Manuel Rozas ha hablado de la construcción de esa «obra completa» aludiendo a los versos glosados por Guillén, que, pertenecientes a Berceo, justifican el conjunto: «Que sean tres los libros e uno el dictado.» Y, en efecto, tres son en ese momento los libros que muestran una «labor acabada, cerrada, completada»: «Todo perfecto, y con un montaje que —despistada y precipitadamente— parece llevarnos a la Edad Media del simbolismo numeral y la interpretación alegórica» (1978, 67-68).

Quien mejor comprendió el carácter de «completa» de esta obra poética fue Ignacio Prat, que la sometió a un riguroso análisis estructural, demostrando que no se trataba «de una colección de poesías más o menos completas, sino de la culminación de una obra, concebida como un todo desde que Guillén empezó a escribir poemas en 1918» (1974, 15-16). Sus investigaciones han demostrado la solidez de la composición simétrica de *Aire nuestro,* en sus tres series, y el sentido estructural que tienen dentro de su conjunto cada uno de los elementos que integran el libro, desde los títulos a los subtítulos, a las dedicatorias o citas, desde la contextura de cada parte hasta la disposición de los poemas dentro de ella.

Ante *Aire nuestro,* ya completo, se ha valorado también el contenido «moral» de la obra, el sentido de la actitud del poeta ante nuestro mundo. Aranguren ha destacado la «moral alta» de esta poesía que, frente a actitudes anteriores, propugna una libertad: «ama, goza, crea, cree, espera, vive, sé, sé feliz y haz lo que quieras. Para Jorge Guillén, a mil leguas del hombre estoico, la virtud no es sino un corolario de auténtica virtud» (1975, 272). A tal conclusión llega el filósofo tras revisar aspectos que definen el perfil «moral» «ante la actual crisis de valores», destacándose en sus apreciaciones su muy interesante observación sobre el aspecto religioso en Guillén, ausente casi siempre en la crítica del poeta:

> La poesía de Jorge Guillén está penetrada de religiosidad profunda, aunque en ningún modo en sentido eclesiástico; religiosidad de este mundo que no excluye la del otro, pero que a este respecto consiste en sencillez, humilde confesión de no saber. Tan sencilla, tan humilde, que el poeta no pretende ser inmortal a toda costa. Se entristece ante la muerte, se inquieta ante lo que no habrá, o pueda haber, tras ella. Pero se sobrepone a su entristecimiento y aserena su inquietud (1975, 272).

Pero he aquí que Guillén no finalizó su obra y publicó todavía dos libros más: *Y otros poemas,* que aparece en 1973, y *Final,* que ve la luz en 1982. Sobre el primero ha destacado Oreste Macrí «el carácter que tiene la poesía guilleniana de continuidad ininterrumpida, de *variatio* en serie rítmico-temática dentro de la mente creadora de un poeta geómetra» (1976, 447). Un análisis pormenorizado de los temas presentes en el libro pone de relieve las muchas novedades destacables, entre las que podríamos citar la presencia del «instante y la vejez», «de la fraternidad humana: soledades juntas», «el enemigo, la cólera» y nuevos matices en torno al tema de la muerte. Destaca la visión del mundo en Guillén como continuación de su obra anterior. Prevalece un notable componente epigramático y satírico, ya iniciado en *Homenaje,* que se ve acrecentado al predominar mundos y temas cotidianos, «terrestres»: instante, vejez, amor, dinero, poesía, misterio y muerte. Sociedad y mundo se confirman y renuevan en *Y otros poemas.* Y, por último, ante la obra completa se descubre su unidad de intención, sin necesidad de someter a Guillén a un encasillamiento fácil. Cristóbal Cuevas ha concluido con acierto que

> tan falso sería proclamarlo —de manera simplista— poeta de la filosofía existencial o de la protesta social como puro estilista. He ahí dos posibles traiciones, que hay que saber superar mediante una visión integradora. En sus versos hay arte, hay sentimiento, hay ideas y compromiso. Y muchas cosas más. Pero no como elementos disociados, o simplemente yuxtapuestos, sino como integrantes de una apretada trama de poesía que se manifiesta siempre coherente consigo misma, viva y múltiple en su esencial unidad (1983, 336-337).

Emilia de Zuleta ha destacado que no se trata ahora tampoco «de mera suma de composiciones sueltas agregadas a la obra anterior. Aparecen, por el contrario, como un bloque articulado en cinco cuerpos» (1978, 456). La misma voluntad de simetría se mantiene en la estructura de este poemario, como tuvo ocasión de demostrar Ignacio Prat en la línea de sus investigaciones, en una monografía complementaria de su estudio sobre *Aire nuestro* y que pone de relieve con la misma seguridad el talante simétrico de la construcción de esta obra (1983, 134-153). Francisco Abad ha puesto de relieve en el mismo sentido la relación de este libro con los anteriores en cuanto a construcción (1982). Tanto Zuleta (1978) como Prat (1983) han destacado la proximidad de Guillén ahora cada vez más a Unamuno y Machado con su concepción del hombre frente al mundo «bien» hecho y «mal» hecho. Como un enfrentamiento del poeta a «nuestro» mundo en la línea del desprecio del materialismo y la trivialización, hemos visto también aspectos *nuevos* plenamente en este libro (1977 *a*, 35-61). Tono moral característico perceptible en las sátiras y los epigramas que componen el libro, como ha señalado Mario Pinna (1978, 369). En torno al tema de la poesía en este libro ha trabajado, por último, Díaz de Castro (1986 *c*).

3.4. Sobre «Final»

Final lo publica el anciano Guillén en 1982 como «final» de su obra poética, casi con la ilusión y el amor del primer *Cántico,* cuidando detalles y lamentando erratas, recogidas en una «fe» imprescindible para leer la primera edición. Ignacio Prat destacó, previamente a la aparición del libro en uno de los primeros adelantos del mismo, que se trataba —como en el caso del último Picasso— de una obra de vejez que sorprendería por su originalidad: «Como el pasado *existente,* presente neto del "existir" personal de que no se ha dimitido, la Comedia castellana de Guillén es espectáculo para la memoria del uno (J. G.) y de los otros cuanto es condición de la vida que aún fluye» (1980, 30). Se destaca en el libro la presencia de un creador cuya supervivencia sobre la edad —en activo— es para él motivo de sorpresa, gratitud y satisfacción. Del libro forma también parte una bien definida idea del paso del tiempo y del triunfo de la poesía sobre el mismo. Guillén incluye también —como en *Homenaje* y en *Y otros poemas*— su admiración hacia la creación artística, aunque también en el poemario se evidencia su ya permanente lucha contra la injusticia de las sociedades modernas. José Manuel Blecua ha puesto en relación los hallazgos poéticos de este *Final* con la tradición guilleniana forjada en los temas de sus libros anteriores y ha demostrado la fuerte cohesión, finalmente, de toda la obra de Jorge Guillén (1984, 35-43). Trabajos muy interesantes sobre *Final* han publicado, entre otros, Ciplijauskaité (1985), Cuevas (1983), Debicki (1985), Díaz de Castro (1984 y 1986 *a*) y Gómez Yebra (1984).

El sentido de «final» se plantea lógicamente en la serie de poemas en que aparece el tema general de la vida frente a la muerte, de la creación y de su autor, el tiempo, el más allá, el destino, la fe, el ser, la existencia, conjunto de preocupaciones que el poeta observa con pausada serenidad y con la convicción de un final al que se dirige. Tanto Ignacio Prat (1980) como Diego Martínez Torrón destacan el carácter excepcional de esta poesía escrita desde la última vuelta del camino: «Poesía humana ésta desde la cima de la vida, en la vejez serenamente aceptada —envejecer con dignidad es prueba suprema de clase humana...—. Poesía donde los aforismos fluyen con una naturalidad de lo cotidiano que transmite siempre la experiencia de la vida», en opinión de Martínez Torrón (1985, 65). Francisco Abad (1982, 168-171), por último, ha señalado los criterios de simetría que hacen a este libro, a esta quinta parte de *Aire nuestro,* digno «final» de una obra poética comenzada sesenta y cinco años antes.

3.5. Obra crítica y ensayística

Jorge Guillén, como otros poetas de su generación, dejó una importante obra crítica y ensayística, compuesta de artículos y estudios sobre literatura española propia de su actividad como lector y profesor. Su obra más conocida es, quizá, *Lenguaje y poesía,* que aparece por primera vez en inglés en Cambridge, de Massachussets, en 1961, el mismo año en que en Milán se publica *El argumento de la obra.* Numerosos prólogos, artículos menores e intervenciones sobre la poesía completan esta obra crítica que recientemente se ha visto reeditada por Martínez Torrón (1985), que recoge, junto a *El argumento de la obra,* algún otro texto crítico.

En 1978, K. M. Sibbald publicó un artículo sobre la crítica juvenil de Guillén en el que dio a conocer una fecunda actividad del joven poeta en la prensa de Madrid y Valladolid, desde 1918 hasta la aparición de *Cántico,* y descubrió la utilización de dos seudónimos, Pedro Villa y Félix de la Barca, con los que entonces firmó algunos artículos de éstos. La misma Sibbald recopila en 1980 todo este importante *corpus,* que nos permite leer una obra dispersa y muchas veces circunstancial de muy difícil acceso, junto a la poesía anterior a *Cántico.* Muchos de los artículos son crónicas de corresponsal extranjero que se agrupan en una sección titulada «Desde París», mientras que el resto está dedicado, bajo el epígrafe de «Correo literario», a recoger críticas y reseñas de libros recientes. Inevitablemente, a través de los artículos coleccionados, descubrimos los gustos que forman al joven poeta, tanto franceses —Mallarmé, Apollinaire, Valéry, Proust, etc.— como españoles —Góngora, Bécquer, Darío, Valle-Inclán, Miró—, dándonos la medida exacta de una opinión concreta, muchas veces intuida antes de que estos trabajos se dieran a conocer.

A los más conocidos estudios críticos de Guillén —los difundidos en los años sesenta y setenta— se ha referido con detenimiento Debicki, extrayendo de ellos lo que podría ser una poética personal, confirmación en estos años de lo que fueron sus ideas iniciales publicadas en la citadísima «Carta a Fernando Vela». Y así, descubrimos en Guillén sus impresiones sobre el poema, su interés en sí mismo, la importancia de la forma como revelación, la reacción entre el autor y el lector, posibilidades de la palabra poética y requisitos del proceso creador:

> Los escritos críticos de Guillén se encaminan a defender el valor insustituible del poema. Subrayando su integridad, precisando cómo el lenguaje diestramente manejado crea nuevas experiencias, y volviendo siempre a la poesía como manera de ampliar la vida, Guillén ofrece una visión significativa de su arte (1973, 327).

No menos interesantes nos parecen las aportaciones de Guillén a nuestra historia de la literatura, ya que sus acercamientos en busca del estudio del lenguaje poético nos permiten conocer nuevas perspectivas clarificadoras sobre una serie de autores predilectos: Berceo, Góngora, San Juan de la Cruz, Bécquer, Miró, los poetas de su generación, especialmente Lorca y Salinas (a través de estudios muy conocidos incluidos en *Lenguaje y poesía,* y *Federico en persona* [en *Obras completas*], *En torno a Gabriel Miró: semblanza y epistolario*) y otros autores, a través de trabajos menos difundidos, como Fray Luis de León, Figueroa, Fernando de Herrera y otros, según se pone de relieve en la completa bibliografía del libro de Macrí (1976, 473-509) y estudia Giorgio Chiarini (1975).

4

GERARDO DIEGO

4.1. EL POETA

EL CARÁCTER múltiple y la fecunda variedad son las notas más significativas de la personalidad de Gerardo Diego (1896-1987) —poeta, profesor, crítico literario, pianista y pintor—, que lo mismo cultiva la poesía tradicional que la vanguardista, tal y como el propio autor destaca en diferentes ocasiones:

> Yo no soy responsable de que me atraigan simultáneamente el campo y la ciudad, la tradición y el futuro; de que me encante el arte nuevo y me extasíe el antiguo; de que me vuelva loco la retórica hecha, y me torne más loco el capricho de volver a hacérmela —nueva— para mi uso particular e intransferible (1941, 15).

Sus biógrafos y sus editores críticos han puesto de relieve la posición histórica de gran significado del poeta, como adelantado en el cultivo del arte de vanguardia, como aglutinador de los poetas del 27, junto a los consagrados, en su *Antología* de *Poesía española contemporánea* y como maestro de las promociones de posguerra, que, por su trascendencia, hacen de él uno de los más característicos valedores de la idea del 27, gongorismo incluido, a través de su *Antología poética en honor de Góngora*.

De la personalidad poética de Diego se han ocupado, en el sentido que venimos afirmando, varios de sus lectores y críticos. Leopoldo de Luis, al observar, sin embargo, la trayectoria del poeta, llega a encontrar un sentido más unitario de lo que aparentemente pueda parecernos: «En realidad y por encima —o por debajo—

de sus zonas de contención estrófica y revalorización clásica, y por atrás que deje algunas experiencias, hay un sentido vanguardista que impregna su obra» (1980, 44). Antonio Gallego Morell trazó, en 1956, una primera y exhaustiva biografía en la que fijó el tono y carácter de su personalidad, destacando los escritores que constituyen la base de su formación (1956, 17-19), su participación en las más prestigiosas revistas de vanguardia, una vez que el poeta se traslada a Madrid: *Reflector, Grecia, Cervantes,* etc.; la obtención del Premio Nacional de Literatura en 1924 (compartido con Alberti) por *Versos Humanos,* su participación muy activa en las conmemoraciones gongorinas (1956, 49) y la creación de sus propias revistas de poesía en *Carmen* y *Lola.*

De profesión catedrático de Instituto, recorre con su destino diversos lugares españoles —Soria, Gijón, Santander, Madrid—, que, junto a una constante afición viajera —recorre toda España y son significativos sus viajes a Argentina, Uruguay y Filipinas—, van imprimiendo a su poesía un tono múltiple también en cuanto a temas y escenarios, a pesar de su residencia siempre en España, y, desde el final de la guerra civil, en Madrid, como centro de atención de tertulias y cenáculos literarios, a los que siempre aportó su originalidad. Por ello, cuando en 1948 ingresa en la Academia Española con un estudio de una estrofa de uno de sus maestros preferidos, Lope de Vega, Arturo del Villar ha podido asegurar que

con ello quiso demostrar su filiación lopista, para ver si se dejaba de insistir en el gongorismo, culpable de muchos malentendidos por parte de la crítica. Además, en el desarrollo del discurso citó a Rimbaud, Jorge Guillén, Dámaso Alonso y Vicente Huidobro, con lo cual la poesía de vanguardia se equiparaba a la octava real lopesca, y la Academia se sacudía el polvo secular acumulado sobre sus sillones (1981, 51).

4.2.   POESÍA DE VANGUARDIA

Los comienzos de la poesía de Gerardo Diego, como el propio poeta ha recordado (1970, 11), revelan cierta inseguridad y se concentran en tres libros escritos en 1918, *Iniciales,* el *Romancero de la Novia* y *Nocturnos de Chopin,* que reciben grandes influencias románticas, parnasiano-simbolistas y modernistas, además de la de Juan Ramón, más notable en el *Romancero.* El libro más interesante de este grupo inicial es el dedicado a Chopin, que tiene la peculiaridad de iniciar el intento permanente en el poeta de poner en relación poesía y música. Es el primer paso de una poesía que, como ha señalado M. C. Hernández Valcárcel,

> ha de plegarse, con mayor o menor exactitud, a las sugerencias concretas de la música, e incluso cada poema debe estar condicionado por una sola composición musical que marcará las directrices esenciales del mismo (1974, 208).

Un capítulo muy importante en la poesía de Gerardo Diego es el vanguardista, que quizá ha sido el que mayor atención ha llamado a la crítica y que hemos considerado que de las distintas modalidades cultivadas por el poeta es «quizá la que históricamente representa un papel de mayor trascendencia y vitalidad», teniendo en cuenta

> por un lado la temprana, tempranísima participación del poeta en el arte de vanguardia, y por otro, el tono de investigación lingüística y expresiva que adquieren sus poemas, a los que habría que unir su permanencia en esta modalidad hasta los años setenta (1985, 3).

Sobre la trascendencia en particular de Gerardo Diego en la iniciación de la vanguardia en España, también ha aportado interesantes datos Víctor García de la Concha (1981, 175-195), que ha demostrado la significación histórica de la participación del poeta en la difusión del ultraísmo y, en general, de la lírica de vanguardia. El cultivo de esta modalidad por parte de Gerardo Diego se encuentra, desde 1974, recogido en un solo volumen, *Poesía de Creación,* que reúne toda la poesía ultraísta y creacionista, estéticas en las que Diego ha participado hasta el presente. A pesar de que Gloria Videla no distingue bien los dos movimientos en su libro sobre el ultraísmo (1974), como ha señalado Víctor G. de la Concha (1982, 10), son modalidades diferentes de vanguardia, y quien lo tiene claro, desde luego, es el propio poeta. Interesante, en este punto, es la cuestión planteada acerca de la proximidad de esta experiencia de Diego al surrealismo, del que el poeta se considera alejado, como señala Arturo del Villar (1976, 53 y 59), aunque Bodini es el que, desde su perspectiva, fija con claridad la posición del poeta: «Desde cualquier ángulo que se mire, siempre se trata de un problema de fondo. Ese baño de juventud que hace posibles sus funambulismos, la sorpresa de lo nuevo (aunque sin acecharlo), los movimientos de los delfines líricos, no son otra cosa que su raro equilibrio de hombre que conserva todavía hoy las diversiones de una adolescencia sin dobles fondos ni, mucho menos, fondos demoníacos. Ese inocente fervor tecnicista y su paciencia de cazador de éxitos casuales, mientras por un lado lo empujan hacia el surrealismo, ponen, por otro, un límite de desinterés que disminuye sus posibilidades de llevar hasta el fondo un experimento tan comprometedor» (1982, 58). Ricardo Gullón se ha referido también a la relación del poeta con el creacionismo (1976 b, 1 y 10) y Arturo del Villar ha relacionado las aportaciones del poeta en este sentido (1980, 85-95). Recientemente, Milagros Arizmendi ha hecho referencia, con motivo de su edición crítica de *Versos Humanos* y de *Manual de Espumas,* a las características de esta «etapa de creación» (1986, 11-62).

De los distintos libros que componen su contribución al arte de vanguardia, se considera verdaderamente ultraísta *Evasión,* mientras que todos los demás son creacionistas: *Imagen, Manual de Espumas, Limbo,* hasta llegar a las distintas entregas de *Biografía Incompleta* y *Biografía Continuada,* pertenecientes ya a la década de los setenta. Se ha destacado en dos libros suyos la permeabilidad de la experiencia vanguardista: en la *Fábula de Equis y Zeda* con el gongorismo y en *Poemas Adrede* con los moldes tradicionales, tanto métricos como sintácticos. Tales experiencias, estudiadas por Gianfranco di Stefano (1974, 253-270), dan lugar a resultados sorprendentes como los de sus «Azucenas en camisa», con característicos aires garcilasianos. Respecto a la última entrega, *Biografía Continuada,* refleja la mayor madurez intelectual del poeta, que mantiene su creacionismo juvenil en la expresión, con cada vez más claras contaminaciones del tan utilizado ya en la poesía española, surrealismo. Precisamente, el compromiso que alguna de estas poesías vive respecto a la existencia del hombre nos habla de algo distinto. Como ha señalado Arturo del Villar últimamente, «aumenta la trabazón argumental mientras disminuye la irrealidad de las imágenes» (1984, 108). A pesar de ello, los contextos son, como siempre, tremendamente desrealizados, aunque en ellos percibimos una clara y muy significativa tensión dramática, inexistente, desde luego, en la poesía juvenil creacionista, como advierte Kathleen N. March: «El poeta mantiene el tono juguetón, juvenil, pero también se permite deslizarlo hacia unos sentimientos más serios, nostálgicos e irónicos» (1981, 3).

La tan traída y llevada «múltiple» personalidad de Diego adquiere en estos libros una de sus facetas más llamativas, pero no aisladas, de su poesía. Como hemos señalado,

> la maestría técnica en el manejo de la lengua, de la palabra, de la imagen, traspasará, como es natural, los límites de estos libros vanguardistas, y contribuirá con su brillante expresividad a la gran lección de clasicismo de libros tan significativos, y considerados tradicionales, como *Alondra de Verdad* y *Ángeles de Compostela*. Sin el conocimiento de estas facetas avanzadas, representadas por sus libros de vanguardia, no es posible comprender esos rasgos de modernidad que caracterizan muchos de sus sonetos más expresivos, muchos de sus versos más clásicos (1986, 24).

4.3. POESÍA RELATIVA

Siguiendo la terminología del propio poeta, podemos agrupar bajo este término la más importante serie de libros clásicos suyos. Si desde un punto de vista formal están caracterizados por la utilización de formas clásicas como el soneto o el romance, junto a variedades modernas que van desde las combinaciones inventadas hasta el verso libre, desde el punto de vista temático encontramos al poeta de las múltiples atenciones, como ha inventariado Miledda d'Arrigo, en su ya clásico intento de aproximación al poeta de los «versos humanos», donde destacó sus principales inquietudes temáticas, reduciéndolas a tres grandes grupos: el paisaje, el amor y los temas «minori» (los toros, la música) y, encerrando en estos grandes grupos, todas las incidencias temáticas de Gerardo Diego (1955, 1-5).

Dentro del grupo de libros de paisajes hay que incluir *Soria,* escrito entre 1921 y 1976, en el que el poeta presenta, como ha estudiado Gallego Morell (1972, 179-214), un efecto de retorno interminable al paisaje de Castilla, para él tan entrañable y repetido, como ha demostrado Concha Zardoya (1974, 273-294); *Mi Santander, mi cuna, mi palabra* y otros muchos. En cierto modo, *Alondra de Verdad* y *Ángeles de Compostela* también son libros de paisajes, así como la seudocontinuación de este último, *Vuelta del Peregrino,* en el que el poeta continúa una de sus modalidades más peculiares: la de *Paisajes con Figuras.* Se trata de la evocación de un personaje histórico o literario en su propio entorno natural, produciendo un equilibrio entre paisaje y figura.

Son muchos los libros en que el poeta se ha dedicado a la poesía amorosa, sobre todo a partir de los años cuarenta, en libros como *Amazona, Amor Solo, Sonetos a Violante, Canciones a Violante, Glosa a Villamediana.* Sobre ellas se ha ocupado Leopoldo de Luis con detenimiento (1975, 104-111) y, como hemos señalado,

> constituyen todos un conjunto nada uniforme en el que encontramos desde planteamientos metafísicos o existenciales hasta canciones galantes, vinculadas en su espíritu a la lírica amorosa del Siglo de Oro, como se sugiere en los dos libros que hacen referencia a la lopesca Violante y al conde de Villamediana (1986, 26).

Respecto a la poesía religiosa, reunida en *Versos Divinos* en 1970, que recogió el libro juvenil *Viacrucis* y otras muchas poesías de toda una vida, nos ofrece una visión peculiar de esta temática extendida a otros libros, como *Ángeles de Compostela,* y que nos revela en el poeta una dedicación permanente a este tema, reveladora de una evolución llamativa que va desde las iniciales y sencillas evocaciones navideñas a las espléndidas «lecturas» del Antiguo Testamento, únicas en la poesía española, como tuvimos ocasión de analizar (1978 *d,* 99-108). Hay también en la obra de Gerardo Diego una serie de libros que el poeta denomina inconexos, y que recogen los versos que podríamos llamar de circunstancias, lo que no impide que entre ellos se encuentren algunos de los poemas que más fortuna han tenido en el poeta, tales como el conocido «Ciprés de Silos», perteneciente a *Versos*

Humanos. Es este soneto objeto de diferentes estudios. Vidal Eugenio Hernández Vista llevó a cabo un estudio estilístico y estructural sobre la conocida composición que tiene otras dos continuaciones posteriores o nuevas versiones sonetísticas en torno al citado ciprés, una en *Alondra de Verdad* y otra en *Versos Divinos,* como ha estudiado, al realizar una interesante comparación de los mismos, Antonio Gallego Morell (1972, 151-178). La línea de los libros de circunstancias se continúa en *Hasta Siempre,* que, escrito entre 1926 y 1940, contiene «el espíritu del 27», reflejado sobre todo en la «Epístola a Rafael Alberti», en la que Diego convoca a todos los gongorinos a celebrar el centenario, y en otros, como *La Luna en el Desierto y otros poemas, La Rama,* hasta llegar a los recientes *Cementerio Civil* y *Carmen Jubilar.*

No sería completo un panorama de la poesía de Gerardo Diego si no aludiésemos a esas dos modalidades tan peculiares de su poesía: la música y los toros. Junto a *Nocturnos de Chopin,* libro inicial, hay que citar algún otro, como *Preludio, Aria y Coda a Gabriel Fauré,* que indudablemente hay que completar con muchos ejemplos sueltos, entre los que hemos de destacar los sonetos dedicados a músicos de *Alondra de Verdad.* El otro grupo temático, los toros, viene representado por sus libros *La Suerte o la Muerte* y *El Cordobés Dilucidado,* entre los que, el primero, destaca por su cuidada estructura, una de las más sólidas de la poesía contemporánea. Al frente de tan cuidada organización se sitúa uno de sus más bellos poemas, el constituido por las seguidillas del «Torerillo de Triana», en las que se funden los aires lopescos con el gusto popular, como ha visto César Nicolás (1981, 879-898).

4.4. ETAPA DE PLENITUD

Vamos a referirnos finalmente a la etapa de la poesía de Gerardo Diego que mayor atención ha recibido por parte de la crítica y que está constituida sobre todo por las dos obras más significativas de su producción, y que han sido consideradas sus obras maestras: *Alondra de Verdad* y *Ángeles de Compostela.* Sobre todo la primera de ellas ha recibido una atención especial por encontrarse, entre los cuarenta y dos sonetos que la compo-

nen, algunos de los mejores de toda nuestra lírica del siglo xx.
Se da la circunstancia cronológica de que ambos libros pertenecen
a la misma época, ya que están escritos entre 1926 y 1936, pero
especialmente en 1932 y en este último año, aunque *Ángeles* su-
friría una posterior ampliación que no destruiría su complicada
y simbólica estructura. A todos estos aspectos nos hemos referido
en nuestra edición crítica de ambos libros (1986), que representan
el mayor esfuerzo de Gerardo Diego por crear un mundo poético
en el que se asciende, como ha señalado Ricardo Gullón (1958,
1 y 4), desde el panteísmo de *Alondra de Verdad* al anhelo místico de *Ángeles de Compostela*.

Alondra de Verdad parte de un poema creacionista, del mismo
título, perteneciente a *Biografía Incompleta* y da nombre al libro
queriendo resumir su intención de ser una poesía alada —alondra— y auténtica —de verdad—, aunque tales términos le parecen a Dámaso Alonso que podrían utilizarse para designar «a toda
la poesía, a la verdadera poesía» (1969, 241). De entre sus sonetos, la crítica ha preferido algunos de ellos. Dámaso Alonso ha
destacado «Insomnio», en el que ha visto «la vivencia de la imagen, la limpidez del tema, la contrastada técnica, la desbordada
ternura» que «hacen de éste uno de los más bellos sonetos de
amor: estilo eternamente dulce y nuevo, cuya ciencia fijó para siempre Dante» (1969, 250). José Luis Cano ha destacado, como dos
de los mejores sonetos del poeta, los de tema soriano, «Revelación» y «Cumbre de Urbión» (1986, 95), mientras Gallego Morell
ha explicado «El ciprés de Silos (Ausente)», en relación con sus
dos antecesores, como ya hemos avisado, destacando en éste que
«el plano real ha desaparecido, al poeta le crece en su interior un
ciprés creado por su palabra y otra vez resurge la imagen del agua:
noria, una noria horizontal. Un ciprés interior que el poeta siente
crecer y que gira enredando sueños en ilusiones» (1972, 175-
176). Torres Nebrera ha destacado «Cuarto de baño», escrito en
clave de humor y relacionado con los adelantos del mundo moderno, mezclados con el mito clásico en una intención claramente
desmitificadora:

El lector admite desde esta clave inicial toda una serie de imágenes
en cadena, que se vislumbran coherentes respecto a este título [«Cuarto

4. GERARDO DIEGO 123

de baño»]. Sólo lo que denotativamente comporta ese «cuarto de baño» en la experiencia de cualquier lector podemos admitir la sorpresa y el juego concebido por el poeta: llevar el mito y su poeticidad hasta los mismos ámbitos cotidianos. O si se quiere, en el manierista y desrealizador marco del mito (aunque sólo sea aludido en hipérbole embellecedora) el paraíso de artificios funcionales del hombre (1980, I, 81).

Muy interesante en la poesía de Gerardo Diego es su capacidad de integración de novedades estilísticas de la poesía de vanguardia en el mundo poético de esta lírica clásica o neoclásica. Los sonetos de *Alondra de Verdad* están nutridos de ejemplos, por lo que se constituyen en un nuevo modo de interpretación de la forma del soneto. Debicki ha destacado que tales poemas «se valen de procedimientos afines a los que pervaden también la poesía "creacionista" o "absoluta" de Diego, y emplean estos procedimientos para captar y expresar significados emotivos sin caer en el sentimentalismo» (1968, 283). El mantenimiento del tono combinado entre renovación e imaginación revela en Gerardo Diego una gran maestría y un perfecto sentido de lo poético. Así lo señaló Luis Felipe Vivanco cuando aseguró que

el arte de concebir un verso y de construir una estrofa y hasta un soneto entero; y el arte de repristinar las consonantes y que no suenen de antemano; y el de recoger el sentido vivo de la adjetivación donde lo dejaron los grandes creadores barrocos; y el de emplear los verbos desnudos como fuerzas; todas estas artes extremadas han sido posibles gracias a su actitud y a sus ejercicios creacionistas, pero sobre todo gracias al concepto de realidad poética que los ha originado (1971, I, 211).

En *Ángeles de Compostela* —por lo menos en los poemas realizados en 1936 y publicados en 1940— se confirma la calidad de esta etapa excepcional. En diferentes artículos y en su edición crítica, con *Vuelta del Peregrino* (1976), Arturo del Villar ha prestado atención a los poemas compostelanos de Gerardo Diego (1976, 1981, 1982 a y 1984), destacando, de acuerdo con el poeta, su condición de retablo románico-barroco en el que simboliza toda la realidad histórico-religiosa de Santiago de Compostela. Hemos concluido en nuestra edición crítica:

Si *Alondra de Verdad* se destaca por ser uno de los libros más perfectos de la poesía del siglo XX, *Ángeles de Compostela* sobresale por su ambiciosa finalidad y su intención excelsa. Lo impecable de su estructura y el perfecto ensamblaje de los temas galaicos en el gran cuadro teológico-dogmático hace de *Ángeles de Compostela* uno de los libros poéticos más unitarios y compactos de nuestra poesía. No es extraño por ello que, para el poeta, sea uno de sus predilectos y represente él solo buena parte de su poesía total (1986, 56-57).

4.5.   OBRA CRÍTICA

Como en los casos de Salinas y Guillén, Gerardo Diego es catedrático de Literatura, aunque sus destinos, los institutos, y su permanencia en España difieren mucho de la trayectoria profesional de sus compañeros de generación. La existencia, en su bibliografía, de una fecunda y dilatada obra ensayística responde, por ello, a estímulos diferentes y muchos de sus ensayos proceden de conferencias pronunciadas en diferentes actos conmemorativos a lo largo de las décadas de los cincuenta a los setenta.

En la bibliografía de José Blas Vega (1976, 36-40) se recogen hasta ochenta y cuatro ensayos diferentes en los que, en torno a tres grandes campos, literatura —el más nutrido—, música y pintura, lleva a cabo una serie de semblanzas y evocaciones que dan la medida del alcance de su obra crítica. La poesía, desde luego, es el centro de atención mayor de todos sus ensayos y no es extraño que a la hora de publicar (1984) una importante selección de tales estudios, Gerardo Diego eligiese el título de *Crítica y poesía,* y en él incluyese los más significativos suyos en torno a poetas bien distintos.

Si alguna especialidad hay en la obra crítica de Gerardo Diego, ésta podría ser su tendencia a aproximarse a la poesía de aquellos escritores españoles que no pasaron a la historia como poetas, tratando, con su aportación, de demostrar en tono desmitificador cómo la poesía aparece y triunfa en muchos escritores. En este sentido son destacables algunos de sus ensayos más conocidos y hoy recopilados en el libro de 1984: «Cervantes y la poesía», «La poesía de Jovellanos», «Unamuno, poeta», junto a otros menos conocidos, como «La poesía de Ricardo León», «Los poetas de la generación del 98», etc.

El último ensayo de Gerardo Diego quizá ha sido el dedicado a Jorge Guillén (1984), en la conmemoración que la Academia realizó a la muerte del autor de *Cántico*. Viejos recuerdos en torno al 27 y a Góngora, en torno al espíritu que unió a sus componentes, han dado la medida exacta del interés crítico y ensayístico de Gerardo Diego por la poesía, a la que dedica, como su compañero de generación, toda su vida. Interés que puso de manifiesto a lo largo de los diferentes estudios en los que Góngora, como San Juan, como Bécquer, como Rubén o como Miró, son los maestros de una estética a la que Gerardo Diego, junto a sus compañeros de generación, dio forma teórica y práctica.

5

VICENTE ALEIXANDRE

5.1. EL POETA

EN LA VARIEDAD y peculiaridad que distingue a los poetas del 27, Vicente Aleixandre (1898-1984) aparece con las notas de una vida extraordinariamente personal que sus biógrafos se han apresurado a destacar por su retraimiento y tono familiar. Tal actitud contrasta, evidentemente, con las vidas de otros compañeros de su generación que, desde la cátedra o desde el escenario, tienen una vida mucho más pública. Leopoldo de Luis ha notado, en su amplia biografía escrita en 1970, que la independencia de Aleixandre en su propio círculo reducido familiar era fundamental para entender el respeto «que reclamaba su libertad de creación». En este sentido, toda su vida se desenvuelve, desde el principio, en el ámbito de un medio reposado y sereno, en el que surge y se desarrolla una de las personalidades más interesantes de todo nuestro siglo:

> En el ánimo joven pugnaban —habían de pugnar forzosamente— el hijo de una familia de la alta burguesía (no se eligen sitio y circunstancias para el nacimiento; nos nacen, no nacemos) y el poeta que iba a revolucionar la poesía de su tiempo; el apasionado vitalista y el enfermo crónico; el paciente y el creador (1976, 7).

La formación del poeta ha interesado a sus biógrafos, y Vicente Aleixandre ha dado cuenta de ella en diferentes ocasiones. Estudiante de un colegio de Madrid —después de sus años infantiles en Málaga— y luego de Derecho e Intendente Mercantil, Aleixandre fue lector incansable de novela y teatro, sobre todo de novela de Galdós, Alarcón, Valera, etc. Su descubrimiento de la poesía llegará a través de Rubén Darío y de la mano de un joven de su edad, Dámaso Alonso, que, en la sierra madrileña, durante el verano de 1918, le presta una antología del poeta nicaragüense que le abrirá las puertas de la gran pasión de su vida, como refiere en una interesante carta a Carlos Bousoño (1968 *b*, 16):

> Rubén Darío fue el primer gran poeta que tuve entre las manos, y aunque no me influyó en mis primeros poemas, le debo más de lo que parece. La familiaridad en el verso, con su materia verbal, el número y el ritmo, ese fluidísimo conocimiento que ha de estar en la sangre del poeta, creo que a él se lo debo más que a nadie.

Una enfermedad que le obligará en distintas ocasiones al reposo y al retiro y una amistad fraternal con los poetas de su generación (Alberti, Cernuda, Lorca, Prados, Altolaguirre, sobre todo), el Premio Nacional de Literatura por *La destrucción o el amor* en 1934 y la amistad con Pablo Neruda y Miguel Hernández definen los años del poeta en la época republicana. Y luego la guerra, con nueva recaída en su grave dolencia y reposo absoluto, que le permite escribir sus mejores libros. Tras la guerra, el poeta concebiría *Sombra del Paraíso,* que, una vez publicada, le habría de convertir en el signo más notable, desde el punto de vista externo, de la personalidad de Aleixandre: su magisterio sobre todos los poetas jóvenes desde 1944 hasta 1975. Como señala José Luis Cano,

> desde ese momento, la casa del poeta en Velingtonia, 3, en el Parque Metropolitano, va a ser lugar de peregrinación de la nueva juventud poética que surge tras la guerra civil. Aleixandre se convierte en el maestro de las nuevas generaciones, y su papel de estimulador y maestro va a asemejarse en los años de la posguerra al que desempeñó Juan Ramón Jiménez con los poetas de la generación del 27, veinte años antes (1972, 15).

No es pródiga la bibliografía de Aleixandre, a partir de esta fecha, en incidencias, aunque su elección para la Academia Española en 1949 y su ingreso en 1950, con un discurso titulado

En la vida del poeta: el amor y la poesía, serían, con la concesión del Premio Nobel de Literatura en 1977, las notas más destacables de una vida que entre esas dos fechas ha ido creciendo en prestigio intelectual, y, a partir de la última, en rara popularidad de un poeta que vivió retirado en el mundo de su poesía. Escribe José Luis Cano en 1981:

> El alto prestigio de que hoy goza Vicente Aleixandre, tanto entre los jóvenes como en los críticos más exigentes, se debe en buena parte a su capacidad para renovar su pensamiento poético y técnica expresiva sin dejar por ello de ser fiel a sí mismo. En su poesía se dan la mano unidad y diversidad: unidad de su visión del mundo, que se apoya en tres ejes centrales: amor: naturaleza, muerte, y diversidad de formas expresivas (1981, 31).

Los primeros poemas de Vicente Aleixandre pertenecen a 1918 y los ha dado a conocer Dámaso Alonso en 1985, y los últimos, publicados por Bousoño en 1986, pertenecen a la órbita de sus dos últimos libros. Entre la primera fecha y la de los últimos poemas, Aleixandre desarrolla una obra poética de singular valor a través de dos grandes etapas centrales, que podrían dividirse en cuatro grandes momentos. Son muchos los críticos que, siguiendo a Bousoño, dividen en esos dos grandes grupos la obra del poeta:

> Dos épocas de diferente extensión, hasta ahora, nos es dado percibir en ella. A un lado hemos de colocar todos sus libros hasta *Historia del corazón,* que forman una masa compacta de gran homogeneidad y coherencia. Al otro, instalaríamos *Historia del corazón, En un vasto dominio, Retratos con nombre,* y aun otros, inéditos (1968 *a*, 20).

Parece que entre las dos etapas, que el propio Bousoño diferencia en atención a la estructura de los libros de una y otra, hay una clara diferenciación que la crítica subsiguiente ha valorado sin dificultad, y así lo hacen, entre otros, José Luis Cano (1972, 18), Leopoldo de Luis (1976, 14-15) y José Olivio Jiménez (1982, 11). Pero, en realidad, tales dos etapas se ven desarrolladas hacia otras direcciones cuando aparecen los dos últimos libros del poeta, *Poemas de la consumación* y *Diálogos del conocimiento,* de manera que se puede hablar de una última etapa que sería la tercera o la cuarta, si tenemos en cuenta que *Ámbito* puede separarse, como una fase inicial, del resto de los libros que componen la primera. Bousoño, en 1986, habla de que previas a la última de estas fases en que «Aleixandre reflejó el nuevo sentir» ha atravesado «las tres cosmovisiones que se han venido sucediendo desde 1915, aproximadamente, en la sociedad del mundo occidental: la de la "poesía pura", la del "elementalismo", propia de la generación del 27 en su fase inicial, y la "neorrealista" de la posguerra. La cuarta visión del mundo, en la que Aleixandre entró a partir de 1965, fue la "neoirracionalista" [...], practicada, de otro modo muy diferente, por los poetas llamados novísimos» (1986, 23).

A pesar de ello, en la obra del poeta se ha destacado la unidad comparable con la fecunda capacidad creadora, de manera que sólo se ha visto un poeta lírico que modifica su forma de expresión, su concepción del mundo, de acuerdo con exigencias personales, tal y como ocurre con los restantes poetas de su generación. Escribe Leopoldo de Luis:

> Aleixandre, si bien se mira, no cambia de formas y de ideas y, desde luego, no hay en él, ni coexistentes ni sucesivas, varias personalidades. Toda la obra de Aleixandre es coherente y sus aparenciales aspectos disímiles muéstranse, en rigor, solidarios. Las épocas o zonas que se han señalado en sus libros tienen razón de ser sólo como conveniencia crítica y los cambios registrados por sus exegetas se imponen para el análisis estilístico. Ahora bien, el desarrollo perfecto y unitario de esta obra poética se nos muestra, vista en su conjunto, con impresionante convicción (1978, 146).

5.2. POESÍA PRIMERA

Treinta años tiene Aleixandre cuando publica su primer libro, *Ámbito,* en 1928, después de una aproximación tardía a la poesía: «Con *Ámbito* —escribe Leopoldo de Luis—, Aleixandre se sitúa en su generación, en su época. *Ámbito* es algo así como la ficha de empadronamiento» (1978, 180). La relación del libro con la poesía del momento, y muy en concreto con los modos gongorinos próximos a la conmemoración centenaria, sobresale en este libro que otros han adscrito a la «poesía pura» española. Hay que tener en cuenta, como hace Ricardo Gullón (1977 *b*, 113), que *Ámbito* se publica en la misma editorial —Litoral, de Málaga— que *Perfil del aire,* de Luis Cernuda, y por lo tanto no es extraño que sintonice con el espíritu del momento en su sentido de la claridad y las nostalgias recatadas.

Gabrielle Morelli, a la hora de analizar este libro, se ha referido al influjo modernista, destacando, con Dámaso Alonso (1969), la emoción tierna, adolescente del poemario. También para él, en la formación del poeta son importantes Fray Luis de León (estudiado con profundidad por Vicente Gaos [1977, 183 y ss.]) y la tradición mística, especialmente San Juan de la Cruz, a través de las distintas evocaciones nocturnas que dan forma y sentido al gran tema amoroso, según José Luis Cano (1972, 7-16).

Muy interesante para los críticos ha sido la cuestión de las anticipaciones, es decir, aquellos elementos presentes en este libro que suponen un anuncio de lo que luego será la obra mayor. Así, Morelli ha visto en el tema del amor adelantos respecto a *La destrucción o el amor* (1978, 71), pero, desde luego, el que más ha aportado en este sentido ha sido Guillermo Carnero, que se ha referido a las «razones de una continuidad» de *Ámbito* (1979, 384-393) al estudiarlo como proyecto aleixandrino y como germen de las novedades posteriores. Su relación con el mismo surrealismo básico, en lo que se refiere a rechazo social de inspiraciones de carácter instintivo y valoración del vitalismo de la naturaleza, han sido puestas de manifiesto como elementos que recibirán un desarrollo posterior, y en este mismo sentido Ignacio R. Galbis se ha referido a una primera visión cósmica en *Ámbito* (1974, 219-224). Pere Gimferrer, por su lado, ha insistido en el mismo sentido de la relación del poeta con el mundo de la materia y lo elemental y su atracción hacia él (1975, 8-12).

Una visión interesante de la relación de este primer libro con la poesía de su tiempo y con las tendencias estéticas dominantes la hace Vicente Granados, que observa rasgos que revelan la notable permeabilidad del libro y de la poesía aleixandrina en este momento. Así, Antonio Machado, Federico García Lorca, Jorge Guillén, Rubén Darío, etc. (1977, 43-104). La búsqueda de antecedentes en este libro respecto a la obra posterior ha oscurecido quizá, en la investigación de la crítica, el significado propio del

libro como producto de un momento y de una época, en sintonía
con la poesía que estaba apareciendo en los años 1924 a 1928 en
todas las revistas literarias del momento. Pero Aleixandre buscaba
su propio camino, y pronto, muy pronto, habría de encontrarlo.

5.3. Aleixandre y su interpretación del surrealismo

Cuando en 1928 aparece *Ámbito,* Aleixandre transita ya por
derroteros muy distintos en busca de un mundo poético nuevo
que le permite conocer la realidad. Cuando aparece su primer
libro, ya está escribiendo los poemas en prosa de *Pasión de la
tierra* e intentando, como ha visto Luis Antonio de Villena, un
buceo en las zonas abisales del ser envuelto en la naturaleza sus-
tentadora (1977, 75). Vicente Aleixandre inicia con este libro esta
etapa expresiva totalmente renovadora que no terminará hasta que
aparezca *Historia del corazón.* El poeta inicia lo que, con mayores
o menores rodeos, ha de denominarse etapa surrealista, y como tal
ha sido valorada por los más importantes estudiosos del fenómeno, Ilie (1972, 67-88), Bodini (1982, 83-87) y Onís (1974, 245-
287), entre otros, aunque desde posiciones cercanas al poeta se
ha insistido en su no pertenencia a las corrientes más dramáticas
del surrealismo francés, ya que, como señala Carlos Bousoño, bajo
la irracionalidad de símbolos e imágenes existe un riguroso sistema
expresivo, sujeto a un equilibrio poético y a una selección y reelaboración, en la que se exaltan sobre todo la libertad pura y luminosa de la naturaleza y la elementalidad de los seres frente a lo
inauténtico simbolizado en las ciudades y los vestidos humanos
(1968, 44-48). En cualquier caso, lo que más se ha destacado ha
sido «la singularidad propia del mundo poético aleixandrino al
enfrentarse con su vertiente surrealista», «un nuevo modo de sentir y comprender que participa del espíritu surreal más auténtico»
que «acerca al escritor como opción vital a la aventura surreal»,
como ha señalado Yolanda Novo (1980, 59).

Según Novo, las obras auténticamente surrealistas del poeta
son *Pasión de la tierra,* escrita entre 1928 y 1929 y que se publica en 1935, y *Espadas como labios,* que, escrita entre 1930 y 1931,
se publica en 1932, aunque advierte la presencia del surrealismo

«como modo de escritura» en gran parte de la obra posterior del poeta, especialmente *La destrucción o el amor, Mundo a solas* y los últimos libros, *Poemas de la consumación* y *Diálogos del conocimiento* (1980, 59). En la etapa que va desde *Espadas como labios* a *Mundo a solas,* con una primera cumbre representada en *La destrucción o el amor,* José Olivio Jiménez ha visto «aquel gran *modo suyo* de aspirar al conocimiento total mediante la comunión pánica» (1982, 33). Y lo cierto es que este primer grupo de libros constituye un primer desarrollo de su poesía previo a la guerra civil, aunque algunos de estos libros (*Mundo a solas*) verá la luz tras la contienda, en una etapa que se muestra el poeta «cósmico», que pretende el mundo con un conocimiento total. Aun así, cada uno de los libros que componen esta nueva gran etapa supondrá un paso adelante en el tan rico como variado «itinerario poético» que ha diseñado Ricardo Gullón (1977 *b*).

Pasión de la tierra está considerada por Puccini como la primera incursión de lo surreal de Aleixandre, ya que el poeta se ha introducido en un mundo completamente nuevo y relacionable con lo onírico: «Del fantaseo al sueño, del sueño al estado de alucinación, de la alucinación al delirio: tantos son los peldaños de la escalera que desciende a los "infiernos", cuantas las fases que separan la imaginación de lo irreal y lo irracional onírico de la absoluta entrega a adherencia a ellos» (1979, 17). Cuentan los biógrafos de Aleixandre algo que puede resultar significativo a la hora de analizar esta obra de poemas en prosa: su primer título de *La evasión hacia el fondo,* que luego será *Hombre de tierra,* en el que se revela su clara intención de traspasar las fronteras de lo real y «lanzarse hacia el abismo», como señala Gullón (1977 *b*, 115), o descender a «zonas abisales», como apunta Galilea (1971, 32).

Sobre el libro han escrito interesantes exégesis el propio Gullón, bajo el significativo epígrafe de «descenso a los abismos» (1977 *b*, 115-119); Maurice Molho, que ve en la obra «la rebelión del hombre primero, que no se resigna a doblar la cerviz bajo el yugo de la materia huérfana de amor» (1977, 143); Gabrielle Morelli, que subraya la influencia francesa y anota los problemas lingüísticos (1972, 21-37), terminando con un amplio análisis de las imágenes recurrentes que luego serán la base de los

libros posteriores hasta *Sombra del Paraíso* (1972, 39-67), y, finalmente, Yolanda Novo, que somete la obra a una consideración
previa a *Espadas como labios* en relación con la continuidad y
unidad de la obra aleixandrina de que todos hablan (1980, 90).
Quizá, entre todos, quien mejor ha entendido el sentido de este
libro ha sido Luis Felipe Vivanco, que vio en la palabra de *Pasión de la tierra* matices de riqueza extraordinaria:

> La palabra imaginativa crece en estos poemas con alegría de palabra
> sorprendida o suspendida sobre un vacío, y debajo de ella están las
> grietas pasionales, entrañándola en una zona más densa de dramatismo
> existencial humano (1971, 310).

Yolanda Novo ha sido de las últimas en referirse al neorro-
manticismo de Aleixandre a la hora de abordar la cosmovisión
aleixandrina en esta etapa (1980, 61), pero fue Dámaso Alonso
quien, a raíz de la aparición de *Espadas como labios,* en 1932,
destacaba cómo en la poesía española había surgido «un movimiento que podríamos calificar de "neorromántico", por lo que tiene
de reacción contra la contención inmediatamente anterior» (1977,
207), al que pertenece el nuevo libro de Aleixandre, definido
como emparentado, más o menos, con el movimiento surrealista.
Y en este sentido se manifiestan también otros críticos de esta
obra, como Puccini, que lo pone en relación con la plástica metafísica de la Europa del momento (1977, 223-224), o Ricardo
Gullón, que destaca la fuerza del círculo «muerte-amor-muerte»,
con decisiva aceptación de la muerte, juzgándola trámite inevitable
de la suma integración deseada (1977, 123).
    José Luis Cano (1972) ha puesto de relieve la importancia
de este libro dentro de la poesía de Aleixandre, por contener «ya
todos los rasgos esenciales que van a configurar su estilo poético»:
el uso de la conjunción *o* no con valor disyuntivo sino identifi-
cativo; el uso frecuente de la negación con triple valor —negación
de lo real, negación de lo irreal, negación cuasi afirmativa—, la
utilización de repeticiones de signo anafórico, la presencia de las
características imágenes visionarias, el dinamismo expresivo, etc.,
de acuerdo con los términos de la «estilística» de Aleixandre, que
ya fijó Carlos Bousoño (1968 *b*), y que se convierte en una «pa-

labra que estalla a la vista», como advirtió Urrutia (1983, 181-210).

La relación hombre-naturaleza, la fusión cósmica del poeta con la realidad, que siempre intuye con un cierto pesimismo, podrían considerarse las características temáticas y formales más importantes de *Espadas como labios,* como procedentes de la gran identificación mística de *La destrucción o el amor.* La ironía y el pesimismo son matices que ha señalado José Olivio Jiménez como característicos de esta obra compleja:

> El pesimismo, que puede ser una constante en Aleixandre, nunca es total en él. Hay siempre en su obra una alternancia, ese zigzagueo incansable entre abatimiento y exaltación. Tal visión del lenguaje no puede, así, obstruir en *Espadas* la búsqueda de la verdad, meta en que se concreta específicamente toda volición de conocimiento (1982, 43).

Aunque, como ha señalado Yolanda Novo, no es fácil entresacar del mundo subyacente, tanto de *Espadas* como de *Pasión,* «una temática definida, sino más bien un conjunto de *motivos* que, por su carácter *simbólico,* remiten a la cosmovisión del poeta». Y entre ellos se citan de lo natural y elemental, de destrucción —amorosa o no—, de lo que limita y es frío, de lo caído y fláccido —representativos de la tendencia de todo a mostrar la continuidad esencial de las cosas—, de lo hueco y vacío como metáforas de lo latente.

> Mensaje simbólico en suma, que connota un estado emotivo concreto, pero no *único,* hecho del que procede la dificultad de un acceso racional al mismo. La atmósfera de indicios es más importante que el significado habitual de los significantes. Las consecuencias estilísticas de este mundo surreal se traducen a todos los niveles: fonético, morfológico, sintáctico y léxico. Palabras ambiguas y sugerentes se relacionan y organizan de modo intuitivo en sintagmas insólitos que proyectan a esa surrealidad deseada (1982, 298).

No han sido pocos los intentos de dar una explicación *racional* de la original interpretación aleixandrina del surrealismo, utilizado por el poeta, debemos concluir, más como cauce de expre-

sión de su mundo poético y de su cosmovisión que como dogma
estético en ningún momento asumido conscientemente. Pero los
intentos son más bien imposibles por más que percibamos claramente una unidad cósmica y el ser humano en ella sometido a las
grandes fuerzas del amor y de la muerte, como señalaba, al aparecer el libro, Dámaso Alonso:

> Su tema central es el tema central —y único— de la poesía y de
> todo arte: la vida. Es decir, la muerte y el amor. Ante esa iluminación
> intensa —lívida o roja— y elemental que parpadea en los versos de
> Aleixandre, surgen las verdades nuevas, las relaciones eternas, elemen-
> tales también e insospechadas, aunque estaban al alcance poético de
> nuestra mano (1977, 210).

La primera gran cumbre de la obra de Aleixandre la constituye, dentro de la etapa que podríamos denominar surrealista, *La
destrucción o el amor,* que para muchos se convierte en la mejor
muestra de la interpretación española del surrealismo. Quizá a
esta consideración haya contribuido el sentido menos irracional
del libro respecto a *Espadas como labios,* y así ha podido ser considerado por otros como fuera de la etapa surrealista aleixandrina.
Pero, aceptadas las condiciones de peculiaridad de esta fase, podemos considerar *La destrucción o el amor* como un gran paso
hacia adelante, como advierte José Luis Cano, en el camino hacia
la luz y la radiante claridad que es la poesía de Aleixandre.

> Cierto que el clima alucinado y la visión irracionalista de *Espadas
> como labios* no desaparecen del todo, pero los temas, siendo los mismos
> —la naturaleza, el amor, la muerte—, van cobrando en *La destrucción*
> bulto y perfiles diferenciados, al mismo tiempo que la expresión va de-
> jando de ser lo que en pintura llamamos no figurativa, para adquirir
> relieves mucho más concretos y comunicables (1972, 27).

Se ha destacado también en este libro el tono romántico de
sus versos. Quizá en esta ocasión basándose más, como hace Pedro
Salinas, en el lenguaje «hirviente», «lujurioso verbalmente», «im-
puro», «tanteante», «lleno de oscuridades interpretativas» (1977,
220), pero lo cierto es que el libro se enlaza con la tradición lite-

raria española en otros muchos aspectos temáticos y expresivos: con la mística, con Góngora, con Garcilaso, que se constituyen en prestigiosos antecedentes de esa fusión del poeta con el mundo, con la naturaleza, ahora más clara, más perceptible. Para Ricardo Gullón, defensor también del proceso paulatino de clasificación que descubrimos en este libro, *La destrucción del amor* constituye «la estación intermedia» en el largo proceso de expresión del mundo poético aleixandrino en torno a los grandes temas del amor y de la muerte. Así, para él, son importantes los matices que en este libro adquiere su peculiar visión de ese mundo en relación, en concreto, con la identificación destrucción-amor (1977 *b*, 125), que Carlos Bousoño ha explicado detalladamente con referencia a toda la obra poética de Aleixandre (1968 *b*, 68-72).

Libro de plenitud, dentro de la poesía primera de Aleixandre, lo ha considerado J. Olivio Jiménez al representar «no sólo la intuición vivificadora de su cosmovisión», sino correlativamente «el extremado esplendor verbal e imaginativo de toda su escritura» (1982, 53), y es que ahora, más que en ninguna de las entregas anteriores, el conjunto de avances y novedades se configura tanto en el aspecto temático como estilístico, por lo que *La destrucción o el amor* ha recibido valoraciones unánimes en este doble aspecto, entre las que destaca la de Valverde (1977, 66-75).

No ocurre lo mismo con el libro que cierra esta etapa, *Mundo a solas,* que, escrito entre 1934 y 1936, no verá la luz hasta 1950. A pesar de la escasa atención monográfica que ha recibido de la crítica —sólo citamos como excepción el artículo de Vicente Cabrera (1978)—, se trata de una importante quiebra en el itinerario poético ascendente que se establece en la evolución poética de Aleixandre. Como último libro antes de la guerra civil, se nos ofrece final de una etapa que comenzó con oscura irracionalidad y que acaba con esta «cosmovisión y metáfora del amor ausente». Podemos considerar a este libro como un regreso pesimista y desolado a la contemplación del hombre degradado y enajenado. Gustavo Correa ha advertido que «el destino luminoso y ardiente de *La destrucción o el amor* se convierte en *Mundo a solas* en la imposibilidad del cumplimiento de dicho destino» (1979, 55).

5.4. ETAPA DE PLENITUD

La aparición en 1944, después de diez años de silencio, de *Sombra del paraíso* está considerada por los historiadores como uno de los hitos fundamentales de la recuperación de la gran poesía española dentro de España tras la guerra civil, junto a la aparición de *Hijos de la ira,* de Dámaso Alonso, tal como ha evocado con acierto Alvar:

> Pensemos en el año 1944. Días oscuros y durísimos de 1944. En las librerías unos poemas de admonición, de acusaciones, de protesta, *Hijos de la ira.* Y otros, de liberación, de belleza intocadas y de gozo, *Sombra del paraíso.* Como una paradoja, los títulos trocaban sus propósitos; un sustantivo lleno de ternura y emoción (*hijos*) se cambiaba en un restallo de acritudes, *de la ira*; un sustantivo que alude a la tiniebla (*sombra*), era una llamada luminosa (*del Paraíso*). Desde una y otra ladera, el poeta alzaba su repulsa contra un mundo que debiera ser mejor (1972 *a*, 231).

Sobre todo, el libro de Aleixandre causó un extraordinario interés y desarrolló notable influencia entre las promociones más jóvenes, que consagraron a Vicente Aleixandre como su guía y maestro indiscutible. Ésa es la opinión, entre otros, de Carlos Bousoño (1985) y de Ricardo Gullón, que escribe en 1944 sobre este libro fundamental:

> Cuando apareció fue causa de notable conmoción en las filas de los jóvenes poetas españoles e hispanoamericanos que se pusieron a aleixandrizar con frenesí. Durante algún tiempo, la mayoría de esos poetas reconoció como maestro a Vicente Aleixandre (1977, 127).

Aleixandre define *Sombra del paraíso* como «un canto a la luz desde la conciencia de la oscuridad», y es ya en su propio título donde encontramos la clave del sentido del libro escrito, como se ha señalado, desde un destierro espiritual, desde un presente real que trata de descubrir el paraíso, que no es el paraíso perdido de la juventud como pareció entenderse en un principio el libro, a partir de otras palabras del poeta y de algunos de los poemas más importantes de la obra como «Ciudad del Paraíso». Aunque tal nota existe en el poemario y hay que tenerla en cuenta, no lo constituye todo en el mismo, ya que su contenido, su visión y su objetivo son harto más complejos, y partía, como detalladamente ha demostrado Leopoldo de Luis, de la propia realidad de Aleixandre:

Hombre presente, conciencia en la oscuridad, estremecimiento doloroso. He aquí el plano temporal y realísimo desde el cual el poeta escribe: presente oscuro y doloroso. Si *Sombra del paraíso* careciese de un plano temporal y, con él, de unas realidades ciertas perdidas, si fuese sólo una manera de imaginar el poeta un mundo feliz, sería una especie de utopía al revés, de utopía hacia el pasado. Pero no lo es, aunque arranca, como hacen las utopías, de un estado social presente que degrada: ése hoy oscuro y con estremecimiento doloroso (1976, 27).

En cualquier caso, y siendo lo señalado de una autenticidad plena, *Sombra del paraíso* supone una culminación, en el estilo de Aleixandre, de una etapa decisiva. El libro es el final de un proceso, pero durante ese proceso, de acuerdo con las clasificaciones realizadas por Bousoño, que ve en este libro, en relación con los anteriores, «una consecuencia más de la concepción central aleixandrina, que mira lo elemental como el supremo modo de existencia» (1968, 86). A toda esta cuestión ha hecho detallada referencia José Olivio Jiménez, que asegura que hay composiciones en el libro que, al expresar esa entrega, es decir, sin la intromisión del presente, se podrían relacionar y enlazarían con los libros antiguos, manteniendo la misma «tesitura ética y emocional que le acompañaba, al poeta, desde los tiempos de *Espadas como labios*» (1981, 62).

Centrando el problema crítico fundamental en este libro, entre la continuidad y la innovación, otros estudiosos se han ocupado de la obra ofreciendo clasificadores análisis, entre otros, de algunos de los poemas más importantes: así, de «El poeta» se ha ocupado Gonzalo Sobejano advirtiendo, en una observación que se puede hacer general a todo el libro, que lo que consigue Aleixandre es

que para posesionarse de la fuerza de la vida es menester pasar más allá de las palabras y comulgar real e inmediatamente con la naturaleza, pues no otro sentido que el de esa comunión sugieren los versos últimos de «El poeta», en el que el cuerpo del hombre se estira desde los pies remotísimos hasta las manos alzadas de la luna [...] cubriendo la extensión del orbe en un abrazo fundente (1979, 371).

De «Ciudad del Paraíso», el poema que presentiza los recuerdos de la ciudad infantil —Málaga—, se han ocupado, entre otros, Dámaso Alonso (1969, 309) y Ricardo Gullón (1977 b, 129), pero ha sido Manuel Alvar el que ha ofrecido un más extenso análisis del famoso poema aleixandrino (1977 a). Por su parte, Concha Zardoya, con la excusa de descubrir la «presencia femenina» en el libro, lleva a cabo un exhaustivo análisis de algunos otros poemas fundamentales, como «Diosa», «La verdad», «No estrella», «Luna del Paraíso», «Plenitud de amor», etc. (1974). Un buen análisis de la estructura formal del libro y de las imágenes y el vocabulario, muy revelador de la intención estilística de Aleixandre, ofrece Leopoldo de Luis en su edición crítica de la obra (1976, 39-60).

Nacimiento último forma pareja desigual con *Sombra del paraíso* en esta etapa de plenitud paradisíaca. Es, sin más, y así la crítica lo ha reconocido, un libro de circunstancias que recoge, como tantos otros libros de otros poetas de su generación, poemas forzados por exigencias exteriores al poeta. Tanto Gullón (1977 b, 131) como Leopoldo de Luis (1978, 192-193) o José Olivio Jiménez así lo han reconocido, destacando todos ellos la presencia de los «Cinco poemas paradisíacos» relacionables con el ciclo de *Sombra del paraíso.* En diferentes ocasiones, De Luis se ha referido también como consagración excelsa del poema de circunstancias a la «Elegía escrita en abril de 1942 a la muerte de Miguel Hernández», conectada «con la zona sombría y trágica de *Sombra del paraíso,* tanto en tono cuanto en vocabulario, imágenes y otros recursos expresivos, singularmente los poemas «Muerte en el paraíso», «No basta» y «Los dormidos» (1977, 24).

Nacimiento último, que recoge poemas escritos entre 1927 y 1952 en Madrid, se publica en *Ínsula* en 1953, después de frustrarse un proyecto santanderino de publicación, en el que el libro recibiría el título de *Desamor,* según ha reflejado Julio Neira (1986), surgido, sin duda, de poemas, que lo habían de formar, como «Sin amor», «Se acabó el amor», etc. Luego surgiría otro título, el de *Nacimiento último,* también negativo, porque no otra cosa que la muerte es el «nacimiento último», tal como se evidencia en el poema de ese título de *Espadas como labios,* según señala Gullón: «la muerte será un renacer a otra vida, la realizada en la naturaleza; será un *Nacimiento último*» (1977 *b,* 122).

5.5.   POESÍA DE INTEGRACIÓN

Diez años después de *Sombra del paraíso* aparece, en 1954, *Historia del corazón,* que, como han reiterado tantos críticos, comienza una nueva etapa en la poesía de Aleixandre, tal y como con tanta seguridad ha mostrado Carlos Bousoño:

> En un sentido profundo, *Historia del corazón* se diferencia más, por ejemplo, de *Sombra del paraíso* que este libro pueda distinguirse del resto de la producción aleixandrina, con ser *Sombra del paraíso* un libro pasmosamente singular. Y es que, contemplado con perspectiva, *Sombra del paraíso* es incluible dentro de un ciclo donde se hallan todos los otros versos de Aleixandre; *Historia del corazón* no lo es. Inicia un ciclo nuevo, una nueva etapa (1968 *b,* 89-90).

La gran diferencia, de acuerdo con lo que han visto críticos y lectores atentos, entre una etapa y otra, radica en el protagonista de la poesía aleixandrina, que en este libro varía radical y sensiblemente. Si en los primeros libros, hasta *Sombra del paraíso,* este protagonista es el mundo, el cosmos, la creación como fuerza amorosa, en la que el hombre es un elemento más, entre las fuerzas de la naturaleza que han de fusionarse, a partir de *Historia del corazón,* como ha señalado José Luis Cano, «el hombre se adelanta y se convierte en el directo protagonista de la obra. Y entonces será el vivir del hombre, el transcurrir de la existencia humana, el gran tema de la poesía aleixandrina. El poeta contempla ahora ese vivir desde una conciencia de la temporalidad, de que la vida es tiempo y circunstancia» (1983, 13). Junto a esta idea, se destaca también la novedad de que frente a una poesía ahistórica e intemporal, ahora «irrumpe el acontecer humano, las vicisitudes de una existencia concreta, del transcurrir cíclico de una vida» (1983, 13).

Un sentido de rehumanización se ha visto en este libro como culminación de un proceso iniciado ya en *Sombra del paraíso*. Leopoldo de Luis, que no se muestra muy partidario de aceptar esta ruptura en dos etapas tan claras, habla de un proceso de humanización previo a la integración de esa poesía en un ámbito social que se inicia antes de la publicación de *Historia del corazón,* pero alcanza su máxima representación en este libro: «Los temas de *Historia del corazón* ponen en carne viva de poesía una problemática de la existencia resuelta con ternura y comprensión y una conciencia de responsabilidad del poeta como solidario de su tiempo» (1978, 197). De la idea de evolución paulatina también es partidario José Olivio Jiménez, que se ha ocupado en varias ocasiones de este último ciclo (1977 *a*, 1982) y ha considerado que el nuevo giro poético iniciado en *Sombra* «cuaja» en *Historia* al comenzar lo que podría denominarse poesía «historicista» de Aleixandre (1982, 73). Como otros críticos (Bousoño, Cano), otorga gran importancia a la palabra *reconocimiento,* que se repite con terquedad y que significa literalmente conocimiento en su sentido más profundo, y destaca

> que el paso decisivo implicado por *Historia del corazón* no es otro que la aceptación por el hombre —por el poeta— de su «perfil transitorio» [...]. De este situarse de consciente y decidida manera frente al tiempo, frente al tiempo de todos, le nacen a esta segunda poesía de Aleixandre sus más señaladas características generales: realismo, historicismo, vibración últimamente existencial y ética, solidaridad y signo ampliamente humanista y aun social (1982, 77).

Otra de las notas que con más intensidad han sido señaladas por los críticos en este libro, como en cualquiera de los fundamentales de Aleixandre, ha sido su unidad y armonía de construcción, y ha sido, en particular, Concha Zardoya la que ha examinado la estructura de esta obra, sus formas métricas y estróficas, para demostrar que «todo está en ella sabiamente proporcionado y ordenado» (1974, 266). Lo más interesante del resultado de las investigaciones de Zardoya lo constituye la relación entre estructura formal del libro y contenido temático, a través de las cinco partes en las que se descubre el *estar* y la *presencia* («Como el vilano»), el reconocimiento en los otros («La mirada extendida»), el amor como vida común, como única realidad («La realidad»), la infancia («La mirada infantil») y la visión completa de la vida a través del amor («Los términos»). Todo reunido en un conjunto de gran cohesión al que corresponde un estilo y un lenguaje presididos por «una ordenación *continuativa* de los poemas, puesto que la *historia* no es suma de momentos inconexos entre sí, sino eslabonados, continuados. Los poemas son, desde luego, independientes, pero, al mismo tiempo, se condicionan unos a otros y se continúan, pues la vida es un *transcurrir* y un *ascender*», como ha visto Concha Zardoya (1974, 313).

En capítulos está dividido *En un vasto dominio,* el libro que ocho años después, ya en 1962, publica Vicente Aleixandre, utilizando este tipo de división «con evidente intención de matiz narrativo», según ha señalado De Luis (1977, 25), «lo que prueba el sentido unitario —como de especulación orgánica y sistemática— que rigió su composición y estructura», como ha advertido a su vez Jiménez (1982, 85).

El vasto dominio de lo humano, lo inmensamente humano situado en el tiempo, porque en esta obra Aleixandre profundiza en su indagación de la relación hombre mundo, hasta el punto de llegar a utilizar técnicas que De Luis ha considerado cinematográficas, porque van apareciendo, en primeros planos, aspectos de la persona humana: una mano, un rostro, una mirada, un pliegue del rostro, etc. Técnicas que, sin duda, acentúan la objetividad, la traslación a un segundo plano del yo, que ha sido otra de las características notadas por De Luis (1978, 204).

Junto a él, *Retratos con nombre,* publicado en 1965, completa esta etapa de integración revelando con fuerza el sentido humano de su poesía, aunque ahora son individuos los que con su retrato y su nombre componen otra «reunión de vidas», «circunstancial y menor dentro de su órbita», como ha advertido Jiménez (1982, 92). Pero lo cierto es que el libro, aun en la perspectiva señalada, mantiene la concreción tempo-espacial y esa vuelta a lo histórico y lo situacional que se anunció en *Sombra del paraíso* y que en este libro adquiere una configuración «externa».

5.7. POESÍA ÚLTIMA

La última etapa de la poesía de Vicente Aleixandre está constituida por dos libros bastante independientes respecto al resto de la obra: *Poemas de la consumación* y *Diálogos del conocimiento,* publicados respectivamente en 1968 y 1974. En ellos el poeta vuelve a extremos de extraordinaria complejidad expresiva al producir lo que Gimferrer ha denominado «un tan absoluto y esencial fulgor en la búsqueda metafísica» (1977, 265). Ambos libros contienen una serie de características que los hacen construir «un grupo autónomo de la obra de su autor, que vienen a culminar» (1977, 265), no siendo la menor importancia su condición, en ambos casos, de libros de tema único: «la condición de la vida desde la perspectiva de la vejez y la vecindad de la muerte en el primer caso, el enigma de la conciencia humana y el sentido del mundo en el segundo» (1977, 265).

Resulta revelador observar cómo algunos poetas —Guillén, Gerardo Diego, Dámaso Alonso, Alberti—, cuando el destino les permite vivir muchos años, son lanzados por el paso del tiempo y la fuerza del devenir vital, en los últimos años de su vida, a la consideración y revisión de la larga existencia. *Poemas de la consumación* sería una nueva representación muy peculiar de esta tendencia, como ha visto Antonio Colinas (1974, 251-267 y 1977). Guillermo Carnero, que quizá ha sido el que mejor ha clarificado el problema central de estos dos libros de Aleixandre —*conocer* frente a *saber* como perspectivas vitales—, ha podido escribir que con *Poemas de la consumación* «irrumpe en el mundo de Aleixandre un nuevo elemento: la vejez» (1977, 276), palabras a las que añadiríamos que

> todavía dentro de una posición racional, justamente porque en la propia realidad existencial del poeta ha irrumpido la vejez, o dicho de otro modo, porque el mismo poeta —alma y cuerpo— ha entrado en la última edad. Poeta, realidad, vida, en Aleixandre, conducen unidos un mundo totalizador, que en su mundo de los setenta años se torna en reflejo de la vejez (1977 *b*, 40).

El recuerdo de la vida del poeta está presente en el libro y se extiende en este poema a la percepción de la fluidez de los días, a la sucesión ininterrumpida de los tiempos. Las evocaciones de la noche, la aurora, el ayer, el ocaso, trascienden su bella significación plástica para sugerir un vertiginoso paso del tiempo como tema, contemplado desde la atalaya de la vejez. José Olivio Jiménez piensa que la vejez está en el libro «asumida por una conmovedora diafanidad y cargada de esa máxima sabiduría que es sólo posible en tan alta y definitiva edad de la vida» (1977, 32), mientras que Leopoldo de Luis ha insistido también en la misma cuestión añadiendo la nota de serenidad, de gravedad de nuestro poeta:

> Es el jardín, es la juventud, es la vida, contemplados —acaso sean una misma cosa— tras el cristal del tiempo que sólo traspasa la luz o la idea. No es, sin embargo, un libro de nostalgias, sino un libro de conocimiento. Sólo a cierta altura de la vida es posible escribir una poesía que, siendo tan grave, sea tan serena (1977, 28).

Gimferrer, por su parte, ha destacado la vecindad de la muerte junto a la vejez como perspectiva desde la que considera la vida en *Poemas de la consumación* y que, de hecho, esta consideración es el tema central del libro (1977, 265).

Diálogos del conocimiento se ha considerado, respecto a *Poemas de la consumación,* aún más difícil de comprender y someter a criterios de racionalidad, y es que con unas técnicas bastante originales y nuevas, que Bousoño no considera surrealistas, Aleixandre ha logrado trazar un nuevo camino de originalidad mientras otros han vuelto al surrealismo.

> En *Poemas de la consumación* algunas veces; pero, sobre todo e intensamente, en *Diálogos del conocimiento,* abundan estas expresiones apotegmáticas o sentenciosas que dan a sus páginas un marcado sello de sabiduría recóndita. Aunque siempre hay un sentido connotativo, no es necesario que éste se dibuje con precisión; son poemas que admiten, pues, una lectura más vaga o penumbrosa, en la que el sentido queda en alguna medida indeterminado y *como puesto entre paréntesis* (1982, 313).

Se ha visto en *Diálogos del conocimiento* la culminación de la obra de Aleixandre en cuanto que se constituye en búsqueda o investigación de la propia realidad vital del ser humano como objeto de conocimiento. Para ello, objetivando al máximo su presencia como protagonista, Aleixandre ha convertido su poesía en diálogo, pero en diálogo irreal que pone mucho de monólogo de incomunicación y que obliga al lector a suplir el sentido dialogal en busca de un conocimiento de la vida y de su lógica consecuencia, como señala Leopoldo de Luis, que ha precisado que todas las formas de la vida «se contemplan hacia la muerte» (1978, 215). Insistiendo en el tema de los diálogos, hay que destacar la actitud siempre dialogal de toda la poesía de Aleixandre, como ha estudiado Arturo del Villar, que no ve en este último libro sino una culminación de la actitud emprendida en la obra anterior:

> Había de ser un libro con poemas dialogados como demostración práctica de la teoría del decir comunicativo desarrollada en los anteriores. Unos diálogos que en cierto modo evocan los platónicos por su contenido, lo que sigue quedando dentro de la lógica, porque Aleixandre, como Sócrates, ha sostenido una influencia decisiva en la juventud intelectual de su época (1982 *b*, 75).

En la técnica de los diálogos está la clave de la expresividad de este complejo libro final. La contraposición de opiniones expresada a través de cada uno de los personajes dialogantes va revelando una serie de inquietudes que no obtienen respuesta en el oponente de turno. Como señala Jiménez,

> en general, la dialéctica de sus posiciones no llega a adquirir un dinamismo lineal o temporal, sino un adensamiento en el sentido de la profundidad. Es decir: las sucesivas y alternadas intervenciones de estos sordos dialogantes, sus palabras, actúan a modo de manchas sonoras y yuxtapuestas, lanzadas al espacio blanco de la página. Y estas manchas vienen a fundirse, como sobre la retina de un espectador visual, en la sensibilidad de quien lee ese tiempo trasfundido a espacio que es el poema (1982, 109).

En el mismo sentido, Jaime Ferrán ha hablado, más que de diálogos, de monólogos interiores que, si son diálogos, lo son porque obligan al lector que se constituye en el intermediario imprescindible entre las distintas meditaciones, que sin él, sin su participación, quedarían reducidas a un haz de truncas y disminuidas incitaciones (1979, 164-165).

Un relativo interés ha suscitado el *nuevo* estilo de Aleixandre expresado en las dos obras que constituyen su última etapa. Se trata de la extraordinaria capacidad de concentración expresiva, que para Gimferrer es relacionable con el aforismo (1977) y para Jiménez con la poesía gnómica (1982): «Quien duda existe. Sólo mirar es ciencia», «Quien sabe, toca su fin»; «Ignorar es vivir. Saber, morirlo»; «Quien muere, vive y dura»; «Tras el cristal, la rosa es siempre rosa. Pero no huele.» Como ha señalado De Luis, «la concisión del estilo hace uso frecuente de los procedimientos muy aleixandrinos de contorsiones sintácticas, mediante elipsis, no concordancias o repeticiones de un verbo en distintos tiempos» (1976, 28). Un estilo peculiar para una poesía final distinta que pone de relieve la lucidez y la capacidad creadora del poeta en activo hasta el momento del reconocimiento universal. Una etapa final que culmina en largo proceso de conocimiento de la naturaleza humana a través de diferentes etapas que van, como ha expresado Leopoldo de Luis, «del mundo de las intuiciones, del mundo de las sensaciones, de la pasión, de la nostalgia: del mundo de la existencia [...] al mundo de la reflexión y de las ideas. Conocer y saber» (1976, 30).

5.7. OBRA EN PROSA

Sólo un libro en prosa escribió Aleixandre, *Los encuentros,* que en su edición definitiva (1985) reúne los que formaban la primera edición (1958), los «nuevos encuentros» de *Obras completas* y algunos textos más, recopilados por José Luis Cano siguiendo instrucciones del autor. Aparte hay que citar, por su trascendencia, y dentro también de su obra en prosa, el que fue discurso de ingreso en la Academia Española, *En la vida del poeta: el amor y la poesía* (1949), que se completa con diferentes textos de «poética» que parten del que figura en la *Antología* de Gerardo Diego (1932) y se completa con numerosos prólogos, declaraciones y apuntes.

Como señala José Luis Cano, *Los encuentros* está en la línea de evocaciones, semblanzas y retratos de poetas y escritores que van constituyendo una memoria viva de *Los raros,* de Rubén Darío, o *Españoles de tres mundos,* de Juan Ramón Jiménez, aunque en el libro de Aleixandre no existe un prurito preciosista de evocación lírica:

> El ánimo artístico con que ha sido escrito este libro de espléndida prosa no es nunca ajeno a una actitud humana solidaria del hombre y su recuerdo. Doblemente solidaria habría que añadir: solidaria del hombre y de unas generaciones literarias con las que ha convivido el autor y en las que se reconoce, o que, anteriores a él, han dejado un legado literario de calidad, una expresión de España en la que ha aprendido a leer y de la que no puede sentirse ajeno (1985, 13).

De la trascendencia y excepcionalidad de este libro peculiar, no puramente circunstancial, sino construido con la intención global de crear una «evocación» colectiva, da idea el interés que ha despertado en Concha Zardoya, que dedica al libro un amplio estudio en el que revisa tanto la estructura como el tema, el enfoque o el lugar, fondo y marco del «encuentro», precisando cuestiones técnicas (plásticas y auditivas), significación psicológica, humana y simbólica de los encontrados, así como las peculiaridades estilísticas definitorias del libro, entre las que destaca la variedad.

> Vicente Aleixandre, gran maestro del verso y de la prosa, huye de toda estereotipación y monotonía. El principio creador que preside *Los encuentros* —la luz mental bajo la cual han nacido todos— es el acto mágico y clarividente que alumbra el poema, criatura viva de la Poesía (1974, 390).

6

FEDERICO GARCÍA LORCA

6.1. La poesía lorquiana

Una aproximación crítica al poeta granadino Federico García Lorca (1898-1936) necesariamente ha de partir de una división inicial previa, realizada únicamente con fines metodológicos: estudiar por un lado su poesía y, por otro, su teatro. La justificación de tal medida viene dada por la importancia que en este poeta del 27 alcanzó su labor como autor dramático y como hombre de teatro, que superó a la de otros muchos contemporáneos exclusiva o casi exclusivamente dedicados al teatro. La crítica especializada ha sido muy sensible a esta situación y ha dedicado numerosos estudios al análisis de la obra teatral. Por otro lado, la poesía de Lorca, una de las más originales y avanzadas de nuestro siglo xx, ha despertado y despierta en el hispanismo internacional un interés inusitado, debido a los numerosos problemas de todo tipo que motivan los nuevos y, a veces, encontrados enfoques en la interpretación de una lírica singular.

6.1.1. *El poeta*

Posiblemente, dentro del panorama bibliográfico del 27, lo que más llame la atención es el interés que ha despertado la singular personalidad de Lorca. Entre todos los de su generación, fue el más conocido en vida, tanto por su carácter afable como por el éxito de su obra literaria; primero, por su poesía, que era admirada aun antes de publicarse, por lo que Jorge Guillén no dudó en llamarlo, con razón, «bardo anterior a la imprenta» (1977), y luego, por su teatro, que le otorgó extraordinaria fama y singular protagonismo en los medios no sólo intelectuales y artísticos de la España de su tiempo, sino también entre el gran público que asistía al nacimiento y desarrollo de un gran autor.

Pero fueron las trágicas circunstancias de su muerte las que mayor difusión habrían de dar, ya fuera de España, a la obra ejemplar truncada violentamente de forma oscura y pronto legendaria. Todas estas circunstancias, entre otras muchas, hicieron que la atención del hispanismo internacional se detuviese con inusitado interés en aspectos de la figura y la obra de Federico, mientras en España, conforme iba transcurriendo el tiempo y recuperándose la conciencia general del valor de García Lorca, la atención hacia su obra fue creciendo hasta culminar en la promoción de lorquistas de los años setenta que cubrieron el lado español de esta amplísima «internacional lorquista», como la ha denominado Gibson (1985 a, 12).

Hay que partir, por todo lo dicho, de la base de que la bibliografía de Federico García Lorca es una de las más nutridas de la literatura española y, posiblemente, sea, después de Cervantes y Galdós, el autor español que mayor atención ha recibido de críticos, investigadores y especialistas. No es raro, por ello, que, como ocurre con los dos maestros de la novela española citados, Federico cuente también, igual que los *Anales cervantinos* o los *Anales galdosianos,* con una publicación especializada en su obra, la norteamericana *García Lorca Review.*

Ya en un primer ensayo bibliográfico, S. C. Rosenbaum y Juan Guerrero Ruiz ponían de relieve lo extenso de una bibliografía que no había hecho más que empezar (1935). Recientemente, J. L. Laurenti y J. Siracusa realizaron una amplia recopilación bibliográfica (1974), que se ha visto completada en dos etapas (1979 y 1982) por Francesca Colecchia, que reúne 1.884 referencias bibliográficas en el primer repertorio y 1.311 fuentes primarias en el segundo. Las tres publicaciones podrían completarse con la constantemente renovada bibliografía de Arturo del Hoyo, en la edición de *Obras completas* de Aguilar, que contiene aproximadamente unas 2.500 referencias diferentes en la 21.ª edición (1980), ampliadas y puestas al día en la 22.ª edición, aparecida a final de 1986, con unas quinientas nuevas entradas.

En este nutrido conjunto hay que destacar la presencia mayoritaria de análisis de obras o de aspectos de obras de García Lorca, aunque buena parte de las referencias corresponden a textos lorquianos, cuya dispersión y fecundidad ha desarrollado, inevitablemente, una amplia bibliografía. Y en tercer lugar habría que citar también aquellos artículos que completan pormenores biográficos de un autor que viajó constantemente y dejó recuerdos de su presencia en muchas personas de España y América. Todos estos aspectos y otros muchos son valorados en una bibliografía desigual, en la que no pocas veces hallamos enfoques superficiales, pintorescos y extraliterarios, lo que complica más la situación.

De la rica personalidad de García Lorca da idea, aunque sólo sea aproximada, el gran interés que ha suscitado su biografía, que ha descendido, como en ningún otro autor había ocurrido, hasta los más mínimos detalles. Podemos asegurar que pocos secretos quedan ya sobre la personalidad de Lorca, su familia, sus amigos, sus costumbres desde niño y adolescente hasta los años finales. Su fuerte personalidad hace que su nombre aparezca en multitud de memorias, recuerdos y evocaciones, comenzando por sus compañeros de generación. Las semblanzas más difundidas, y recogidas por Javier Egea (1986) y Eduardo Castro (1986), son las de Jorge Guillén (1959), divulgadas posteriormente a través de la edición de *Obras completas* de Arturo del Hoyo; la de Vicente Aleixandre (1937), popularizada por el mismo medio; los recuerdos de Dámaso Alonso (1937), conocidos a través de las versiones de *Poetas españoles contemporáneos* (1969); los de Rafael Alberti (1949, 1959) y los de Luis Cernuda (1957, 207-220). Estos autores y muchos más coinciden en el elogio de una personalidad singular enriquecida por una gran capacidad de comunicación y amistad que, en palabras de Jorge Guillén, se tradujo en amplitud artística:

Y no se expresaría tanto la persona si no se entregara tanto a los demás entendiéndolos y queriéndolos, mientras va apresándolos en la red de las simpatías innumerables: actos y palabras, actos de amigo y palabras de poeta (1977, XX).

Los datos sobre la vida de García Lorca comienzan a aparecer bien pronto en los primeros estudios de conjunto que se dedican al poeta y que son muy numerosos. Así ocurre desde la primera versión de los libros de Honig (1974) y de Díaz-Plaja (1973). Uno de sus primeros biógrafos, en el sentido estricto de la palabra, fue Ángel del Río, que con la primera edición de su *Vida y obras* (1952) inicia una serie de trabajos que destacan por su objetividad y directo conocimiento de la realidad del poeta. La nueva versión de sus estudios lorquianos y la publicación en una editorial de difusión hará que el libro de Díaz-Plaja (1954), subtitulado «Su obra e influencia en la literatura española», sea el instrumento más utilizado por los españoles para alcanzar un conocimento del poeta. En 1973 aparecería la quinta edición, deteniéndose entonces el éxito de un libro informativo y valioso.

Fuera de España empezaban a aparecer, simultáneamente, libros sobre el poeta que ofrecían nuevos datos e interpretaciones de su vida y su obra. Destacan en este sentido la monografía de María Teresa Babín (1955) y el denostadísimo acercamiento de Schonberg (1956), más famoso por lo atrevido de sus apreciaciones que por auténticos valores de contenido. Esa mismo año comienzan a publicarse las investigaciones de una de las lorquistas más serias y prestigiosas, Marie Laffranque, quien, a través de diferentes artículos publicados en el *Bulletin Hispanique,* va dando a conocer textos y documentos inéditos u olvidados que iluminan aspectos de la vida y obra de García Lorca (1957, 1958 y 1959), admirablemente sintetizados en su útil cronología, cuya primera aparición es de 1957, aunque contará con una nueva versión en 1963 y una difusión amplia a través del volumen (1973) de I. M. Gil.

Carlos Morla Linch publica en aquellos años la que será primera en una serie de libros de memorias sobre la España de los años veinte y treinta, y que en el caso de Morla se centra en Federico como protagonista de un mundo intelectual que el diplomático chileno pudo conocer desde 1928 a 1936 (1957). Inmediatamente aparecerá el libro de Mora Guarnido (1958), que iluminará, con su condición de «testimonio», toda la zona de la infancia, adolescencia y juventud de Federico. Al año siguiente será

Jorge Guillén el que dará un gran avance en el conocimiento del poeta al publicar una conocida semblanza y un amplio epistolario (1959), luego difundidísimos, como venimos diciendo, a través de la edición de Arturo del Hoyo de *Obras completas*.

En los años sesenta, la vida y la obra de Lorca conoce nuevas aproximaciones, algunas tan valiosas como la de Couffon, con Granada como centro de esa investigación (1962, 1964); la de José Luis Cano, que une a su valor informativo el gran interés de ser una bibliografía ilustrada (1962), y, finalmente, la monografía de Marie Laffranque (1967 *b*), a la que seguirá otro libro francés importante sobre García Lorca, el de Marcelle Auclair en 1968 (1975). De 1966 es el primer artículo lorquiano de Gibson, quien a partir de ese año vendría publicando aportaciones extraordinariamente rigurosas y clarificadoras, que culminan en la primera versión de su trabajo sobre la muerte de Lorca (1971), conocido en España más tarde a través de diferentes ediciones (1979, 1981, 1985). La labor del biógrafo de Lorca conoce en la actualidad solamente el primer volumen de una amplia y detallada biografía (1985 *a*) en la que se manejan miles de testimonios, documentos y referencias, tanto escritas (sobre todo a través de olvidados textos periodísticos) como verbales. Sus investigaciones sobre la muerte de Lorca, ampliamente difundidas por la prensa de los primeros años setenta, fueron discutidas en el libro de Vila San Juan, lanzado con gran alarde editorial y que exculpaba, en cierto modo, al régimen de la responsabilidad de la muerte del poeta (1975).

De los años setenta son también los importantes e iluminadores trabajos de Martínez Nadal, amigo de Federico, que da a conocer nuevos datos inéditos en 1970 y 1974, y numerosos textos desconocidos en 1975. Sus «cuatro lecciones» sobre Lorca completan las aportaciones de este significativo autor (1980). Por su valor personal y por el tono afectuoso que lo preside, hemos de destacar la aparición del libro póstumo del hermano del poeta, Francisco García Lorca, que, junto a recuerdos de infancia y juventud, contiene excelentes análisis de algunas obras (1981).

No menos complejo e interesante es el campo bibliográfico de las ediciones de Lorca, en el que hay cuestiones muy debatidas, como el caso de *Poeta en Nueva York* o de *Libro de poemas,* que veremos más adelante, y en el que no dejan de aparecer textos nuevos totalmente desconocidos, como algunos de los *Sonetos del amor oscuro,* cuya reciente publicación ha demostrado la vitalidad de una obra aún no cerrada.

La edición de Arturo del Hoyo de *Obras completas* (1954), que alcanza en 1986 la 22.ª edición, se planteó como un campo de investigación abierto a novedades, aunque también ha sido muy criticada por no acoger algunas lecturas renovadoras. Se destaca en este sentido la extrema opinión de Daniel Devoto, que asegura que «la edición de Aguilar no puede servir para el estudio de García Lorca», después de apreciarle numerosos defectos textuales (1976, 44). Pero lo cierto es que desde su primera edición nace con el deseo de recogerlo *todo,* y, de hecho, desde ese mismo momento ya supera a la edición americana realizada por Guillermo de Torre (1938-1942) en ocho volúmenes, debido a la inclusión de *El maleficio de la mariposa.* Cada nueva edición ha ido recogiendo las investigaciones realizadas por los lorquistas tanto de España como del extranjero. Así en 1960 se incluían las aportaciones de Marie Laffranque (1957, 1958, 1959), mientras que en 1963 se aceptaban las novedades publicadas por Comincioli (1961), Couffon (1962) y Devoto (1959); en 1973, los textos publicados por Belamich (1960), Comincioli (1970), Gibson (1966, 1967) y Gallego Morell (1968), y en 1977, nada menos que *El público,* dado a conocer por Martínez Nadal (1970), así como poemas y cartas procedentes de las investigaciones del propio Martínez Nadal (1975), Antonina Rodrigo (1975) y Mario Hernández (1976).

Junto a estas aportaciones hay que destacar, en el campo de las ediciones, los trabajos llevados a cabo por Belamich, que ha dado a conocer textos en francés todavía inéditos en español (1981), así como por Mario Hernández y Christopher Maurer (1981, 1982, 1983, 1984) y por Miguel García Posada (1982). En marcha aún se encuentra la edición «crítica» de las obras de Lorca, que hasta final de 1986 sólo ha visto los trabajos de Eutimio Martín (*Poeta en Nueva York, Tierra y Luna,* 1981), Gibson (*Libro de poemas,* 1982) y André Belamich (*Suites,* 1983), mientras se ofrecen, en otros ámbitos editoriales, nuevas ediciones de *Can-*

ciones y *Primeras canciones,* a cargo de Menarini (1986), y de *Poema del cante jondo* preparada por De Paepe (1986 *c*). Ambas aportaciones dan a conocer importantes novedades textuales y críticas.

Como puede advertirse, la bibliografía lorquiana, ya desde su comienzo todavía en vida del poeta, ha transmitido de él una imagen múltiple que sería difícil sintetizar. Si desde el punto de vista biográfico son muchos los testimonios y documentos que ilustran la reconstrucción de su vida, costumbres, ideología, amistades y familia, desde el punto de vista literario nos encontramos ante una obra extraordinaria por su amplitud y originalidad, pero también por el proceso de transmisión de la misma. Ya señaló Francisco García Lorca que el poeta acostumbraba a regalar originales a sus amigos (1981, 140), por lo que, junto a los textos inéditos o editados, se han ido descubriendo versiones diferentes de poemas antes de llegar a incluirse en un libro. Están además los proyectos de libros no publicados como tales en vida del poeta (el caso de *Suites, Tierra y luna* o *Jardín de los sonetos,* entre otros), que los editores-críticos han tratado de reconstruir con diferente éxito y poder de convicción.

Fuera de los dos grandes apartados en los que vamos a centrar nuestra revisión tal como venimos anunciando (poesía y teatro), quedan todos los demás escritos o actividades de Lorca que han merecido atención de la crítica. Sobre las narraciones se ha ocupado, en una curiosa monografía, Moraima de Semprún (1975), mientras que su actividad como conferenciante ha sido glosada por Marie Laffranque (1976) y recogida por Christopher Maurer (1984). Fuera de lo estrictamente escrito por Lorca, hay que destacar sus otras actividades, como el concurso del Cante Jondo, con aportaciones de Falla (1922), Gallego Morell (1960) y Eduardo Molina Fajardo (1962); la revista *Gallo,* con estudios de Gallego Morell (1954 *a* y 1975), Daniel Eisenberg (1975 *b*) y José María de Cossío (1970). Sobre su labor como dibujante y pintor, señalamos los estudios de Gregorio Prieto (1943, 1949 y 1969), y sobre sus armonizaciones y folklore, los trabajos de Federico de Onís y Emilio de la Torre (1941). Finalmente, su relación con el cine y su guión *Viaje a la Luna* han sido estudiados por Marie Laffranque (1980), Power (1976) y R. Utrera (1982).

6.1.2. *Primeros libros*

El primer libro que publicó García Lorca, en 1918, es *Impresiones y paisajes,* «libro en prosa, inspirado en gran parte por las excursiones arqueológicas de 1916», según apunta Marie Laffranque (1973, 416). Es precisamente en ese último año cuando Federico se aficiona a escribir. Francisco García Lorca ha dado cuenta de la dedicación del poeta a una obra que aún hoy permanece en su mayor parte inédita: «En los años 1917 y 1918 llena cuartillas con avidez, y tengo la impresión de que no era amigo de comunicarlas en la lectura, sino, acaso, recatadamente y en la intimidad» (1980, 160).

La mayor información sobre esta etapa de la obra de Lorca, denominada «juvenilia», se encuentra en la biografía de Gibson (1985 *a,* 197 y ss.), que se ha completado con una interesante valoración crítica a través de las investigaciones de E. Martín (1986). Según Gibson, tales escritos

> constituyen una especie de diario íntimo del estado del poeta por aquellos años. Diario cuyos dos temas principales y reincidentes, íntimamente vinculados, son una creciente rebeldía del poeta contra la ortodoxia católica en que ha sido educado y una desgarradora angustia erótica (1985 *a,* 198).

Junto a ellos, el propio Gibson ha descubierto algunas otras inquietudes del joven escritor, como el antimilitarismo (1985 *a,* 203), la admiración inicial a Rubén Darío (1985 *a,* 208 y ss.), que ya había sido advertida por Ángel del Río (1935, 178), valorada por Umbral en relación con la influencia de algunos poetas franceses de fin de siglo (1977, 40) y estudiada con cierto detalle por Devoto (1967 *b,* 27-31). Por su parte, Francisco García Lorca, al dar a conocer poemas iniciales de Federico tales como el titulado «Canción, ensueño y confusión», ha puesto de manifiesto la realidad de la enorme influencia del poeta nicaragüense en Federico (1980, 161), que Gibson confirma tras el análisis de otros poemas inéditos procedentes del archivo familiar lorquiano y algunos textos en prosa, como sus enigmáticas «místicas», aún inéditas también: *Mística en que se habla de la eterna mansión, Mística en que se trata de Dios. Oración, Visión de Juventud. Mística que trata del freno puesto por [la] Sociedad a la naturaleza de nuestros cuerpos y nuestras almas.*

Los biógrafos de Lorca se refieren a la aparición de *Impresiones y paisajes* a mediados de abril de 1918 como una «gran sorpresa», y de hecho es el libro un producto extraño que, como advierte Auclair, «es de una importancia capital para conocer a García Lorca» (1975, 62), dado que en él maneja lo que será la sustancia de su obra. De las iniciales producciones en prosa de Lorca se ha ocupado Andrés Soria (1980, 213-297) y a *Impresiones y paisajes* ha dedicado un estudio reciente Lawrence H. Klibbe (1983), en el que elabora un detenido análisis de este libro primerizo al que la crítica ha dedicado poca atención, quizá por ser considerado, como afirma Díaz-Plaja,

> obra, sin duda, primeriza, fruto de reflejo de lecturas, escolar casi, [aunque] tiene para nosotros el valor de recoger la primera visión conjunta del escritor, sus ideales literarios y aun sus proyectos (1973, 73).

Ha sido Francisco García Lorca el que ha asegurado que, al publicarse en Madrid, en 1921, el *Libro de poemas,* Federico se convertía en uno de los primeros de su generación en publicar libro. Hay que tener en cuenta que sólo Gerardo Diego, con el *Romancero de la novia,* de 1920, y Dámaso Alonso, con *Poemas puros, poemillas de la ciudad,* de 1921, comparecen tan tempranamente en las letras españolas, cuando aún no había ejercido influencia alguna Juan Ramón Jiménez y estaba en todo lo suyo el efímero movimiento del ultraísmo, que en efecto influyó en algunos de estos poemas primeros del poeta granadino (1980, 195).

Se ha destacado por los críticos que se han aproximado a este libro que se trata de una obra temprana y, sin dificultad, se han citado las principales fuentes, que se corresponden con las lecturas iniciales del poeta. Al ya citado Rubén Darío podemos añadir ahora a Antonio y Manuel Machado (Zuleta, 1971, 201), Salvador Rueda (Carlos Edmundo de Ory, 1967), Unamuno, Víctor Hugo, Amado Nervo, Villaespesa, etc., hasta llegar al creacionista Vicente Huidobro (Hernández, 1984 c, 25). Daniel Devoto ha señalado con detalle la presencia de la canción tradicional como fuente de éste y de los demás libros iniciales (1973, 117-127), destacando la recuperación artística que en *Libro de poemas* hay de su infancia.

Sobre la complicada cuestión textual hace un balance clarificador Mario Hernández (1984 *c*, 233-271), que considera que la edición príncipe de *Libro de poemas* responde no directamente a manuscritos de Lorca, sino a un apógrafo previo sobre el que trabajaron el editor y los tipógrafos. La existencia de tantos mediadores es la que determina que existan notables diferencias entre manuscritos conservados, publicaciones previas en revistas y texto definitivo. Los anteriores editores de esta obra, especialmente García-Posada (1982), Gibson (1982) y Massoli (1982), observan numerosas diferencias en cuanto a puntuación y regularización métrica, ya que basan en manuscritos o en la propia *princeps,* soluciones que a Hernández no siempre parecen aceptables.

En cuanto al contenido del libro, en sus inquietudes hay que relacionarlo, como ha hecho Gibson (1985 *a*, 197), con los restantes textos de la «juvenilia», aunque ya antes Umbral había observado que «muerte y sexo son los elementos esenciales de una obra que vista en panorama parece tan varia» (1977, 41). Lo cierto es que la gran variedad de *Libro de poemas* fue apreciada desde su misma aparición a juzgar por las críticas que recibió el libro y que comenta Hernández, quien finalmente señala que las composiciones contenidas en la obra

> anuncian y certifican públicamente, no ya ante el nuevo coro de oyentes, el nacimiento de un poeta grande y variado que con indudable inmadurez, pero con hallazgos de visión e inspiración poderosísima, exploraba caminos diversos con voz y sabiduría diferenciadas (1984 *c*, 40).

El libro que, según los especialistas, acometió García Lorca a continuación de *Libro de poemas* no llegó a publicarse en vida del poeta, sino ya en nuestros días, gracias a la reconstrucción llevada a cabo por André Belamich (1983), que pretende recoger la voluntad del poeta de publicar un libro titulado *Suites.* Al parecer, tal obra llegó a estar ordenada y dispuesta para la imprenta en 1926, junto con el *Poema del cante jondo* y *Canciones,* aunque sólo este último vería la luz en aquella ocasión, ya en mayo de 1927. Así lo atestiguan numerosas referencias de la correspondencia de Lorca que recoge Belamich (1983, 16).

Según los datos de que disponemos, el libro se compuso entre finales de 1920 y verano de 1923 y, como el «original» dispuesto para la imprenta y finalmente no utilizado no ha aparecido, su reconstrucción se ha basado en los poemas que Altolaguirre publicó en 1936 en *Primeras canciones,* en los aparecidos en revistas y en los manuscritos conservados en diferentes archivos, algunos de ellos inéditos hasta 1983.

Se ha destacado la importancia de este libro restaurado por recoger ese género nuevo, creado por Federico, en el que «series de canciones ligeras [...] hacen girar ante nuestros ojos las diversas facetas de un mismo tema», según Belamich (1983, 21), al mismo tiempo que otros grupos meditan sobre el tiempo, la muerte o lo increado. Dos partes se distinguen, por tanto, en este libro. La primera, grácil y alegre, constituirá el precedente de *Canciones* y será el «laboratorio» de *Poema del cante jondo,* que se compone en una breve interrupción de los trabajos sobre las *Suites,* en noviembre de 1921. La segunda, termina Belamich,

> marca el punto de partida del gran río negro, meditativo y visionario, radicalmente pesimista que, corriendo por debajo de las *Canciones* y del *Romancero gitano,* anegará *Poeta en Nueva York* y el *Diván del Tamarit* (1983, 22).

En *Suites* ha visto Charles Marcilly (1986) ya, tan tempranamente, evidencias de la crisis personal que, más tarde, se descubriría en *Poeta en Nueva York.*

Poema del cante jondo se escribe en no más de dos semanas, como hemos señalado, en noviembre de 1921, y no se publica hasta diez años más tarde, después de algunos añadidos y cierta reelaboración, como han señalado Joseph y Caballero (1984, 14). La obra ha recibido mayor atención por parte de la crítica que las anteriores, ya que se ha unido, por afinidades temáticas y de temperatura, a la que, sin duda, es la más popular de todas las obras lorquianas: el *Romancero gitano.* El último en hacerlo ha sido Christian de Paepe (1986 *b*). Un buen sector de lorquistas se ha ocupado de diferentes aspectos de este libro, desde los primeros acercamientos globales a la obra del poeta, y de ello da cuenta Debicki (1968, 202) como paso previo a su análisis. Revela esto lo significativo del libro, pero al mismo tiempo el interés que ha despertado este acercamiento a un mundo musical y racial plenamente andaluz, primordial en Lorca, tanto porque es reflejo de su afición y admiración hacia el cante jondo (Joseph y Caballero, 1984, 55 y ss.) como por su capacidad de sublimación de un mundo «cerrado para muchos». Como resume Debicki,

> la transformación de la realidad sirve frecuentemente, en este libro, para destacar el valor del canto y de todo arte creador. Por medio de varios recursos estilizadores, Lorca nos hace sentir cómo la canción y toda obra de arte captan valores esenciales de la vida y se sobreponen a episodios triviales (1968, 203).

La relación del libro con el mundo del cante jondo ha sido analizada, basándose en una amplia bibliografía especializada, por Joseph y Caballero (1984), mientras que Hernández, en su edición, ha tratado con el rigor habitual, entre otros, los problemas textuales (1982 a). Trabajos significativos y monográficos en la bibliografía del *Poema* son el de Grazia Profetti sobre símbolos y códigos expresivos (1977), que complementa las habituales precisiones de Correa (1970); el de Miller, que ofrece un estudio global sobre la obra (1978), y el de Gallego Morell, con interesantes observaciones sobre su condición de «poema de juglar» (1983, 203-215). En libros más generales, sobresalen el estudio de las metáforas llevado a cabo por Díaz-Plaja (1973, 108-113), las observaciones en relación con lo popular de Arturo Barea (1956) y los análisis siempre valiosos de Emilia de Zuleta (1971), que concreta los temas significativos de esta obra lorquiana: la muerte a la que «se asocian la soledad y la pena y las distintas formas del sentimiento de la muerte: la conciencia del destino ineludible, la espera, la inminencia, el presentimiento» (1971, 209).

Las *Canciones* se diferencian de sus coetáneas las *Suites* en que, mientras éstas formaban conjuntos o variaciones en torno a un tema central, aquéllas eran más abiertas y sueltas, y, como señala Hernández, podrían formar un libro aparte, de acuerdo con el triple proyecto que ya hemos comentado (Belamich, 1983). Nace así *Canciones,* con evidente carácter de colectánea y con una clara relación también con la música, que ya vio Gerardo Diego en la reseña que dedicó al libro en 1927. Díaz-Plaja ha destacado este aspecto y ha puesto en relación tal actividad de Lorca con similar producción en el Lope de Vega más popular. La relación con los libros que entonces efectuaba Rafael Alberti también ha sido destacada por Hernández (1982 *c*, 18), mientras Debicki se ha ocupado de aspectos sensoriales (1968, 213 y ss.) y Zuleta ha destacado el impresionismo dominante en el libro,

> las imágenes fragmentarias que alternan en planos contrastados y que pueden ordenarse además, según una disposición que incluye los objetos mismos, las sensaciones que suscitan, la síntesis afectiva entre ambos órdenes y los elementos sugeridores nacidos en el ámbito mismo del poema o incorporados a él como resonancias sensoriales, afectivas y conceptuales (1971, 217).

Algunas canciones han recibido especial atención, y en este sentido hay que destacar el análisis que de «Malestar y noche» hizo Bousoño (1973), pero entre los especialistas siempre ha sido muy elogiado el comentario que de la «Canción del jinete» hizo Francisco García Lorca y que, en efecto, se destaca por su amplitud y precisión. Verdaderamente, sus observaciones sobre la riqueza de elementos, tanto plásticos como temporales y rítmicos en el espacio de una canción tan breve, pueden hacerse extensivos a otras muchas composiciones de este libro. Andalucismo, tono popular e intensidad lírica, habituales de un importante sector de la lírica lorquiana, culminan en este poema singular (1973, 187 y ss.).

De entre los numerosos poemas sueltos de Lorca han merecido especial atención de los críticos las dos odas, que deberían formar parte de un libro proyectado por el poeta y que ni continuó ni, por supuesto, se sabe nada más de él. La primera de ellas es la «Oda a Salvador Dalí» (1926), que ya llamó la atención de Díaz-Plaja, quien destacó «su ambición intelectual» (1973, 163), tras dar cuenta de la amistad de Lorca con Dalí, capítulo de la biografía

de ambos investigado modernamente con detención por Antonina
Rodrigo a través de dos libros (1975, 1981). Más compleja es
la «Oda al Santísimo Sacramento del Altar» (1928), más compleja
desde el punto de vista poético, técnico y textual, ya que no se
conoció completa hasta la edición de *Obras completas* de 1974
(1977, II, 489). Se trata, como bien ha sintetizado Zuleta, de la

> alabanza de ese Dios anclado, [que] incluye algunos versos donde el
> misterio de la Encarnación se carga de alusiones analógicas al acto de
> creación poética. La Encarnación, integración cabal, síntesis perfecta de
> materia y forma acuñada por el amor (1971, 195).

6.1.3.   *Sobre el* Romancero gitano

Mucha atención de un amplio sector de la bibliografía lorquiana ha recibido el *Romancero gitano*. Partiendo de la gran fama
inicial de la obra que conoció la rápida sucesión de ediciones,
exactamente diez hasta 1937 (Rozas, 1980, 12), ha suscitado mucho interés la cuestión de su título inicial, *Primer romancero gitano,* cuyos tres términos explica Hernández (1981 *a*, 10 y ss.):

> Hemos de deducir, por consiguiente, que *Primer romancero gitano*
> significaba, en el sentido del autor, primer romancero escrito sobre el
> mundo gitano. García Lorca exaltaba así la novedad de su intento y se-
> ñalaba la singularidad temática de su libro (1981 *a*, 11).

Tal peculiaridad temática viene dada, de forma clara, por el
hecho de que estamos ante un poemario con una intención determinada: mostrar una de las facetas más notables de Andalucía,
que ya Lorca había puesto en su *Poema del cante jondo.* De las
relaciones entre un libro y otro se han ocupado particularmente
Allen Joseph y Juan Caballero (1984), mientras que Mario Hernández ha visto esa vinculación especialmente en la música:

> En el caso de Lorca se produce [...] una identificación natural con
> el mundo gitano, el cual llega especialmente por la música y el canto.
> En este sentido [...], el *Primer romancero gitano* está en su origen
> ligado al *Poema del cante jondo,* del cual se desprende y con el que

mantiene lazos de unión. El cante jondo, el cante gitano andaluz en su desarrollo moderno, está en la raíz de los libros... (1981, 14).

La cuestión del *gitanismo* es también del máximo interés, y no son pocos los que de ella se ocupan desde un interesante artículo de Soria, en el que se sintetizan las relaciones de Lorca y los gitanos, exaltados por el poeta en dos dimensiones o facetas diferentes, pero ambas de capital importancia: «Su valor de depositarios de la tradición y de voceadores de ella» (1949, 8). Pero quizá la nota más destacable es la relación personal del poeta con este mundo que llegó a rechazar, aun antes de la publicación del libro, por influir excesivamente en sí mismo y en su fama externa. Arturo Barea es de los muchos que advierten que «Lorca se rebelaba contra el destino que le amenazaba con encontrarse atado a un estilo "viejo andaluz" y clasificado él como un poeta de "color local"» (1956, 124).

Muy valiosas son las aportaciones que Lorca hizo al desarrollo de la tradición hispánica del romancero, como ya valoró en su conjunto Pedro Salinas cuando lo consideraba uno de los máximos representantes del «romancismo» del siglo xx (1967, 325). Técnicamente, sus romances viven muy de cerca las características del romancero viejo y, como ha señalado De Long, es posible advertir cuatro puntos de conexión entre el romance tradicional y el del poeta granadino: falta de acción secundaria, apoyo del diálogo, cierta economía descriptiva y figurativa y objetividad narrativa (1969 *b*, 51), mientras que G. Rizzo ha señalado que «dramatismo y plasticismo figurativo son la textura espiritual y poética de la parte de su obra enlazada con la vida y la leyenda del pueblo» (1955, 50). Sobre el particular se han ocupado también Devoto (1973) y López-Morillas (1973), entre otros muchos. En la elección de la forma del romance, Auclair ve la génesis misma del poemario: «La razón por la cual el poeta ha elegido el romance es bien clara: éste arraiga en una tradición de la que posee, más que el conocimiento, el instinto genial» (1974, 146).

Desde el punto de vista estilístico, se ha destacado la riqueza formal de la aportación lorquiana no ya a la concepción del romance tradicional, sino a la propia poesía española. Partiendo de aspectos puramente estilísticos como son el manejo de los tiempos de los verbos, en relación con el romancero viejo, tal como ha estudiado Szertics (1969, 269-285) y anteriormente Juan Cano Ballesta, que destacó las reformas que en este aspecto logró Lorca:

> Si la tendencia a la asimetría impone esta —al menos aparente— anarquía temporal en el romancero, [...] es García Lorca quien, dado su afán por lo popular y su exquisita formación artística, se aprovecha de tal estado de cosas y llena este vacío extrayendo a los tiempos del verbo una quintaesencia estética y descubriendo en ellos matices valiosos, a veces originales, otras oscuramente sugeridos por el romancero tradicional (1973, 49).

En el campo del estilo destacan particularmente las innovaciones lorquianas en torno a la metáfora, cuyo valor en relación con lo simbólico ya puso de manifiesto Flys (1955), pero es Zardoya la que destaca el *Romancero gitano* como uno de los más expresivos espacios en donde se desarrolla la peculiar y complicada técnica metafórica de Federico,

> incansable cultivador de la imagen poética, un constante aficionado a las traslaciones de sentido, un infatigable creador de metáforas populares y cultas, llenas de congoja o alegría humana y cósmica y hasta «extraatmosférica», como él mismo afirmaba al hablar de Góngora (1974, 11).

Sin duda, este riquísimo mundo lingüístico hay que ponerlo en relación con los contenidos, en los que se ha advertido un notable primitivismo, simbolizado en el gitano: «El conflicto entre el afán del gitano por vivir sin trabas y su forzoso sedentarismo simboliza, en reducido ámbito, el conflicto de mayor cuantía entre el primitivismo y la civilización», señala López-Morillas (1973, 293). La violencia, la voluntad, el amor, la muerte, la sangre son temas que dan forma al *Romancero* y que definen su mundo mítico analizado, entre otros, por Correa, que ve la clave del poemario en «la fusión de un elemento humano anecdótico y un acontecer cósmico en un plano único de realización mítica» (1970, 75). La presencia del gitano garantiza la verdad de una figuración mítica en la que están muy presentes la vida, la pasión y la muerte que constantemente se desenvuelve en dos planos: el humano vital y el mítico. La multiplicidad de elementos míticos, de símbolos y de signos vitales y parciales va definiendo un mundo poético singular: las fuerzas oscuras que mueven la vida del gitano de carne y hueso, la presencia o el presentimiento de la muerte, la lucha constante y vital del amor, el sufrimiento, la soledad, etc., reciben una representación múltiple en la que adquieren una especial relevancia elementos de la realidad anecdótica míticamente transfigurados: fragua, luna, sueño, viento, sangre, caballo, cuchillo, ángel, tarde, pena, madrugada, etc., etc. «Cuando no existe un mito unificador —asegura Correa— que estructura la totalidad del poema, la metáfora adquiere un sentido y forma fabular dentro del tono narrativo del romance» (1970, 80). Sobre este aspecto, es fundamental el clásico trabajo de Álvarez de Miranda (1963) y alguna aportación posterior de Andrés Amorós (1985) y de Debicki (1986).

De todos los temas del *Romancero,* el que más ha llamado la atención por su carácter dominador ha sido la muerte o la Muerte con mayúscula, tal y como advirtió Pedro Salinas, cuando destacaba su poder y su fuerza en el mundo poético lorquiano «sometido al imperio de un poder único y sin rival: la Muerte. Ella es la que se cela, y aguarda su momento, detrás de las acciones más usuales, en los lugares donde nadie la esperaría» (1961, 389). Ricardo Gullón también ha destacado el conflicto entre la alegría vital del poeta y la presencia constante de la muerte (1954, 7), mientras que, por su parte, Emilia de Zuleta ha observado la obsesión de Lorca ante tal fenómeno vital, muy presente en sus múltiples facetas ya en el *Poema del cante jondo,* y ahora lleno de fuerza en el *Romancero* junto a otros elementos vitales. Escribe Zuleta:

> Hoy la crítica parece más inclinada a examinar el *Romancero gitano* como repertorio de temas de la vieja tradición: el tema de la muerte y el tiempo en una perspectiva radicalmente antropocéntrica, a la española, y más aún, a la andaluza. De esta temática central procura descubrir la clave organizadora de los motivos particulares y de las relaciones secundarias (1971, 229).

La estructura interna del *Romancero gitano* ha determinado que los poemas hayan sido estudiados muchas veces como unidades individuales, fenómeno que ha ocurrido solamente con este libro de Lorca frente al resto de los poemarios, valorados más de forma conjunta. Sin duda, ha sido la misma personalidad de cada uno de estos *romances* —su propia condición de tales ya les otorga cierta «independencia» del resto del conjunto— la que ha provocado hacia algunos de ellos una atención particular.

Del «Romance de la luna, luna» se ocupa Carlos Feal Deibe (1971 *a*), mientras que de «Preciosa y el aire» se destaca, ya desde su aparición, su cervantismo (Díaz-Plaja, 1973, 127) o la presencia en él de elementos de la tradición muy particulares como San Cristóbal y «la devoción popular que hace de [él] un buen casamentero», como ha señalado Devoto (1973, 143). Sobre este particular, también han escrito Forster (1943, 106-116) y Barea (1956, 173).

Mucho interés ha suscitado el «Romance sonámbulo» partiendo ya de la primera palabra «Verde», que constituyó el motivo de uno de los estudios de Francisco García Lorca (1972, 135-139). Aguirre destacó su condición de «más complejo» romance de los contenidos en el poemario, porque «en él se ha reunido la mayoría de los símbolos más obvios de la obra de García Lorca», lo que permite que su «comprensión emocional, es decir, poética» sea «engañosamente fácil» (1973, 25). Darmangeat (1956, 1-11), De Long-Tonelli (1971, 285-295), Gicovate (1958, 300-302) y Velasco (1969, 188-189), entre otros, han tratado de aportar ideas para la comprensión del profundo simbolismo de este poema complejo, cuyo significado el propio Lorca no se decidió a explicar con claridad.

De «La monja gitana» se ha ocupado González Muela (1955, 90-101) y a «La casada infiel» ha dedicado un detenido análisis Christopher Eich, quien ha tratado de explicar el secreto de la fascinación de un poema de los «más claros y accesibles de Lorca, lineal, patente, libre, por decirlo así, de símbolos y elipsis poéticas y, por tanto, absolutamente comprensible por vía racional» (1976, 18).

La preferencia por unos u otros romances, debido a las dificultades de interpretación o al atractivo de metáforas y símbolos, ha hecho que los especialistas se hayan detenido más o menos circunstancialmente en otros poemas, como los de Camborio (De

Long, 1969 *a*, 840-845; Rodríguez y Tomlins, 1973, 541-545), aunque no menos interés han suscitado el de la «Guardia Civil española», el «del Emplazado» o los tres que cierran el libro, los llamados por Lorca «históricos».

Estos tres romances, en su condición ternaria, tienen en el centro del volumen un paralelo lleno de interés en otro grupo de tres poemas, los dedicados a las tres ciudades más importantes de Andalucía, Sevilla, Córdoba y Granada, que quedan vinculadas a tres arcángeles, San Gabriel, San Rafael y San Miguel. Lorca había aludido muchas veces en su poesía a las tres ciudades comparándolas a través de diferentes elementos, como pueden ser los ríos, los jóvenes, etc. Ahora son los arcángeles los que quieren simbolizar estas nuevas imágenes de las tres Andalucías: San Miguel con Granada, ya que, en efecto, hay una ermita y una romería del Albaicín al Sacro Monte, como ya advirtió Couffon (1967, 40); San Rafael con Córdoba, relacionado con las más antiguas tradiciones de la ciudad califal; y, finalmente, San Gabriel con Sevilla, sin que, como indica Mario Hernández (1981 *a*, 28), exista una causa fuera del mundo lorquiano que justifique la relación, aunque Díaz-Plaja lo relaciona con las imágenes de Semana Santa y con Salzillo, cuyo Ángel nada tiene que ver con Andalucía ni con Sevilla (1973, 48). En el efecto de conjunto es donde más bien hay que situar la presencia de San Gabriel, como elemento similar a los de los otros dos arcángeles y las otras dos ciudades. Ésta parece ser la opinión de Mario Hernández cuando pone en relación éste con los otros dos poemas, señalando que, «como en el viejo romance de Abenámar, no podían faltar en el *Primer romancero gitano* Córdoba y Sevilla, ciudades que el rey don Juan ofrece como preciadas arras y dote a Granada en su rechazada oferta de matrimonio. Acaso este recuerdo facilita la elocución del poeta, pues ningún *a priori* exige, desde fuera del mundo lorquiano, la asociación de San Gabriel a Sevilla» (1981 *a*, 28). En definitiva, son las tres imágenes que de la geografía andaluza nos da el poeta a través de las tres míticas ciudades, vividas en una interpretación poética peculiar, como ha estudiado Díaz-Plaja (1973, 37-60), ya que Lorca configura en ellas tres el gesto de Andalucía. «De las tres ciudades andaluzas que definen [...] el plural universo andaluz de García Lorca, una —Sevilla— muestra un alegre gesto sonriente. Pero el amor del poeta se vuelca sobre las otras dos —Córdoba, Granada—, doloridas y nostálgicas, melancólicas y silentes» (1973, 37).

Como estos tres que constituyen el centro del libro, los tres «romances históricos» cierran el poemario como si Lorca quisiese volver a la tradición —una más— del romance histórico en nuestras letras y que tanto éxito había tenido en el barroco, neoclasicismo y, sobre todo, romanticismo. Sin embargo, la interpretación de Lorca, al tratar «asuntos» históricos, es distinta. Mezcla lo literario-histórico con la tradición oral y, desde luego, establece una relación simbólica con el mundo gitano. Por estas razones quizá han recibido una mayor atención de los críticos que han querido «descubrir» la relación entre lo histórico, lo legendario y lo estrictamente lorquiano que da sentido a estos poemas.

El «Martirio de Santa Olalla» ha llamado la atención de Marcial J. Bayo (1952, 20-24) y de Lunardi (1946), mientras que Alex Scobie ha comparado el poema con la que posiblemente es su fuente: una composición de Prudencio sobre la mártir romana Santa Eulalia de Mérida, al tiempo que ha destacado la escalofriante belleza de las imágenes de la tortura que constituyen el momento más dramático del poema (1967, 298). Más recientemente, Miguel García-Posada ha interpretado nuevamente y ha fijado el texto de tan singular romance (1978, 51-62).

Manuel Alvar ha prestado una atención especial al romance de «Tamar y Amnón», relacionándolo con la tradición culta y la cultura tradicional, y poniendo de manifiesto la conexión de Lorca con el romancero español antiguo desde la visita a Granada de Menéndez Pidal en 1920, en un logrado intento de explicar uno de los más complejos romances de la colección lorquiana (1970, 239-245).

Y, por último, mayor interés de los especialistas ha suscitado la «Burla de don Pedro a caballo» y su condición de «romance con lagunas», como se tituló en principio. Son interesantes las interpretaciones de Gauthier (1956, 1-23) y de Marcilly (1957), aunque esta última muy discutida, ya que supone la identificación de don Pedro con el apóstol San Pedro. Por su parte, Doris M. Glasser (1973), basándose en Menéndez Pidal (1951, 111), ha puesto en relación la figura de don Pedro con «Don Bueso», tradicional precedente del romancero que solía ser objeto de burla entre los literatos (1973, 200), al mismo tiempo que ha relacionado algunos de sus versos con la copla de *El caballero de Olmedo*. Destaca, finalmente, la interpretación de Mario Hernández, quien asegura que «de quien se trata, y al menos dos referencias en la prosa del poeta lo reafirman, es de Pedro I el Cruel, rey tan ligado a Sevilla por razones históricas, legendarias y literarias» (1981 *a*, 38), aunque desde luego reconoce que, como en otros poemas lorquianos, las fuentes «se entrecruzan en el nacimiento del poema»: el rey cazador junto a una laguna en los campos de Jerez, el eco de la canción de *El caballero de Olmedo* y otras tradiciones.

Queda claro, por tanto, que el *Romancero gitano* es una de las parcelas más atendidas por la crítica que ha tratado de averiguar el secreto de esa mezcla de lo popular y lo culto, de lo lírico, lo dramático y lo narrativo-épico, de lo tradicional con lo nuevo que definió la personalidad de Lorca, que, como señala Honig, «en su infatigable búsqueda de la conjunción entre los hábitos de una percepción cultural añeja y los valores de un mundo nuevo se sentía obligado a experimentar de manera incesante formas diferentes» (1974, 87).

6.1.4. *Sobre* Poeta en Nueva York

Poeta en Nueva York, tal como ha llegado a nosotros a través de la edición de Bergamín (1940), ha constituido durante muchos años uno de los libros más complejos de Lorca y que, por ello, más han interesado en las últimas décadas a los críticos. Dos grandes bloques bibliográficos hay que distinguir a la hora de acercarnos a este libro tan extraordinario. Por un lado, la cuestión textual, y por otro, lo que podríamos denominar «interpretación» del libro. Ambos problemas, cada uno con su propia y diferente complejidad, han sido debatidos durante años y aún lo serán durante bastantes más, porque en su raíz está el conocimiento de la obra del poeta. Las dificultades de la escritura poética de *Poeta en Nueva York* se ven aumentadas por la inseguridad que hoy poseemos de que quizá no estamos leyendo el texto tal y como hubiera sido el deseo de García Lorca.

La historia de este texto comienza en el momento en que el poeta, en 1936, deja sobre la mesa del despacho de Bergamín en Madrid el que podríamos denominar «manuscrito» de su libro sobre Nueva York. Habrían de pasar varios años difíciles y muchas peripecias y vicisitudes hasta que en 1940, y en ediciones prácticamente simultáneas, apareciese editado el libro de Lorca en dos versiones que, procedentes del mismo original, ya presentan diferencias: la del norteamericano Humphries (1940), publicada en Nueva York, y la de Bergamín (1940), que ve la luz en México.

La presencia de estas notables diferencias (la colocación del poema «La aurora» y la ausencia de «Tu infancia en Menton» en el libro de Humphries) despertó pronto sospechas más que fundadas de que la colocación de poemas y el espíritu de *Poeta en Nueva York,* tal como lo conocemos, no responden en realidad a la estricta voluntad de Lorca. Un grupo de expertos, que comienza con el libro de Eisenberg (1976) y algunas otras aportaciones suyas (1974, 1975 *a*), y continúa hasta nuestros días con la tesis de Eutimio Martín (1976, 1981) —que viene a confirmar sus primeras observaciones (1972)—, se ha ocupado con detalle de todas estas cuestiones. Por su parte, García-Posada ha suscrito la opinión de Martín, a la que ha llegado por medio de cuidadosas observaciones filológicas, basadas en el minucioso examen de manuscritos y otros documentos. Ambos opinan que el texto que Lorca dejó a Bergamín no era el libro totalmente preparado para publicar y que en él había que hacer manipulaciones posteriores que, sin duda, Bergamín, como editor, llevó a cabo. La cuestión está en hasta qué punto tales manipulaciones fueron importantes.

Martín y García-Posada creen que puede haber otra ordenación de los poemas, de acuerdo con deseos expresados en diferentes ocasiones por Lorca, y, de hecho, reconstruyen una nueva versión de los poemas de Nueva York basándose en tres documentos: el texto de la famosa conferencia que Lorca pronunció en diferentes ocasiones desde 1931, en la que se incluían una serie de poemas neoyorquinos siguiendo un determinado orden; la lista, de puño y letra de Federico, de poemas que habrían de formar su libro *Tierra y Luna*; y, finalmente, la lista de fotografías («postales» rechazadas por Bergamín) que deberían ilustrar *Poeta en Nueva York.*

La edición crítica de Martín (1981) es bastante clarificadora. Contiene un excepcional documento, una larga, interesante e, indudablemente, pintoresca entrevista con Bergamín, de la que, sin embargo, no se saca mucho en claro. El manuscrito como tal no aparece porque quizá nunca existió como original, sino que quizá lo entregado por Lorca no fue sino una colección de poemas para ir estudiando la publicación de un libro. La conclusión de Martín no se hace esperar, y, por todo lo dicho, decide prescindir de lo presuntamente realizado por Bergamín y establecer un nuevo texto:

> Convencidos de que la entidad de *Poeta en Nueva York,* en cuanto libro, no ofrece una total garantía, los poemas que lo componen recobran su autonomía y nos vemos en la obligación de seguir, hasta donde podamos —hasta donde los documentos en nuestra posesión nos lo permitan—, la atestiguada gestación del libro, resignándonos, mientras no aparezca el improbable manuscrito definitivo, a considerarlo como obra inacabada (1981, 74).

La existencia de *Tierra y Luna* transforma, desde luego, el panorama de la obra de Lorca, y su realidad viene apoyada también por diferencias de contenido. Se trata de un poemario «mucho menos lineal y descriptivo», «particularmente intranquilizador, escalofriante incluso, que se diría escrito desde la muerte», según Martín (1981, 78). De él Lorca habla con frecuencia a lo largo de los años treinta como libro realizado, y su existencia y realidad ha sido valorada, entre otros, por Christian de Paepe (1972) y Piero Menarini (1978).

Pero no todo el mundo está de acuerdo con ellos. El último, hasta ahora, en ocuparse de este asunto ha sido Predmore (1985), que en su reedición, en versión española, de su monografía sobre *Poeta en Nueva York,* ha repasado la situación y ha establecido que el libro que hoy conocemos puede responder bastante a los deseos de Lorca. «Cabe creer que más del noventa por ciento de *Poeta en Nueva York,* en su forma actual, refleja la ordenación que le dio Lorca en 1935» (1985, 15). La mayor objeción planteada reside en que las nuevas teorías afectan gravemente a la estructura de *Poeta en Nueva York,* ya que, para formar *Tierra y Luna,* hay que suprimir una importante sección de *Poeta,* la titulada «Introducción a la muerte», con lo que se prescindiría de uno de los elementos más significativos de la construcción del poemario, tal como nos lo remitió Bergamín. «Parece probable —concluye Predmore— que esto traicione la intención del poeta, ya que en su mente «Introducción a la muerte» iba íntimamente asociada a *Poeta en Nueva York*» (1985, 22).

Para tomar tal decisión, el estudioso norteamericano ha preferido la opinión del contemporáneo y amigo de Lorca (Bergamín) a las reformas actuales, alejadas en el tiempo del propio Federico. Y también ha tomado en consideración la opinión de Ángel del Río, que conoció el libro en su génesis y que en su estudio de la obra ha destacado la «clara organización externa» y la «ilación interna en los sentimientos y estados de ánimo del poeta» (1966, 264), así como «que esta visión con apariencia de pesadilla de la ciudad y de la vida moderna tiene un sentido bien claro y forma una unidad orgánica construida sobre motivos reales y poderosos» (1966, 275).

No menos interesantes son otros problemas en torno a *Poeta en Nueva York* y a los motivos de su génesis y formación. Indudablemente una de las cuestiones que más han interesado es la de la crisis que motivó el viaje, en cuyos pormenores se halla la génesis misma de la actitud y razón que motivó el libro. Desde luego, la justificación más superficial está en el hecho de que Lorca, que odiaba su encasillamiento como poeta agitanado, deseaba romper con este calificativo superficial. A ello se han referido muchos especialistas, así como a la facilidad de hacer el viaje con Fernando de los Ríos. Los detalles los han facilitado Martínez Nadal (1980, 32) y Gibson (1985 *a*, 586), entre otros investigadores. Pero desde luego hay también unos motivos sentimentales que, para algunos, justifican la inquietud y el deseo de huir del poeta. Ángel del Río, que lo recibió en Nueva York, alude a la relación de las razones íntimas de ese malestar y la propia contextura de *Poeta en Nueva York,* cuando señala que

> las fuentes de esa crisis sentimental son oscuras, al menos para aquellos que le conocían superficialmente. Tocan delicadas fibras de su personalidad que no se pueden valorar o desdeñar precipitadamente, pero que han dejado huella inconfundible en el libro; y sólo tomándolas en consideración se puede comprender todo el significado de la obra o, al menos, de algunas partes de ella (1966, 258-259).

No son pocos los que ponen en relación esta crisis con la condición sexual de Federico y un desengaño amoroso, que parece el motivo que conocían bien sus contemporáneos, entre ellos Juan Larrea, que deduce que

> esta crisis se hallaba en gran parte determinada por su anomalía sexual. Es un inadaptado. No puede vivir complacido dentro de una sociedad que repele como tarea afrentosa su anormalidad congénita, ni perversa ni infame (1940, 252).

Y con él, en el mismo sentido, exponen su opinión Fusero (1969, 273). Laffranque (1967 *b*, 225), Schonberg —que lo pone en relación con el enfriamiento de sus relaciones con Dalí— (1956, 94) y, finalmente, Predmore (1985, 31), para quien «los problemas emocionales de Lorca eran severos y prolongados, parecen haber nacido de una pasión arrolladora y haberse relacionado de un modo u otro con su pensar artístico». Aun así, la bibliografía especializada suele ser prudente y cauta, y todavía en 1980 quien, como Martínez Nadal, lo conocía bien insiste en las «suposiciones erróneas» y en las «puras fantasías» a que dieron pie su frase de 1939, en la que se refería a la gran depresión en la que concurrieron los motivos conocidos y «otras razones más íntimas». El posible desengaño amoroso era algo insignificante y no supuso nada si no es «porque venía a coincidir con otras [causas] mucho más hondas para el hombre y para el poeta» (1980, 32).

La interpretación necesaria de *Poeta en Nueva York* pasa inevitablemente por la crisis a que nos hemos referido, pero se centra fundamentalmente en dos grandes bloques de estudios. Por un lado, aquellos que se refieren al lenguaje poético y a la renovación del mismo conseguida por Lorca, y por otro, los que se refieren al plano del contenido.

Sobresale en primer lugar el ferviente deseo del poeta de superar el lenguaje culterano, que había seducido a los poetas de su tiempo en los años inmediatamente anteriores a su marcha a Nueva York, y que a Lorca había producido especial atracción, aunque el poeta granadino sobrepasó pronto tales influencias, como ha estudiado Marie Laffranque (1967 *b*, 115). No cabe duda que Lorca mantiene un consciente hermetismo que quiere aumentar con la entrada de una nueva expresión relacionable con el surrea-

lismo, tan de moda en aquellos años. En la consideración de surrealista de *Poeta en Nueva York* se han introducido muchas ma-
tizaciones, sobre todo por la peculiar interpretación lorquiana de
tal estética, y así lo reconocen especialistas como Ilie (1972),
Bodini (1982) y Onís (1974), etc. Directamente se han ocupado
de la cuestión Craige (1977, 45-96) y Harris (1978, 9-23), que
ofrece la mejor visión de conjunto, ya que parte de las propias
manifestaciones del poeta para concluir en la particular interpretación del surrealismo llevada a cabo por Lorca, que señalaba que
sus poemas respondían a una nueva manera espiritualista, «emoción pura, descarnada, desligada del control lógico», pero nada
surrealista porque en su opinión la conciencia más clara los ilu-
minaba.

No menos interesante es el estudio del mundo de los símbolos, desde las aportaciones de Ramos Gil (1967) a las más recientes de García-Posada, que parte de un riguroso análisis de la metáfora lorquiana (1980). Naturalmente, se destacan entre estos estudios aquellos de carácter más general, como los cómputos esta-
dísticos de Pollin (1975) o los dedicados a aquellos símbolos que
han tenido una especial significación: el agua (Marcilly, 1962 *a*), el
caballo (Martínez Nadal, 1974, 193), el hueco (Martínez Nadal,
1974, 113-115, y Laffranque, 1967 *b*, 216) y todos aquellos que
tienen que ver con el amor, personaje esencial de este libro, antes
que la muerte (Laffranque, 1967 *b*, 216): «El personaje esencial
de este libro no es la muerte, sino el amor martirizado y el hueco
que deja su esencia en la vida, la cual, sin embargo, sólo existe
gracias a él.» La polivalencia de los símbolos es algo generalmente
aceptado hoy entre los especialistas desde las observaciones al respecto de Laffranque (1967 *b*, 222) y Martínez Nadal (1970, 208).

La evidente «relación entre simbolismo poético y estructura
poemática» ha sido puesta de manifiesto por Predmore (1985, 37),
y lo cierto es que son muchos y muy variados los temas que dan
forma al libro lorquiano. En este sentido, García-Posada se ha referido a dos temas nucleares, la soledad y la muerte, seguidos de
otros motivos inquietantes como el de la soledad amorosa, la infancia perdida, la denuncia de la ciudad, etc. (1980, 68 y ss.). El
enfrentamiento entre la civilización y la naturaleza es uno de los
temas más traídos y llevados por los estudiosos, entre los que

destacan Flys (1955, 182-183) y Menarini, aunque no menos importancia se le ha dado al carácter de denuncia del libro, ya señalado por Belamich (1962, 70 y 142) y enfocado desde el ángulo de la injusticia social por Predmore (1985, 75 y ss.), quien, junto a éste, destaca en su libro dos temas que le parecen fundamentales: el del amor homosexual, también visto por Schonberg (1956) y por Aguirre (1967), y el de la pérdida de la fe religiosa (1985, 111 y ss.).

Decía García Lorca en su famosa conferencia, pronunciada a su regreso de Nueva York, que los dos elementos que el viajero capta con mayor intensidad son la arquitectura extrahumana y el ritmo furioso. En un primer momento podría parecer que esa vertiginosidad reflejaba alegría, pero el poeta veía en ella, en el mecanismo de la vida social, la esclavitud y la opresión, la angustia *vacía*. Gustavo Correa, en su intento de comprender todos los mitos lorquianos, señala que *Poeta en Nueva York* significa un cambio radical en la actitud del poeta ante el cataclísmico hundimiento espiritual que significa su visión de la ciudad norteamericana. Y, desde luego, tal cambio puede percibirse en el sentido distinto que soportan temas frecuentes en su poesía como el mar, la naturaleza cósmica, la nieve, etc., hasta el punto de que los «mitos» forjados a lo largo de su poesía anterior llegan a desaparecer. «*Poeta en Nueva York* —según Correa— revela, pues, no sólo la ausencia del mito, sino el sistemático asesinato de las figuras míticas y la destrucción persistente de toda señal de mítica significación por el mundo de los símbolos negativos» (1970, 171).

Es lo que ocurre con la utilización de los mundos animal y vegetal, que tantas veces habían servido a García Lorca, en unas ocasiones como elementos de ambiente y —por qué no decirlo— costumbristas, y en otras como portadores de un contenido simbólico profundo, se convierten ahora en un universo completamente distinto. Lorca, en *Poeta en Nueva York,* se sirve de una fauna de origen surrealista, como ha visto Virginia Higginbotham, que demostró cómo Federico está íntimamente ligado, por su *Poeta en Nueva York,* a la ficción y pasión animalísticas de *Les chants de Maldoror,* de Lautréamont (1973, 237-248).

Lo cierto es que, a pesar de estas fuentes, un sentido humano recorre todo el libro, y en valorar su existencia coinciden todos los especialistas. Queda claro que las aproximaciones a *Poeta en Nueva York,* acentuadas en los últimos años y desarrolladas en variados niveles, han ido clarificando el sentido real de libro tan singular, lo que demuestra, finalmente, lo superficial de la idea otras veces repetida del carácter surrealista y aun onírico del libro. Más bien se ha destacado finalmente su autenticidad como denuncia y angustia, reveladora de sentimientos reales del poeta y de la gran coherencia de su intención tan definida. Como ha señalado Bodini,

> con un sincretismo absolutamente imprevisible en un poeta instintivo como él, une ahora valientemente todas las razones de rebelión del hombre de nuestro tiempo, centrando en el símbolo adverso de Nueva York todas las fuerzas históricas que infestan el amor y la autenticidad de la vida, lo que hace de *Poeta en Nueva York* la obra más orgánica y de mayor compromiso humano de la poesía de nuestro tiempo (1982, 82).

6.1.5. *Últimos libros poéticos*

A su regreso de Nueva York, Federico García Lorca fue absorbido por una serie de actividades teatrales que hicieron que su poesía fuese cultivada con menor dedicación, aunque no intensidad. Por eso suele tenerse muy en cuenta, a la hora de valorar la poesía lorquiana, la serie de libros poéticos que, iniciada en 1931, constituye la etapa final de la poesía lorquiana. Mario Hernández reúne toda esta poesía, formada por *Diván del Tamarit, Llanto por Ignacio Sánchez Mejías* y *Sonetos,* en un volumen —al que habría que añadir los *Seis poemas galegos*—, asegurando que esta serie de libros

> supone la más alta decantación de la lírica de García Lorca, invadida cada vez más poderosamente por su irrestañable vocación elegíaca y por su insólita capacidad para dejarse penetrar por la ambivalencia y riqueza de significado profundo en unos símbolos procedentes del campo mítico-religioso (1981 *c*, 10).

La bibliografía lorquiana, tan atenta a otros poemarios de Lorca, ha prestado menor atención a esta poesía final, quizá por la intensidad de obras como el *Romancero gitano* o *Poeta en Nueva York,* aunque libros tan breves como el constituido por los *Sonetos del amor oscuro* despiertan hoy una especial curiosidad, como enseguida veremos.

Quizá uno de los puntos más interesantes como punto de partida para entender ese «fingido florilegio arábico-andaluz», como ha llamado Mario Hernández a *Diván del Tamarit* (1981 c, 9), es el examen de su vinculación con el mundo oriental, que ya puso de manifiesto y situó en su justo término el prologuista primero del libro, el arabista Emilio García Gómez. Un repaso de los tres términos que definen el libro, *casida* (poema árabe de carácter monorrimo), *gacela* (composición corta de origen persa y contenido erótico) y *diván* (colección de poemas), así como la referencia a la huerta del *Tamarit* (donde fueron escritos), son previos a la consideración del orientalismo por parte de García Lorca de esta obra singular y a su precisa valoración: «Estas poesías nada tienen en común con esas llamadas orientales, máscaras literarias de un carnaval romántico, falsas, vacuas, pintarrajeadas. Los poemas del *Diván del Tamarit* no son falsificaciones ni remedos, sino auténticamente lorquianos» (1981 c, 54).

Indudablemente, *Diván del Tamarit* se constituye en exponente de la peculiar capacidad de Lorca para asimilar diferentes fuentes. Su temprano conocimiento —y admiración— de las *poesías asiáticas* de Conde de Noroña da magníficos frutos en esta obra que, como ha señalado Hernández (1981 c, 34), constituye uno de los modelos de inspiración, especialmente el poeta persa traducido por Noroña, Hazif, en cuyas gacelas «pudo hallar [...] un paisaje poético y pasional que él reinventaría y transformaría a su modo» (1981 c, 34). Sobre este particular han aportado datos el propio Hernández (1977) y M. de Meñaca (1976). Otros modelos, como el árabe Mutamid de Sevilla, han sido señalados en sus investigaciones por Hernández (1978, 39-41), mientras que en su importante monografía, Daniel Devoto ha investigado otras fuentes y modelos métricos, muchos de ellos pertenecientes a «canciones populares granadinas» (1976, 89 y ss.).

Se ha señalado con una cierta unanimidad que el tema central de *Diván* lo constituye el amor, como en sus primeros libros, pero, como advierte Zuleta, «sujeto ahora a experiencias dolorosas y amargas. Amor siempre fugitivo, amor como lucha, imposibilidad del encuentro y conciencia de una raíz amarga que duele en todas las cosas, hasta en el fondo más íntimo» (1971, 260-261). Y es que Lorca, como en otros muchos momentos de su poesía, está poniendo en relación el amor con su antitético mayor, con la muerte, que ahora adquiere un protagonismo mayor, casi una identificación natural. El amor, de la clase que sea, y la muerte llegan a unirse en la profundidad de estas últimas composiciones del poeta. Como ha señalado Rafael Martínez Nadal,

> la ecuación final, amor = muerte, o muerte = amor, es lo que da a su pasión amorosa, posterior al libro de *Canciones,* tan inconfundible y grave intensidad. El dominio de la forma presta clásica belleza a versos que, a primera vista, podrían parecer guiños surrealistas. Esa ecuación, conviene precisarlo, no debe nada a la presencia del tema central del amor. Tampoco la motiva la inclinación personal que pueda percibirse en favor de una u otra ni, en contra de lo que pudiera creerse, origina el tema del amor homosexual el menor sentimiento de odio hacia la mujer, víctima, como el hombre, de igual destino (1974, 270).

Una extraordinaria trascendencia, dentro del conjunto de la poesía y la obra literaria de Federico, y, desde luego, en el más amplio campo de la poesía de nuestro siglo, tiene el *Llanto por Ignacio Sánchez Mejías,* que ha sido considerado la obra maestra de Lorca, «la culminación de su poesía», según su hermano Francisco, que añade: «La razón de su valor radica en que el poeta, ya en plena madurez de su técnica, refleja con una gran libertad de factura muchos de sus procedimientos típicos y de sus recursos poéticos» (1980, 204). Su calidad de poema de «integración», de síntesis o de resumen de toda una experiencia artística se acentúa ante el hondo subjetivismo que preside este lamento por la muerte del amigo, una de las cumbres de nuestra tradición elegíaca, según han reflejado Cannon (1963) y Camacho Guisado (1969). Es interesante observar la vuelta a los cánones del género *elegía* en su faceta funeral, que García Lorca lleva a cabo, incluso partiendo del propio título (transcripción moderna del medieval *planto*), aunque otros han querido ver en el poema su tono épico, como cantar de gesta de los toros, tal y como hizo Serrano Poncela (1959).

Mucho interés ha despertado la cuidada estructura de este poema largo, concebido en cuatro partes, en cuatro tiempos o momentos, diferentes en su estructura interna, pero formantes de un impecable conjunto general: «A las cuatro partes de la elegía corresponden —según Correa— cuatro ritmos acentuales que en su varia complejidad traducen formas y maneras diversas del sentir organizados dentro de la tónica dominante de lo elegíaco» (1970, 145). Tal estructura ha permitido ver en la realización del poema una concepción musical, y así lo advirtió en un primer acercamiento Pedro Pablo Paredes (1949), al considerarlo «poema sinfónico», y lo destaca Francisco García Lorca, que asegura que «cada una de las cuatro partes de que consta tiene su propio *tiempo,* marcado, desde la forma, por el uso de diversas combinaciones métricas» (1980, 204). Gerardo Diego, por su parte, sin embargo, ha opinado que la evidente musicalidad del poema no reside tanto en su composición, sino en su propia intuición creadora. «Si Federico era músico de cuerpo entero, no necesitaba de ningún esquema de sinfonía o de sonata en varios tiempos para colmar de sustancia musical la obra que él sentía como poética» (1982, 30).

Lo cierto es que, sin embargo, la gran riqueza que nos impresiona del poema reside más aún en el contenido del mismo, sobre todo por ese sentido de consagración ritual del torero que trasciende a la propia anécdota accidental —su muerte tras la cogida una tarde de agosto en la plaza de Manzanares— hacia la concepción mítica del héroe sacrificado, como han visto Jones-Scanlon (1972, 97 y ss.) y Mario Hernández. Una serie de textos de Lorca nos muestran su alta consideración hacia el toreo —compartida por otros poetas de su generación—, y su concepción de este arte y de esta fiesta como gran rito mágico en el que la muerte es el gran protagonista: «Mas en ese rito medido y trágico el héroe puede morir, cumpliéndose el sacrificio "litúrgico" con su correspondiente coro inmenso de espectadores» (1981 *c*, 106).

La división en cuatro partes del poema surte ahora efectos aún más intensos, ya que se produce una gradación en el sentimiento del dolor por la pérdida no ya del torero, sino del amigo cercano. Son cuatro momentos «después de la muerte» que desarrollan sentimientos diferentes. En «La cogida y la muerte» se ha

valorado lo temporal. La insistente presencia del reloj, que se repite en el estribillo y en otras sugerentes imágenes, ha despertado
el interés de los críticos como Francisco García Lorca, que ha
señalado que «la estricta fijación temporal del poema determina,
por otra parte, una angustiosa y necesaria aspiración de impasi-
bilidad. La muerte no ha desatado *todavía* ninguna representación que no sea la muerte misma» (1980, 209).

En «La sangre derramada» se ha valorado la presencia del
que intensificativo (que no quiero verla), ya utilizado por Federico, y se ha relacionado la parte de «elogio de las virtudes del
difunto» con las *Coplas* de Jorge Manrique, hallándose un mismo
sentido de admiración en similares estructuras del elogio. Pero
quizá el verso «¡Oh blanco muro de España!» es el que haya despertado mayores sugerencias en los especialistas, que han visto en
él todo un símbolo, como escribe Jorge Guillén:

> Y aquellos versos que a este lector le conmueven cada vez que los
> está releyendo: «¡Oh blanco muro de España!, / ¡oh negro toro de
> pena!» Este blanco muro ¿no contiene y potencia el propio país de
> modo definitivo? Visión, claro, sobre todo andaluza. ¡Oh blanco muro
> de España! (1982, 20).

En «Cuerpo presente» se ha observado un cambio en el contenido, paralelo, evidentemente, al refugio del poeta en el alejan-
drino y en la estética surrealista que caracteriza esta parte. El
mundo de los símbolos sublima, con sus estéticas asociaciones, los
ritos ordinarios del *corpore insepulto*. Correa ha visto en aquéllos
el reflejo de una lucha desigual. La piedra —tan presente en esta
parte— como tumba sustituye, con su carácter estático, a las tradicionales concepciones de río y de mares y adquiere un carácter
de altar o *ara,* donde se sacrifica la víctima propiciatoria.

La ausencia es el signo dominante de la parte final, y con su
imagen se cierra el poema, dentro, como señaló Jorge Guillén, de
una cierta ortodoxia (1982, 23), ya que el alma no está en el cuerpo muerto. Por eso, los seres cercanos al torero —que son vida—
ya no le reconocen una vez muerto, y únicamente el canto del poeta inmortalizará, en renacentista actitud de Federico, al amigo, tal
y como ha advertido Francisco García Lorca (1980, 254).

Las últimas composiciones editadas en vida del poeta son los *Seis poemas galegos,* publicados en Santiago de Compostela en 1935, con un prólogo de Eduardo Blanco Amor. Parece bastante claro que Lorca tuvo una gran admiración hacia Galicia desde bien pronto, y hacia la literatura gallega desde sus tempranas lecturas de Rosalía de Castro, que debemos considerar la fuente más importante de estos seis excepcionales poemas, como han estudiado Feal Deibe (1971 *b*), Landeira Yrago (1986) y M.ª Victoria Atencia (1986). La admiración hacia la escritora gallega hay que unirla al conocimiento también juvenil de Galicia, como sabemos por su primer libro, *Impresiones y paisajes.* Pero fue un viaje en 1932, después de la Semana Santa, el que le pone en contacto de nuevo con Galicia y con los escritores gallegos de su generación, que cultivan poesías de corte tradicional que a Lorca le interesan. Entre esos amigos figuran, según Marie Laffranque (1973, 434), J. M. Domínguez, C. Maside, Manteiga, C. Martínez Barbeito y J. Naya Pérez.

Es justamente un artículo de Martínez Barbeito (1945) el que más referencias nos ha dejado de esta visita lorquiana a ıGalicia, de su afecto y admiración hacia este paisaje y de sus lecturas gallegas, entre las que se citan los cancioneros medievales, las cantigas de Alfonso X el Sabio y la poesía de Curros Enríquez. A tal admiración hay que añadir un conocimiento relativo de la lengua gallega, cuyo alcance, sin duda del máximo interés, ha tratado de precisar Mario Hernández (1981 *d*, 45), quien asegura que

> el poeta granadino partía [...] de un conocimiento real de la lengua elegida, al margen de que su dominio no fuera en modo alguno absoluto. Por otro lado, los recursos de las antiguas cantigas de amigo están asumidos en su poesía ya desde el temprano libro de *Canciones,* rebrotando en los *Seis poemas galegos* (1981 *d*, 47).

Aun así, no han sido los valores lingüísticos los que más se han destacado en este invento lorquiano, ya que el posible dominio de la lengua ha sido puesto en duda, mientras que otros méritos, como la asimilación de ritmos, temas y tonos gallegos, son destacados por los críticos que de estos poemas se han venido ocupando. Martínez Barbeito así lo hacía en su ya clásico artículo:

Nunca creí que Lorca fuese capaz de escribirlos directamente en gallego, pues me consta que sus conocimientos de esta lengua eran muy rudimentarios. Descartada la profunda originalidad, inconfundiblemente suya, de las imágenes descriptivas; descartados su hábil ritmo métrico y el empleo de las formas paralelísticas provenientes de los antiguos cancioneros galaico-portugueses, que tan bien conocía; descartado por encima de todo el milagroso descubrimiento de las esencias poéticas del país gallego que hizo pisar nuestro suelo, será preciso pensar que sus poemas sufrieron una reelaboración más importante de lo que pudiera creerse, tal vez una verdadera traducción (1945).

Lo cierto es que, como un extraño milagro, en efecto, García Lorca entra en la literatura gallega con estos seis poemas que no sólo reflejan un virtuosismo técnico-lingüístico, sino que además dan entrada y asimilan una serie de temas gallegos muy cercanos a los sentimientos de la tierra y los pueblos de la región, coincidentes curiosamente con devociones lorquianas permanentes. Así de la ciudad de Santiago, como ha señalado Mario Hernández (1981 *d*, 43), o del recuerdo de Rosalía, se pasa pronto a la evocación de una danza macabra de la Luna, disfrazada de blanco galán ante los ojos temerosos de dos mujeres —madre e hija— que reincorporan el protagonismo femenino típico de la veta más genuina de las antiguas cantigas de amor. El agua, otro de los motivos lorquianos más característicos, se une a la muerte en las evocaciones del adolescente ahogado. Y, finalmente, el mundo de la emigración, tan de Rosalía, conocido por Lorca en Buenos Aires, completará en la «prosaica» evocación de Ramón de Sismundi este mosaico breve, pero variado, de sentimientos gallegos.

La última obra poética importante de Federico la constituyen los *Sonetos,* no conocidos en su totalidad hasta muy recientemente, en la primavera de 1984 y a través de una curiosa edición «crítica» en un diario madrileño. La historia de los sonetos del poeta granadino, iniciada muchos años antes y fomentada en un aura de leyenda muy pintoresco, terminaba cuando los lectores españoles podían disponer, ya definitivamente, de unos textos que aparecían precedidos de singular fama.

A esta edición, aparecida después de dos «piratas» (Fernández Montesinos, 1984), precedió la aparición de una serie de sonetos que reunió en 1981 *c* Mario Hernández, en un intento de reproducir lo que parece fue el último proyecto poético lorquiano: un libro de sonetos, en el que habrían de figurar los *Sonetos del amor oscuro* (los once dados a conocer en 1984 y quizá otros más) y algunos otros sonetos que el poeta había escrito. En teoría, todo habría de formar, según Luis Rosales, un libro con título muy lorquiano-granadino, *Jardín de los sonetos,* que estudia Mario Hernández (1984 *d*) y reúne (1981 *c*) una primera edición de crítica de lo que él opta por titular *Sonetos,* en los que figuran todos los que han visto ediciones anteriores y que no sobrepasan la docena. De ellos, cinco forman parte de la aún desconocida en su totalidad serie de *Sonetos del amor oscuro,* que aparecería en 1984 en las circuntancias ya señaladas.

Los siete sonetos no amorosos son de circunstancias y proceden de épocas diferentes. El más antiguo es el dedicado en 1924 a José de Ciria y Escalante en su muerte, y, tras éste, cabrían citarse el escrito en 1927 dedicado a Falla y el conocido como «A Carmela, la peruana», estudiado por Rozas (1978). Martín (1974) y Marinello (1965, 21) se han ocupado de los dos sonetos neoyorquinos: el titulado «Adam» y el que comienza con el verso «Yo sé que un perfil será tranquilo», al que también se han referido Franco Grande y Landeira Yrago (1974, 280-307), mientras que Marie Laffranque (1973, 454) y Antonina Rodrigo (1981, 392-393) han explicado el soneto dedicado a Isaac Albéniz. Mario Hernández, finalmente, recoge todo lo referente a estos sonetos y al último, «A Mercedes en su vuelo» (1981 *c*, 187). A estos siete sonetos habría que añadir el dado a conocer por Anderson (1986), «El viento explora cautelosamente», más antiguo (de 1923) que el dedicado a Ciria.

Desde luego, el conjunto más interesante lo forman los once sonetos «del amor oscuro», título que reveló Aleixandre (1937) y que ha sido discutido y reinterpretado, ya que todos consideran muy provisional, en el sentido de que la explicación del término *oscuro,* presente en el texto de algunos de los sonetos, plantea dificultades, aunque parece muy claro a aquellos que tienen en cuenta, sin más, el carácter homosexual de este amor, y que puede relacionarse, incluso con referencias anteriores, en la obra de Federico, como señala, para *Poeta en Nueva York,* Predmore (1985, 92). Fernando Lázaro Carreter (1984) se ha preguntado por qué *oscuros,* y ha hallado la respuesta asegurando que «le angustiaba el destino estéril de esa pasión de amor, y apenas si alcanzaba a consolarle que el amor fecundo sólo produce semillas de muerte», para demostrar a continuación que no se trata de un término degradante, basándose en antecedentes clásicos y renacentistas en los que la consideración del amor se relaciona con su origen oscuro. «Reducir lo *oscuro* de los asombrosos sonetos lorquianos a la trivialización en que algunos caen, probablemente le hubiera indignado; aunque Federico no rehuyó el equívoco, ese adjetivo en su intención decía mucho más.»

Los sonetos, escritos en 1935 y 1936, responden a la tendencia general de vuelta hacia esta forma clásica, que en los años inmediatamente anteriores a la guerra se produce en nuestras letras. García-Posada ha visto en ellos un claro deseo del poeta de regresar a los clásicos y ha señalado evidentes conexiones de espíritu y forma con similar colección en Shakespeare, y de mundo poético en San Juan de la Cruz, Quevedo y Góngora (1984). La intención del poeta era crear un conjunto en el que el amor fuese el principal protagonista, y los resultados, por su sinceridad y valentía, sorprendieron a los amigos y compañeros que oralmente los conocieron. Vicente Aleixandre, entre ellos, fue el primero que destacó que estos poemas constituían un «prodigio de pasión, de entusiasmo, de felicidad, de tormento, puro y ardiente monumento de amor en que la primera materia es ya la carne, el corazón, el alma del poeta en trance de destrucción», al tiempo que aseguraba que «mostraban la capacidad extraordinaria, la hondura y la calidad sin par de su corazón de poeta» (1977, XI).

6.2. EL TEATRO DE LORCA

Aunque se viene asegurando que, en comparación con el interés despertado por la poesía desde un punto de vista bibliográfico, la atención recibida por el teatro es mucho menor, puede asegurarse que, aun así, son muy numerosos los estudios dedicados a quien, con todo derecho, ocupa uno de los más importantes lugares en la historia del teatro español del siglo XX.

Desde el estudio pionero entre nosotros, publicado en 1960

por Fernando Lázaro Carreter (1973), en el que se sientan las bases esenciales para la comprensión de una dramaturgia singular —presencia de un acento lírico a través de recursos de atracción que evidencian la concepción poética de un teatro—, son muy variados los acercamientos directos al teatro lorquiano que enfocan su obra desde un punto de vista monográfico, como enseguida tendremos ocasión de ver. Pero, junto a este tipo de monografías, hay que tener en cuenta las muchas referencias esparcidas por toda clase de estudios de carácter más general: ediciones, bibliografías, memorias, biografías y análisis de conjunto (valga en este sentido como ejemplo el bien construido y clásico libro de Díaz-Plaja [1973]), a los que hay que añadir los manuales o historias del teatro español de nuestro siglo, en los que Lorca es capítulo importante. Excepción en este campo de generalidades la constituye la siempre certera historia de Ruiz Ramón (1977).

6.2.1. *Bibliografía teatral*

Quizá la primera valoración de conjunto importante del teatro de García Lorca corresponde a un artículo de Pedro Salinas, escrito en 1936, que, en su brevedad, es extraordinariamente significativo por lo que tiene de valoración de un equilibrio fundamentalmente lorquiano entre «el profundo aliento popular» y su sublimación «en las líneas perfectas y en las alas pujantes de una creación artística» (1970, 197). Pero fue sobre todo a partir de la contienda civil cuando empezaron a sugir, en el extranjero, monografías dedicadas, ya en exclusiva, al teatro lorquiano. El primer ejemplo importante vendría dado por el estudio de las «máscaras» de Berenguer Carisomo, cuya primera edición es de 1941, aunque en España sería conocido sobre todo a través de la segunda edición «aumentada» (1969). Se trata de un valioso y amplio conjunto de todo el teatro lorquiano en el que se destaca su carácter poético y su sentido trágico.

En libros de carácter general sobre el poeta hay que citar ya notables estudios sobre el teatro. Es un ejemplo la monografía de Honig, de 1944, en cuyos capítulos sobre teatro se hace una de las primeras valoraciones más acertadas (1974). Sobresale, por razones obvias, en este panorama inicial la traducción inglesa de

Bodas de sangre, Yerma y *La casa de Bernarda Alba,* que aparece
tempranamente en Estados Unidos con un prólogo de Francisco
García Lorca en el que se lleva a cabo el primer estudio completo
de las «tres tragedias» (1947). Sus observaciones sobre el teatro del
hermano muerto las veremos ampliadas en el impresionante contexto emocional del libro de memorias póstumo (1980).

En los años cincuenta el teatro lorquiano despertó un pujante
y definitivo interés, y surgieron numerosas monografías dentro y
fuera de nuestras fronteras. Uno de los primeros libros españoles
es el de Roberto G. Sánchez (1950), dedicado exclusivamente al
estudio del teatro, aunque poniendo de relieve la estrecha relación
de la dramaturgia lorquiana con la poesía de Federico, que le vale
de soporte para interpretar, quizá demasiado exclusivamente, el
sentido de algunas piezas teatrales. A este estudio sigue el publicado en Montevideo por Machado Bonet (1951) y el capítulo que
a la relación mito-teatro de Lorca dedica Pérez Minik, en sus
debates sobre el teatro contemporáneo (1953). Muy importante,
por el acierto de sus sintéticos juicios y por lo valioso de su consideración del teatro de Lorca como teatro de un poeta, es el libro
de Díaz-Plaja, cuya mayor virtud es, desde luego, su enorme difusión desde 1954 (1973). Al año siguiente aparecería la monografía de Nourissier que le sitúa entre los «grandes dramaturgos»
contemporáneos (1955), y a continuación el libro de Barea (1956),
tan útil también para la comprensión del teatro lorquiano como
representación poética de ambientes rurales extraídos por Lorca
directamente de «su pueblo».

La consideración de Lorca como dramaturgo comienza a afian-
zarse y su nombre empieza pronto a ser imprescindible en los
estudios del teatro contemporáneo. Es lo que ocurre con Torrente
Ballester (1958), cuyas valoraciones serán definidoras al estar ex-
presadas en el contexto de todo nuestro teatro español del siglo XX.
Como ya hemos apuntado, muy importante fue el trabajo de síntesis de Lázaro Carreter, publicado primero en una revista de
considerable difusión hispanística (1960) y luego ampliamente en
el libro de I. M. Gil (1973). Su consideración del carácter social
frustrado del teatro de Lorca, basada en la propia intención didáctica del autor, renuevan seriamente los hasta entonces enfoques
poéticos de esta singular dramaturgia. En un contexto exclusiva-

mente teatral hemos de situar también el trabajo de Guerrero Zamora (1962).

Mucha difusión e influencia tuvo en Estados Unidos, a partir de los sesenta, el libro de Robert Lima, quien destacó el carácter trágico de todo el teatro lorquiano, evidenciado sobre todo por la presencia de la muerte como signo de la frustración (1963). Similar significado tuvo para los estudiosos europeos el trabajo de Marie Laffranque, especialmente a través de sus dos libros (1966, 1967), interesantes, sobre todo el primero, por sus valoraciones de la obra teatral de Lorca en el marco cronológico de toda su producción. Previamente, la prestigiosa lorquista francesa había publicado, en un libro de carácter general, un interesante capítulo sobre la «experiencia y concepción de la condición de dramaturgo» de Lorca (1967 a, 287-311).

Seguirán los estudios de Correa (1970), Martínez Nadal (1970) y Monleón (1970). Este último, a pesar de ser un libro de carácter general, se destaca por su apreciación del teatro en la obra del poeta. Del año siguiente es el útil libro de Zuleta que, como sabemos, estudia al poeta exclusivamente, aunque no puede dejar de tenerse en cuenta el capítulo dedicado a las «relaciones entre la poesía y el teatro de Lorca» (1971, 263-272). La década de los setenta asiste a la publicación de otras importantes valoraciones, entre las que destacan Bussete (1971); Buero Vallejo (1972), con una original visión de Lorca en relación con el esperpento; Allen (1974); González del Valle (1975), aunque sólo se refiere a las «tres tragedias»; Ruiz Ramón (1975), cuya definición del teatro de Lorca como resultado del enfrentamiento del *principio de autoridad* y el *principio de libertad* es definitiva; y, finalmente, Higginbotham (1976). La aparición en 1980 del libro de Edwards (1983) y de las memorias y estudios de Francisco García Lorca (1980), que suponen nuevas perspectivas y recopilaciones, completan el panorama de los estudios dedicados al teatro lorquiano. Junto a ellos debemos destacar la publicación por el Teatro Español de Madrid de un interesante libro, en el que, junto a artículos de especialistas como Gallego Morell o Amorós (1985), se recogen multitud de documentos, que se completan con los publicados por el Centro Dramático Nacional en los catorce cuadernos de testimonios y textos reunidos por Andrés Amorós (1986-1987).

Capítulo aparte merecen otras actividades en torno al teatro realizadas por Lorca, especialmente al frente de «La Barraca», estudiada en dos libros básicos: el de Suzanne Byrd (1975) y el de Sáenz de la Calzada (1977), cuidadosamente documentado este último al estar basado en el testimonio personal de un componente del grupo. Y, justamente, en este punto debemos añadir la presencia del propio Federico como personaje teatral y objeto de dramas contemporáneos, aspecto estudiado por Mariano de Paco (1982) sobre obras de Rial y Píriz-Carbonell.

6.2.2. *Primeras obras*

Durante la década de 1920, García Lorca se dedicó esencialmente al desarrollo de una obra poética, y, de hecho, sólo dos estrenos, y con desigual resultado, podemos contabilizar en estos años: el que constituyó en 1920 un tremendo fracaso de *El maleficio de la mariposa,* que debió de escarmentar al joven dramaturgo, y el bastante posterior de *Mariana Pineda,* que tiene ya lugar en 1927. La primera de estas dos obras, conectada estética y temáticamente con el *Libro de poemas,* se escribe en 1919, mientras que la segunda, en 1923. A estas dos piezas hay que añadir otro proyecto teatral conocido desde hace muy pocos años: *Lola la comedianta,* libreto de ópera cómica escrito posiblemente en estos mismos años, entre 1920 y 1923.

No fue generoso el público del teatro Eslava de Madrid la noche del 22 de marzo de 1920, en que se estrenó *El maleficio de la mariposa,* y la bibliografía lorquiana, consecuentemente con el carácter de fracaso que revistió siempre esta experiencia, no ha valorado excesivamente esta obra primeriza del poeta granadino, aunque sí ha visto en ella el germen de algunos elementos formales y temáticos de su teatro posterior. Marie Laffranque ha destacado la unión de todas las artes y una especie de voluntad de estilo o de maestría técnica que evidencian la existencia de un singular dramaturgo (1966, 20), mientras que Ruiz Ramón ha visto ya la presencia del enfrentamiento que da sentido a todo su teatro entre el código y el sueño, la norma y el ideal, al mismo tiempo que percibe tipos de personajes evidentemente lorquianos, tales como la madre, la mujer soltera, la pareja atípica, héroe y víctima y el tiránico *vox populi,* el coro de vecinos y vecinas (1977, 179).

Sobre la génesis de *El maleficio de la mariposa,* así como sobre los detalles del fracaso en el teatro Eslava de Madrid, se ha ocupado Gibson a través de una conferencia de 1984 (1985 *b*) y de la biografía (1985 *a*), poniendo en conexión la obra con los escritos de juventud del poeta, dramaturgo antes que poeta, según queda demostrado (1985 *b*, 64), ya que la primera obrita lorquiana fue una *Fantasía simbólica,* publicada en 1917, y que no es sino «el esbozo de una pequeña escena dramática» (1985 *b*, 65). La transformación del poema de la mariposa en obra de teatro también está en la génesis de la pieza, y a su investigación dedica Gibson algunas páginas (1985 *b*, 65 y ss.), pero quizá lo más interesante para comprender lo desmesurado de la novedad sea su propio fracaso, que Francisco García Lorca justifica como el de un Hernani pequeñito, por lo ruidoso y significativo.

> La aparición de «curianas» en escena, en una obra enteramente orientada hacia lo poético, realizada por un dramaturgo inexperto, con trajes de realización dificilísima, era demasiado para el público de Madrid de 1920, y para cualquier público (1980, 263).

Los detalles sobre la capacidad de encaje de Lorca y la «sana risa» con que festejaron el fracaso, en la biografía de Gibson están, quien, sin embargo, advierte que no fue tanto y tan divertido íntimamente para Lorca, ya que, posteriormente, trató de olvidar el fracaso, según se evidencia en que el poeta solía dar a entender que su primera obra de teatro fue *Mariana Pineda,* estrenada en 1927. Lorca, a pesar de las apariencias, era extremadamente sensible a las críticas, y cabe pensar que, en su fuero interno, permanecería siempre vivo el recuerdo de aquella experiencia (1985 *a*, 265).

Y, efectivamente, los resultados, observados con la perspectiva del tiempo, no son muy reconfortantes. La crítica especializada se limita a señalar las fuentes más o menos lejanas (Rostand, La Fontaine, Esopo, Cervantes, Maeterlinck, además de los poemas desconocidos, transformados por Lorca) y a poner de relieve lo que hay de permanente en relación con el resto del teatro. Así lo hace Edwards (1983, 39-43), aunque hay quienes se muestran, con razón, mucho más severos con la obrilla. Éste sería el caso de Joseph y Caballero, que aseguran que

> El *maleficio,* por obra débil de principiante, merece aquí poca atención. Apunta el tema amor-muerte, pero aparte de eso hay muy poco que continúe o sobreviva [...]. Es teatro poético defectuoso donde el verso sustituye a la acción y elementos de espectáculo —música y baile— sustituyen al argumento. Únicamente sobreviene el tema que se apunta desde este comienzo primerizo. Es la primera y, afortunadamente, la última comedia de insectos» (1982, 31).

Entre 1922 y 1924, Federico García Lorca trabaja en un nuevo proyecto teatral, que sólo ha sido conocido con detalle muy recientemente: la ópera cómica *Lola la comedianta,* editada, tras una cuidadosa reconstrucción filológica, por Piero Menarini, con prólogo de Gerardo Diego (1981). Se trata de un texto pensado para que Manuel de Falla, que mantenía amistad con Lorca desde algunos años antes, la convirtiera en una obra músico-vocal.

Aunque Lorca dejó incompleta la versión definitiva, se ha podido reconstruir el texto completo utilizando diversos manuscritos de texto y guiones o planes, en los que Falla introdujo sus anotaciones. Por la correspondencia entre ambos, recogida en el amplio estudio de Menarini, descubrimos el nivel de colaboración que caracterizó este trabajo común. «Como óptimo libretista, Lorca procede a la redacción del libreto sólo cuando está seguro que existe el consenso de Falla y después de haber escuchado sus intenciones musicales» (1981, 69). Pero lo cierto es que la obra quedó inconclusa y el proyecto es ahora una muestra de lo imposible de una colaboración entre dos genios, sobre todo por la perfección literaria y «autonomía» de un libreto que sobrepasaba los límites que su condición de tal le imponía. Para demostrar esta autonomía, Menarini pone en relación el texto conservado con otras obras de Lorca y revela su importancia dentro de la producción dramática del poeta granadino

> porque ofrece ulterior material para el estudio de los años de formación de Lorca como escritor, poeta y autor teatral, o mejor dicho hombre de teatro, entendiendo por teatro el lugar donde se realiza un espectáculo que da origen a una fiesta (1981, 89-90).

Como «paso adelante en su creación dramática y en el constante proceso de despojamiento lírico» considera Concha Zardoya a *Mariana Pineda* (1974, 121), «romance popular en tres estampas», escrito por Lorca entre 1923 y 1925 y estrenado por Margarita Xirgu con decorados de Dalí y dirección del propio Federico en Barcelona, en junio de 1927. La obra, a pesar de su evidente calidad como texto poético, ha sido considerada siempre como término menor en la comparación con las grandes piezas finales de los años treinta. Así ocurre con la mayoría de los estudiosos, desde Torrente Ballester (1958) y Díaz-Plaja (1973) hasta Edwards (1983), que no duda en incluirla entre las «obras menores», junto a las farsas guiñolescas y a *El maleficio*. Ruiz Ramón, sin embargo, ha destacado las innovaciones que esta obra presenta, entre las que sobresalen la concepción de la pieza en dos planos: uno fácilmente visible al espectador, en el que encontramos «una historia de amor, fidelidad y sacrificio» y un doble fondo que revela en Mariana, tal como ya había señalado Marie Laffranque (1966, 34), la lucha para defender su amor y su deseo de felicidad por encima de la muerte (1977, 181).

Sumner M. Greenfield se ha ocupado del «problema» de Mariana Pineda (1973, 225-236) y la ha considerado el punto de partida poético de una dramaturgia cuya solución y trayectoria culminará en *La casa de Bernarda Alba*. Su condición de obra poética interesa a Greenfield para definir las características de esta obra, «primer intento de escribir una obra teatral de gran envergadura».

> Como muchos otros *vanguardistas* de los años veinte, Lorca deploró la dramaturgia «realista» sin imaginación y trivial que monopolizaba el teatro comercial de ese tiempo. Con sus obras aspiraba a introducir de nuevo poesía y fantasía en el teatro español, echando mano de todos los recursos y posibilidades a los que tanto lo tradicional como lo moderno, así como su propia inspiración poética, podían llevarlo. No hay duda de que al comienzo Lorca no es «culpable» de falta de moderación poética, quizá inevitablemente, ya que era un poeta joven que hacía sus primeras pruebas en el teatro (1973, 226).

En parecido sentido, Joseph y Caballero han ido más lejos al referirse a *Mariana Pineda* como «otra puesta de versos en escena», pero en vez de los insectos de *El maleficio de la mariposa,* son figuras románticas de 1830», y destacar su condición de *pastiche* por más que Lorca se esforzara en negarlo: «Un drama sobre el período histórico romántico tratado de manera romántica no podía parecer otra cosa» (1982, 41). Y lo cierto es que ya en 1929 Lorca renegaba discretamente de su *Mariana Pineda* al señalar que se trataba de una obra de principiante que ya no respondía a su criterio sobre el teatro, a pesar de que poseía rasgos de su temperamento poético.

La clave, pues, de discusión en torno a esta obra singular reside en su condición de teatro poético que tanto admiró, sin embargo, a Concha Zardoya, hasta el punto de llevar a cabo en su estudio un detenido análisis de la técnica metafórica, símbolos e imágenes, y de las formas métricas y estróficas, para concluir que las «debilidades y flaquezas» de la obra se deben únicamente a la «brevedad del tema», por el que el poeta se ve obligado a añadir escenas y diálogos, no esenciales dramáticamente (1974, 178).

En relación con su argumento, se ha considerado también el hecho de que la obra, escrita y estrenada en plena dictadura de Primo de Rivera, es realmente un canto a la libertad, lo que posiblemente justifique el retraso de su estreno hábilmente resuelto por la maestría de los actores, a cuyo frente figuró Margarita Xirgu. Así lo ha señalado Francisco García Lorca (1980, 286), que se ha referido al éxito de las primeras representaciones, aspecto estudiado también en toda su extensión por Ricardo Doménech (1967, 608-613).

6.2.3. *Farsas*

En dos grupos ha dividido Ruiz Ramón, siguiendo la norma más general, el grupo de farsas que Lorca escribe entre 1923 y 1931: farsas para guiñol (*Tragicomedia de don Cristóbal y la señá Rosita* —1923— y *Retablillo de don Cristóbal* —1931—) y farsas para personas (*La zapatera prodigiosa* —1929-1930— y *Amor de don Perlimplín con Belisa en su jardín* —1930—), en las que podemos ver «lo lírico sustituido por lo grotesco» (1977, 183).

Las dos primeras constituyen la interpretación lorquiana del teatro de guiñol, a través de una versión andaluza de los «cristobicas», que Francisco García Lorca denomina «teatro de muñecos» (1980, 267). A estos dos textos conservados hay que añadir un tercero que escribió Lorca para una fiesta familiar el día de Reyes de 1923 y que tituló *La niña que riega la albahaca y el príncipe preguntón,* cuyo argumento conocemos a través del testimonio de su hermano (1980, 269 y ss.): «Esta obrilla, que puede darse por perdida, era la escenificación de un cuento de niños. En el programa de mano que se hizo para guardar memoria de la celebración se definió como "viejo cuento andaluz", dividido en tres estampas y un cromo» (1980, 271). El texto de tal obra de guiñol, dado a conocer en 1982 y estudiado por González del Valle (1984), ha sido incluido en la edición de *Obras completas* de Arturo del Hoyo (1986).

Las otras dos obras de guiñol han sido puestas en relación con la tradición española de las marionetas, que vemos presente en antecedentes tan prestigiosos como el *Quijote* y responden al proyecto lorquiano de alejarse del teatro realista por el procedimiento en este caso de la caricatura grotesca, haciendo funcionar como nunca su sentido del humor y su espíritu cómico, como ha visto Virginia Higginbothan (1976, 71-88). En concreto, han trabajado sobre esta parcela teatral William I. Oliver (1962, 76-95) y Piero Menarini (1980, 83-95), que han puesto de relieve la permanencia de un conflicto grotesco dramático (el viejo y la niña) en dos versiones o variaciones de un mismo tema. Por su parte, Edwards ha observado en las dos farsas guiñolescas aquellos elementos que permanecen en el teatro lorquiano, como son el amor y la frustración y sus implicaciones trágicas, o, en la segunda farsa, «el hecho de que las figuras del Poeta y el Director discutan la obra y sus personajes e intervengan en la acción», que indudablemente la pone en relación con *El público* (1983, 53).

Más atendidas por los lorquistas han sido las dos farsas para personas, *La zapatera* y *Don Perlimplín,* que, aunque nacen de los títeres, dada su elaboración artística y su perfección formal, se convierten en «dos pequeñas obras maestras», como las ha considerado Joseph y Caballero (1982, 32). En el caso de *La zapatera prodigiosa* se ha destacado su evidente conexión con la tradición literaria española, y muy en concreto con los entremeses de Cervantes y con los esperpentos de Valle-Inclán, como ya advirtió Forradellas en la introducción a su edición de la obra, mostrando cómo el entremés influye de manera directa, más que como fuente inmediata, como forma dramática (1978, 48-54). En este sentido suelen citarse *El retablo de las maravillas* y *El viejo celoso* por un lado, y *Los cuernos de don Friolera* por otro, aunque Buero Vallejo, que ha analizado la relación entre esta pieza y el esperpento, ha considerado «muy probable que *La zapatera* se escribiese bajo el directo recuerdo de *Don Friolera* y *contra* su teoría esperpéntica» (1973, 126). Otros títulos e influencias han sido destacados a la hora de observar la tradición de la farsa (*La fierecilla domada, El sombrero de tres picos, Juanita la Larga*), no siendo los menores los acercamientos a nuestra literatura de Manuel de Falla, cuyos *El corregidor y la molinera* o *El retablo de Maese Pedro* hay que poner en relación con *La zapatera* lorquiana, tal como ha hecho extensamente Hernández (1982 *b*, 14-16). Una buena valoración de conjunto de todo este problema ha hecho, aún más recientemente, Jean Canavaggio, quien concluye que

en un momento clave en que se iniciaba una nueva etapa en la trayectoria dramática lorquiana, *La zapatera prodigiosa* no podía seguir los derroteros de la estética valleinclanesca. Otro camino fue el que eligió para regenerar a su modo la escena española: aquel mismo que abrieron, más de tres siglos antes, los muñecos del compadre Miguel (1983, 151).

En este sentido hay que destacar también la opinión de Francisco García Lorca, que ve en otros documentos cervantinos (*Novelas ejemplares, El juez de los divorcios*) su enlace abierto con la tradición, lo que habría de influir en su «perceptible sentido popular» (1980, 308-312).

La zapatera prodigiosa, «farsa violenta en dos actos y un prólogo», escrita entre 1929 y 1930 y estrenada por Margarita Xirgu en 1930, conoció otras tres puestas en escena en vida del poeta, de manera que, a causa de las reformas introducidas en el texto, podemos contar hoy día con hasta tres versiones diferentes de la obra, que, como tantas otras de Lorca, ha planteado los correspondientes problemas textuales: son los textos publicados por Guillermo de Torre (seguido por Arturo del Hoyo, que es el más conocido), Forradellas (1978), Mario Hernández (1982 *b*), que resume, con su habitual precisión, la cuestión textual (1982 *b*, 196-203), poniendo orden en un complejo panorama y, finalmente, ofreciendo al manuscrito en edición facsímil, Lina Rodríguez Cacho (1986). Interesantes son también las precisiones en torno al adjetivo «violenta», que para Edwards hace referencia a la «velocidad y energía con que la obra debe ser representada» (1983, 58), mientras que Hernández lo pone en relación con el propio sentido de la obra y la «*lucha* del personaje central con la realidad que le cerca» (1982, 39).

De la «tragifarsa» de Lorca, como la ha llamado recientemente J. M. Aguirre (1981, 241-250), se ha destacado también el conflicto, de raíz quijotesca, entre realidad y fantasía, que trasciende del mero ambiente farsesco, para alcanzar una dimensión ciertamente trágica. Ya lo vio así Francisco García Lorca, que destacaba, en la aparente sencillez de la obra, el tratamiento dramático del tema (1980, 311), aunque es Ruiz Ramón el que más hincapié ha hecho en esta cuestión al considerar que

> La zapatera, ejemplo poético del alma humana radicalmente insatisfecha con la realidad, lucha, en efecto, «con la realidad que le cerca y... con la fantasía cuando ésta se hace realidad visible», porque toda cristalización en una existencia dada limita insatisfactoriamente el puro fluir de la propia existencia, oponiéndole resistencia e imponiéndole leyes (1977, 185).

Parece evidente que *Amor de don Perlimplín con Belisa en su jardín* es una obra poco atendida por la crítica, a pesar de la trascendencia que ven en ella algunos lorquistas como Joseph y Caballero, que la consideran «una de las obras de un acto más geniales y originales del teatro mundial» (1982, 37). Escrita en 1928, no pudo estrenarse hasta 1933 esta «aleluya erótica», como reza el subtítulo, que la entronca con la tradición de los impresos populares de «aleluyas» de cuyo género también procede la forma del dístico del curioso título y cierto ritmo interno que ha estudiado Francisco García Lorca (1980, 314). Nuevamente estamos ante un drama del poeta granadino en el que se mezclan diferentes tonos, ritmos y elementos, que van desde lo lírico a lo trágico, desde lo romántico a lo grotesco, para dar tratamiento, de nuevo también, al tema del matrimonio desigual y la infidelidad conyugal, como en *La zapatera,* aunque todos coinciden en el alcance simbólico superior de esta obra que contará con un definitivo desdoblamiento de la personalidad del protagonista y un tratamiento del tema de la muerte que dejará, a diferencia de *La zapatera,* la estructura del drama cerrada y conclusa, como ya señaló el hermano del poeta (1980, 319). Él mismo observa también el parentesco de esta «aleluya» con antecedentes tan diversos como la *Serva padrona,* de Goldoni, o *Le cocu magnifique,* de Crommelynck, cuyo testimonio personal pudo confirmar la relación entre *Le cocu* y en *Perlimplín* (1980, 319).

La aportación más importante, por los caminos que abre, sigue siendo la de Francis Fergusson, quien pone en relación las innovaciones lorquianas de esta pieza con los hallazgos conseguidos en torno al drama poético por autores como Yeats o Eliot en relación con la nueva interpretación del mito que *Don Perlimplín* resuelve de forma directa:

> Si su fábula no es estrictamente un mito, tiene las cualidades que nuestros poetas buscan en él: parece mucho más viejo y mucho más significante en general que cualquier historia que sea literalmente verdadera; sin embargo, Lorca no parece haberla inventado, sino más bien que la percibió o la oyó, en el recinto más íntimo de su sensibilidad (1973, 182).

Se trata, en definitiva, de una nueva investigación lorquiana en su arte de escribir comedias, al manejar la farsa con fines diferentes que anuncian ya las técnicas de *Así que pasen cinco años* o *El público,* como ya señaló Edwards (1983, 65).

6.2.4. *Criptodramas*

Con este término ha agrupado Ruiz Ramón las dos obras más difíciles de Federico García Lorca, *El público,* escrita entre 1930 y 1936, y *Así que pasen cinco años,* escrita en 1931 (1977, 187). Ambas creaciones hay que ponerlas en relación con unos diálogos breves en prosa, escritos por Lorca pocos años antes, entre 1925 y 1928, *El paseo de Buster Keaton, La doncella, el marinero y el estudiante* y *Quimera,* ya que, en situaciones y personajes, se constituyen en antecedentes de las dos piezas consideradas surrealistas. Sobre esta relación se han ocupado Guerrero Zamora (1962, I, 84), Knight (1966, 32) y Ruiz Ramón (1977, 187) y, en su valoración y estudio de conjunto, destaca Edwards (1983, 65-72), quien se refiere especialmente al valor del *Buster Keaton,* también analizado por Havard (1977, 13-20).

Conocemos *El público* y *Así que pasen cinco años* a través de versiones inacabadas y con evidentes dificultades textuales, que pone de manifiesto Martínez Nadal, el estudioso que más ha trabajado por dar a conocer los textos (1976, 1978, 1979) en los diferentes estudios publicados en torno a ellas y especialmente en torno a *El público.* A estas dos obras habría que añadir el fragmento conocido de la *Comedia sin título,* que completaría el panorama de estos crípticos dramas lorquianos (Laffranque, 1978).

Para el estudio de *El público* son fundamentales las aportaciones de Martínez Nadal, que, tras un detenido análisis del desarrollo argumental de la obra, lleva a cabo una valoración de la estructura en su concepción circular, aunque con un desarrollo en espiral. Especial interés tienen para él los personajes: «En *El público,* Lorca está intentando una nueva forma de expresión dramática; drama de ideas y de pasiones abstractas, no de carácter y argumento en el sentido tradicional de estos términos» (1978, 205). Personajes que, como en *Así que pasen cinco años,* carecen de nombres propios y, a primera vista, de individualidad propia, pero que se hallan iluminados —hombres o caballos— «por una extraña luz de sueño o pesadilla. Un análisis minucioso confirmará además que personajes, tema y trama convergen en el director de forma tal que se plantea la pregunta de si Lorca concebiría la obra —independientemente del tema— como sueño, pesadilla o delirio que sufre el director momentos antes de morir» (1978, 212). El carácter poético de la obra, la relación con el surrealismo y las conexiones, a través de la metamorfosis forma-hueco, con el mundo de *Poeta en Nueva York* son algunos de los otros aspectos tratados por Nadal (1978, 212-256) y por M.ª Clementa Millán (1986).

Otras aproximaciones interesantes, aunque parciales por estar basadas en los escasos textos anteriores a 1973, para el estudio de *El público*, son los trabajos de Wilma Newberry, ya que pone en relación este drama con la obra de Pirandello en lo que se refiere a las trasposiciones espacio-temporales del viejo recurso del teatro dentro del teatro y a la destrucción de la distancia estética entre el público y la escena (1969, 276-296, y 1973, 125-144), aunque, al conocerse el texto completo de la obra, ha sido puesta en tela de juicio su opinión por Edwards, que considera que «un análisis de toda la obra no puede sino llevarnos a la conclusión de que nosotros, como espectadores, lejos de vernos distanciados de la acción nos sentimos metidos dentro de ella» (1983, 114). Por otro lado, más que la técnica del distanciamiento, Lorca utilizó la del espejo, y la relación entre actores, espectadores, escenario y auditorio, es básicamente la misma que existirá después en las obras lorquianas más «realistas» (1983, 97). En un acercamiento posterior, André Belamich ha visto en *El público* el antecedente de los modos y formas de la dramaturgia posterior lorquiana, especialmente de *La casa de Bernarda Alba,* aspecto antecedental que comparte con *Así que pasen cinco años*: «la visión del mundo de Lorca en los dos "misterios" engloba toda la obra futura» (1985, 91). Reflexionando sobre surrealismo y teatro, Balboa Echevarría ha estudiado, sobre la base de los criptodramas y de *Don Perlimplín,* «el espacio de la representación» (1986). Este mismo aspecto, aunque desde otra perspectiva, al estar basado en el «espacio escénico» de *Bodas, Yerma* y *La casa,* ha sido también objeto de reciente análisis por Ricardo Doménech (1986).

La relación entre los dos dramas, como dramas de hombres, como experiencias surrealistas y como creaciones *poéticas* iluminadoras de un sector de la poesía final de Lorca, ha sido puesta de manifiesto por Martínez Nadal (1978, 257-269). Entre ambas obras hay otros puntos en común, tales como su condición de «irrepresentables» admitida desde el principio por Lorca, aunque haya habido las normales puestas en escena de las obras tales como las que refleja Edwards (1983, 127), a cuyos datos habría que añadir un «estreno mundial» de *El público* en la Universidad de Murcia en diciembre de 1977, a cargo del grupo La Bella Aurelia, según recuerda Antonio Morales (1986).

Así que pasen cinco años se escribe en Nueva York y en Granada y se termina en 1931. Su subtítulo de «Leyenda del tiempo» es suficientemente revelador, como ha estudiado Francisco García Lorca, que en esta obra de su hermano ve un claro deseo de dramatizar la emoción del tiempo «como dilación, como inminencia», que, presente en otras obras del dramaturgo granadino, se concibe aquí con distintos moldes.

> Federico quiso crear una entidad dramática, y proyectar hacia el público una acción en la que la libertad de tratamiento viniese a potenciar, en términos poéticos, su dramatismo (1980, 323).

No son pocos los estudiosos que se han sentido atraídos por esta obra singular y que han tratado de desentrañar su sentido. A. Sepúlveda Ircondo (1951) hizo un primer intento de aproximación al que siguió el más difundido de R. G. Knight, quien observa el carácter no físico de la acción, ya que toda ella se constituye en un debate interior del protagonista, el Joven, que es el único personaje real de la obra, mientras que los demás no son sino elementos en la lucha del espíritu o son reflejos de la esfera no humana (1966, 32-33). La cuestión del tiempo es objeto de atención por parte de todos los que se aproximan a la obra, ya que éste y su continuo fluir constituyen «inequívocamente sus dos temas básicos», según Edwards. «Desde un momento en el presente, se nos señala otro momento en el futuro, cuando hayan pasado cinco años y los sueños de ahora se hayan hecho realidad de presente» (1983, 134). Tiempo, sueño, realidad, amor y otros muchos temas y motivos son objeto del enfoque dramático de Lorca en esta obra que, sin embargo, para Ruiz Ramón, que hace un recorrido por las interpretaciones de los críticos más conocidos, «no adquiere suficiente coherencia temática ni suficiente estructuración dramática» (1977, 189), aspecto en el que también hacía hincapié Knight (1966, 46), al destacar el carácter incompleto bastante insatisfactorio. No todos están de acuerdo, ya que otro grupo de críticos, entre los que destacan Lima (1963, 186) y Martínez Nadal (1978), valoran la trascendencia de esta experiencia lorquiana, en relación, por ejemplo, con el teatro del absurdo (Lima, 1963, 186; Higginbotham, 1976, 145). Finalmente, Edwards opina que la representación de la obra en el teatro Eslava de Madrid en 1978 puso de manifiesto, en contra incluso de la opinión de Lorca, que la pieza podría ser efectiva en la escena, ya que permite experimentar la fuerza dramática de los elementos que la constituyen (1983, 168). Parece, en consecuencia, que *Así que pasen cinco años* ya no es tan desconocida como cuando Eugenio F. Granell, en 1959, llevó a cabo su conocida interpretación premonitoria, llevando la identificación del Joven con el propio Federico, hasta la misma revelación previa del propio asesinato, una vez que pasaśen cinco años de la fecha de terminación de la obra (1973, 224).

6.2.5. *Trilogía de la tierra*

Queda claro, a través de distintos testimonios del propio Lorca y de sus biógrafos, que el dramaturgo había proyectado una «trilogía dramática de la tierra española» en la que, realizando una vuelta a la tragedia clásica, habrían de entrar *Bodas de sangre, Yerma* y una tercera que quedó sólo en proyecto, *La destrucción de Sodoma*. Las tres, según resume Ruiz Ramón, responden a un mismo proyecto:

> En las tres piezas de la trilogía se enfrentan conflictivamente, sin posible conciliación, dada su peculiar concepción dramática, los dos principios antagónicos e irreconciliables presentes en el universo dramático —¡y en el poético!— de García Lorca: el principio de autoridad y el principio de libertad (1977, 195).

La idea central que crea el conflicto dramático de *Bodas de sangre* ya fue destacada por González del Valle, quien asegura que «en *Bodas de sangre,* una serie de elementos negativos, entre los que figuran amor y odio desmedidos, muerte y fatalidad, se unen en la creación de una tragedia...» (1975, 101). La concepción de *Bodas de sangre* como una tragedia ha llamado poderosamente la atención de numerosos críticos ya desde un primer artículo de Pérez Marchand (1948). Su consideración como tal ha sido puesta en relación con el modelo aristotélico, y así lo hacen Halliburton (1968, 35-40) y González del Valle (1971, 95-120, y 1975, 115-135), quien, además, ve en esta pieza un seguimiento del patrón de O. Mandel de la tragedia, según la cual

> un protagonista por el que sentimos buena voluntad es impulsado, dentro del contexto de un mundo, a tomar una acción, y debido a esta

acción, y siguiendo las leyes que rigen el mundo donde todo ocurre, necesariamente se encuentra un grave sentimiento espiritual y físico (1975, 102).

Muy interesante es también la relación de Lorca con el concepto moderno de la tragedia que tantos escritores actuales han intentado en una lucha constante entre la asunción de los conflictos clásicos y el peligro de practicar unos «ejercicios de arqueología». Lorca superó y coronó esta lucha al crear una tragedia «de la tierra española», como muy bien analizan Joseph y Caballero (1985, 13-26).

Un apartado interesante, al que la abundante bibliografía ha dedicado atención, ha sido el de las posibles fuentes de la tragedia. Además de los ya señalados influjos de la preceptiva de Aristóteles, se ha detectado la presencia de Valle-Inclán, como resume Edwards (1983, 176-177), pero también Lope de Vega, a través de *Peribáñez* y *El caballero de Olmedo,* como ya establecieron Loughram (1980, 127-136) y Jareño (1970, 217-242); Ibsen, especialmente *Peer Gynt* y Synge (*Jinetes hacia el mar*), como han visto Chica-Salas (1961, 128-137), Smoot (1978) y más recientemente Feito (1981, 144-152). Muy reveladora resulta también la aplicación de la filosofía de Heidegger a los personajes de la obra realizada por Carbonell Basset (1965, 118-130) y la relación con Camus, hecha por Jareño (1970, 217-242).

Gustavo Correa destacó los elementos temáticos que sustentan el conflicto de esta tragedia: la identificación Madre-Tierra, que trae consigo «la identificación del hombre con lo vegetal como producto de la naturaleza» (1970, 94). Otros autores se han ocupado de aspectos temáticos de *Bodas de sangre.* Así, los temas en relación con las formas los estudia Gaskell (1963, 431-439) y Touster (1964, 16-27), mientras que Zimbardo (1968, 364-371) se refiere a los mitos, y Palley (1967, 74-79), a los símbolos arquetípicos. El significado de los nombres lo ha interpretado Álvarez-Altman (1980, 60-72), mientras que Riley (1951, 8-12) se detuvo en los motivos más clásicos como el honor o la fatalidad. El caballo, que siempre da que hablar en todo Lorca, fue objeto de las consideraciones de Villegas (1967, 21-36), mientras la relación entre cromatismo y forma de comportarse de los personajes en *Bodas de sangre* fue revisado por Remey (1965). Maternidad, fertilidad y muerte son estudiados por Nonoyama (1972, 307-315), al tiempo que aspectos estructurales ocupan a Hutman (1973, 329-336).

La multiplicidad de las aproximaciones da idea del rico mundo crítico en torno a esta tragedia desde el punto de vista interno, que habría que completar con el estudio externo de la «historia de *Bodas de sangre*» de Joseph y Caballero (1985, 26-48) y las siempre útiles precisiones textuales e históricas en torno a la difusión de la obra, de Mario Hernández (1984 *b*, 9-67), en cuyas páginas figura relatado el hecho real que dio origen a la tragedia, ocurrido en Níjar en 1928 (1984 *b*, 27-33).

Ni que decir tiene que similar o mayor interés que *Bodas de sangre* ha despertado *Yerma,* cuyos conflictos han ocupado también a un buen sector de la crítica, interesada igualmente, tanto en aspectos temáticos como estilísticos. En este sentido hay que destacar el análisis de la obra como tragedia ya clásico de Cannon (1962, 85-93), que sienta las bases de muchos otros estudios, tales como el de González del Valle, que vuelve a plantear la consideración de la obra desde la perspectiva teórica de Oscar Mandel (1975, 135 y ss.).

La protagonista femenina de la tragedia, partiendo de su significativo nombre, estudiado por Allen (1974, 154-155), ha constituido el centro de casi todos los acercamientos a los temas fundamentales de la obra como son el de la infecundidad, visto por Skloot (1966) y por Correa (1970, 127), mientras que los ritos en torno al mito de la fertilidad femenina han sido observados por Sullivan (1972, 265-278). La relación entre boda y procreación ha preocupado a Cannon (1962, 88), a Lott (1965, 23) y a Falconieri (1967, 25-26). Sin embargo, entre todos los temas, ninguno ha sido tan revelador como el del honor. Para Correa, «la angustia de Yerma de no ser madre es el resorte trágico más importante de nuestra tragedia» (1970, 121), lo que desencadenará un tremendo conflicto entre la honra exterior y la honra interior que la fortalece heroicamente. «La tragedia de Yerma está encerrada dentro de sí misma y su relación con el mundo exterior tiende a evitar este sentimiento de lo trágico individual» (1970, 126). Sobre el tema se ha ocupado también Bussete (1971, 53-69) y Rincón (1966, 66-98, especialmente 79).

Tanto Yerma, en su condición de heroína, como Juan, han provocado discusiones en cuanto a su concepción y a las verdaderas intenciones de sus acciones trágicas. La protagonista suscita diferentes opiniones no coincidentes a González del Valle (1975, 44), Lott (1965, 26), Lima (1963, 239) y Edwards (1983, 232), que ven diferente objeto en la utilización del tema del honor, bien para no cometer adulterio, bien para preservarse de su propia esterilidad. En torno a Juan y su actitud, igualmente hay distintas opiniones en Lima (1963, 238), Allen (1974, 127-130) y Morris (1972, 285-297), en torno a su posible condición de fuente o causante de la esterilidad de Yerma.

No es pequeña la atención que ha provocado el importante componente poético en la obra, analizado en líneas generales en su ya clásico estudio por Cannon (1960, 122-130) al revisar las relaciones de las imágenes entre sí: luz-oscuridad, mañana-tarde, blanco-negro, etc. Una de las vertientes de lo poético, la utilización de la canción tradicional, he tratado de analizar en relación con la corriente del teatro clásico español (1982 *b*, 66-72), mientras que Correa ha visto importante simbolismo en ellas al asignarles un papel mítico (1970, 143).

Cabe citar, por último, el interés de los datos históricos en torno a la génesis, estreno y ediciones de *Yerma* que aporta Mario Hernández (1981 *b*, 9-30), que se completan con el documentado estudio de Eutimio Martín sobre la incidencia del estreno de la obra en el Madrid de la Navidad de 1934 y su relación con las costumbres sexuales de las españolas y *La perfecta casada* de Fray Luis de León (1985, 93-122).

6.2.6. Últimas obras

Doña Rosita la soltera o el lenguaje de las flores es la última obra estrenada en vida de Lorca, quien deseaba descansar, tras *Bodas de sangre* y *Yerma,* en su cultivo de la tragedia, para lo cual inventa este «poema granadino del novecientos, dividido en varios jardines con escenas de canto y baile», en el que trata de dar vida a una Andalucía en tres tiempos o tres épocas. Fue Roberto Sánchez quien destacó el valor de esta triple exposición del siglo XIX, a través de los ojos de Zorrilla y Bécquer, de Galdós y de Arniches.

> En *Doña Rosita la soltera* hay denuncia, pero también hay ternura, síntesis chejoviana, y esta síntesis, creemos nosotros, la logra Lorca a su manera, y por su cuenta, aunque en ello se vea claramente la sabia inspiración de sus compatriotas del siglo XIX (1973, 336).

Daniel Devoto es el autor del estudio más extenso y profundo en torno a la obra y al tema de la «rosa mutabile», que da cuerpo al desarrollo de la pieza, destacando la síntesis de los diferentes elementos que confluyen en un drama de fuentes diversamente complejas, finalmente destinado a constituir «una unidad total» (1967 *a*, 434). Muy importante, en la consideración de la soltería y su dramatización desde la perspectiva del paso del tiempo («poetización del tiempo», según reciente perspectiva [1986, 311-318] de Greenfield), es la problemática de la frustración que Edwards ha relacionado con otros momentos de la obra dramática lorquiana:

> el tema de la frustración ocupa también un lugar primordial en las obras de Lorca, desde el grito final angustiado de Curianito de *El maleficio de la mariposa* hasta el anhelo no realizado de las mujeres de *La casa de Bernarda Alba*. Pero tal vez los antecedentes más concretos de Rosita se encuentren en los diversos personajes de *Así que pasen cinco años* y naturalmente en la trágica figura de Yerma (1983, 289).

A este sentido de frustración contribuye poderosamente el entorno, los demás, la gente, que ejercen presión sobre la protagonista, como señala Ruiz Ramón, relacionable este aspecto con estas obras de Lorca: «Doña Rosita es la solterona *desde* los demás, pero no desde y para sí misma. Son los demás quienes constituyen una pequeña agresión contra el individuo» (1977, 206).

Muy amplia es la biobliografía relativa al «drama de las mujeres de España», que constituye *La casa de Bernarda Alba,* con la que Lorca en 1936 abre una trilogía inacabada. González del Valle ha revisado su condición de tragedia (1975, 148 y ss.), aspecto que ya habían apuntado Bluefarb (1965, 117) y Margot Arce (1970, 12), y que González del Valle ve sobre todo en Adela como víctima del mundo que la rodea. Son numerosos los hispanistas norteamericanos que han prestado atención a este drama, y entre las referencias clásicas hay que citar a Sharp (1961, 230-233), con su preocupación por la tragedia también; a S. M. Greenfield (1955, 456-461), que ve en la tragedia un conflicto entre un anacrónico código del honor totalmente distorsionado y el deseo de la libertad individual y la perpetuación a través de la procreación; J. Rubia Barcia (1965, 385-398), respecto a la difícil combinación lograda por Lorca denominada «realismo mágico»; Higginbotham (1968, 258-265), con sus habituales ensayos en torno al espíritu cómico y posible relación con el teatro del absurdo; R. A. Young (1969, 66-72), como una aproximación a la realidad española inmediata a la guerra civil.

Como culminación de un proceso de depuración de elementos trágicos hacia un teatro nuevo la han considerado Joseph y Caballero, que ven en *Bernarda Alba* un intento de universalización de conflictos en la «plena madurez del dramaturgo», que había señalado también Ruiz Ramón (1977, 207). Para ellos, *La casa de Bernarda Alba* es un drama andaluz altamente poético, aunque no emplea versos; es una obra no de intención política, sino de magnífica intención artística; es la escenificación no de la situación general de las mujeres de España, sino de una familia extrema andaluza; y, finalmente, es la obra maestra del teatro lorquiano, tanto estilísticamente, la culminación de una técnica cada vez más depurada que resulta en un estilo nuevo, como temáticamente, la expresión más radical del tema lorquiano del conflicto entre el individuo y la sociedad. Es, además, su obra teatral más universal (1982, 73).

La posición de *La casa de Bernarda Alba* como principio de un proceso y como obligado fin de una dramaturgia ha despertado gran interés entre los críticos que, al acercarse a ella, han querido ver en sus escenas reflejos de las intenciones reformadoras de Lorca. El ser la última obra y el tener presentes las causas por las que no pudo verla estrenada subyacen creando un ambiente un tanto patético en numerosos de los enfoques, que no dejan de lamentar cómo se truncó una obra dramática singular en los mismos comienzos de una etapa de definitiva renovación escénica y artística.

Así ocurre en la última serie de estudios sobre *Bernarda Alba* recogidos por Doménech (1985 *a*), entre los que hay que destacar el de Francisco Ynduráin, que nos ofrece lo que él considera una «lectura» desde el punto de vista «profesoral», aunque en realidad lo que aporta es un valioso ensayo de interpretación (1985, 123-147); Miguel García-Posada, también editor escolar en otra oportunidad de la obra (1983), que deja establecido con todo detalle el valor de la relación ya tópica entre *Bernarda Alba* y *Doña Perfecta,* de Galdós (1985, 149-170); John Crispin, que se refiere al mundo mítico de *Bernarda,* en relación con el resto de Lorca (1985, 170-185); y Ricardo Doménech, preocupado por el símbolo y el mito de las tres tragedias «rurales», aunque, para él, no se deban conceptuar como «dramas rurales», especie muy definida y concreta, que hace años estudió en su conjunto —Lorca incluido— Mariano de Paco (1972). Engloba los símbolos en tres órdenes (lo animal, lo vegetal y lo cósmico), con lo que se crea un lenguaje simbólico afín al de las otras tragedias, ya que en el teatro de Lorca es definitiva la relación mito-rito, apoyada y postulada por el dramaturgo y evidenciada en esta tragedia neosimbolista» (1985 *b,* 187-209).

¿Cuál era el futuro de este teatro «abierto e inconcluso», como lo ha denominado Marie Laffranque? La hispanista francesa ha realizado un análisis de lo que Lorca proyectó o proyectaba, aspecto también revisado, con los habituales datos documentales, por Mario Hernández (1984 *b,* 10-37), y resulta sobrecogedor ver desfilar por las páginas de Laffranque una serie de títulos de obras inacabadas, proyectos y fragmentos, que hoy sólo conocemos levemente, pero que ponen de relieve la condición de teatro de búsqueda e investigación que ostentaba el de Lorca en el momento de su muerte. Empezando por la propia *Casa de Bernarda Alba* y siguiendo con *El público, Comedia sin título, Los sueños de mi prima Aurelia, Posada, La quimera, El miedo del mar, Rosa mudable, Los rincones oscuros, Las monjas de Granada, El drama de las hijas de Lot* o *La destrucción de Sodoma, Diego Corrientes, La bola negra, Carne de cañón, El frío del rey David, Thamar y Amnón, El hombre y la jaca, El sabor de la sangre, La hermosa, La piedra oscura, Casa de maternidad,* etc., descubrimos un teatro que no pudo ser, un teatro irremediablemente perdido, que hubiera permitido a su autor plantear nuevamente temas y problemas llenos de tragicidad y patetismo (1985, 211-235).

7

DÁMASO ALONSO

7.1. El poeta

Aunque las fechas de publicación de sus libros poéticos más importantes no coincidan estrictamente con los años áureos de la generación del 27, ya que aparecen en 1921 los *Poemas puros* y en 1944 *Oscura noticia* e *Hijos de la ira,* Dámaso Alonso (n. 1898) debe ser considerado como uno de los más activos componentes del grupo del 27, al que él desde luego se considera adscrito como crítico y acompañante, tal como tenemos señalado. Por edad —nace en 1898, como Aleixandre y Lorca— y por su participación activa en las distintas conmemoraciones y concurrencias bibliográficas de los años veinte, Alonso queda vinculado por sus más reputados estudiosos a este grupo o generación de escritores, con alguno de los cuales coincide en el mismo ejercicio de la cátedra filológica, aspecto que en este poeta va a adquirir una singular y excepcional relevancia de alcance universal. Su adscripción generacional ha sido claramente defendida, tanto por Alvarado de Ricord (1967, 15-20) como por Debicki (1974, 17-22), quien descubre en su actitud literaria similares impulsos a los de sus compañeros de generación: búsqueda de una expresión poética «pura», respeto y conocimiento de la tradición, asimilación de las más recientes corrientes literarias, «fe en la trascendencia de la poesía y búsqueda de un arte perfecto, humano y universal», uso de la metáfora y, finalmente, poesía inmediata y social.

No son muchos los libros poéticos de Dámaso Alonso, cuyo itinerario básico trazó Vicente Gaos (1959), aunque estén extendidos en un largo período vital de más de sesenta años que va desde 1921, fecha de la aparición de sus *Poemas puros. Poemillas de la ciudad* (la fecha más temprana de un libro del 27) hasta 1985 con *Duda y amor sobre el Ser Supremo,* quedando entre ellas las de los libros de 1944 —*Oscura noticia* e *Hijos de la ira*—; la de *Hombre y Dios* —1955— y la de *Gozos de la vista* —1981—. La construcción de tales libros revela también una sencilla complejidad, ya que —por ejemplo— unos poemas publicados en 1925 con el título de *El viento y el verso* se incorporarán en 1944 a *Oscura noticia,* que aparecerá ya junto a *Hombre y Dios* en 1959. Por su lado, el libro *Gozos de la vista,* que será dado a conocer por completo —después de diferentes entregas— en 1981, aparecerá junto a la segunda edición de *Poemas puros. Poemillas de la ciudad* y con una serie de *Otros poemas,* entre los que se incluyen los «Tres sonetos de la lengua castellana», cuya primera versión se había publicado en 1958. Aparecen ahora sus «Canciones a pito solo», por primera vez recogidas. Finalmente, su último libro —el de 1985— se completará en volumen con una interesante *Antología de nuestro monstruoso mundo,* constituyendo así la totalidad de una poesía breve, pero de evidente interés.

7.2. POESÍA INICIAL

Así titula Rafael Ferreres (1976, 27) la que considera etapa primera en la poesía de Dámaso Alonso y que se cierra con la aparición de *Poemas puros. Poemillas de la ciudad* en 1921. En este libro, por tanto, se reúne toda una poesía en la que se revela, una vez superado Rubén Darío, una decidida influencia de Juan Ramón Jiménez y de Antonio Machado, tal como advierte Luis Felipe Vivanco, que le considera entonces el poeta

más machadiano de su generación. Ahora bien, Antonio Machado se empeña —en muchos de sus mejores momentos— en no ser más que un poeta de tono menor. Y en esta misma dirección, el tono del Dámaso juvenil es mucho menor todavía (1971, 2, 88).

Ferreres destaca en este libro como temas esenciales el constituido por el escenario, Madrid, que formaliza la figura constante de «la ciudad», el amor, la novia, al mismo tiempo que ya revela una atracción hacia lo popular, aunque esta poesía nada tiene que ver con los cantares populares recogidos por Machado Álvarez y Rodríguez Marín, sino con Lope de Vega y Gil Vicente, bien conocidos del poeta (1976, 43-52). Debicki, por su parte, ha visto en *Poemas puros* una anticipación, tanto de temas como de técnicas, de lo que luego será la culminación, en *Hijos de la ira*:

> El conflicto entre una visión idealizada de la vida y otra visión ásperamente realista, conflicto que es central en *Poemas puros,* prefigura el choque entre un concepto religioso y un concepto existencial de la vida, y este choque es central también en la poesía tardía. El protagonista que debe escoger entre lo poético y lo trivial en *Poemas puros* es una versión anterior al angustiado buscador de *Hijos de la ira* (1974, 14).

Alvarado, insistiendo en el mismo sentido, percibe, sin embargo, una cierta inmadurez revelada en el manejo de instrumentos líricos, debido quizá al carácter adolescente de este libro poético:

> Es una poesía apenas joven, pero ya dueña de instrumentos con que abrir su futuro: sensibilidad profunda y talento expresivo. La delicadeza e inmadurez de los cantos no tocan la visión del mundo; si bien no tiene ésta el sólido andamiaje que ha de cobrar después. Sí descubre esa misma madera, todavía tierna, que al fortalecerse con las cortezas de los años sucesivos alcanzará la corpulencia y la estatura de la gran poesía de *Hijos de la ira, Oscura noticia* y *Hombre y Dios* (1967, 21).

La construcción del libro *Oscura noticia,* aparecido en 1944, revela al que Ferreres ha denominado «poeta a rachas» (1976, 59), ya que en este volumen se incluyen tanto poemas publicados con anterioridad a la guerra civil como los reunidos bajo los títulos de *El viento y el verso* (1924), *Estampas de primavera* (1919-1924) y *Dos poemas* (1926-1927), aunque la mayor parte del libro está escrita entre 1933 y 1943. La crítica se ha detenido en los poemas primeros, observando sobre todo en ellos el parentesco notable con *Poemas puros. Poemillas de la ciudad* y su vinculación al arte y al estilo juanramonianos claramente perceptibles sobre todo en *El viento y el verso,* que se publica en *Sí,* por más que Ferreres haya discutido tal filiación (1976, 64):

No es Dámaso Alonso un poeta químicamente puro, ni poeta que se sujete estrictamente a modas literarias. Si éstas le tientan en sus años mozos es porque entonces vivía más de los libros que de las propias experiencias. Su poesía desde este momento (1923-1924), más que con credos literarios, con modelos a seguir, irá a compás con su vida, se guiará y orientará con lo que los acontecimientos de su vivir le deparen (1976, 76).

El resto de los poemas de *Oscura noticia* responde a impulsos diferentes a los expresados en las tres series de los años veinte. En el núcleo principal del libro se va intensificando la presencia del propio poeta de signo unamuniano, que —como aprecia Ferreres— lucha «por acabar los misterios esenciales que tiene el humano ante sí» (1976, 83), tales como el destino de nuestra vida y la muerte. El propio título, extraído de San Juan de la Cruz, hace referencia a esa dificultad de conocer el destino humano, aunque en este libro se muestre de forma serena con respecto a la gran explosión que ha de surgir en seguida en *Hijos de la ira*. Debicki ha observado en esta actitud del poeta una continuación y al mismo tiempo un cambio respecto a la poesía anterior, ya que si bien se centra en el conflicto realismo-prosaísmo, ahora lo refiere «aún más explícitamente a las situaciones y problemas particulares de la vida humana, al tiempo, a la muerte, al amor» (1974, 61).

No hay duda de que *Oscura noticia* ha de considerarse por todo ello un libro misceláneo o «libro de aluvión», como lo llama Luis Felipe Vivanco (1971, 2, 95), compuesto por poemas de diferentes épocas, lo que hace que se resienta su unidad. Aunque podríamos percibir, en todos sus componentes, rasgos que luego han de ser definidores de su poesía lírica, no cabe duda de que, como bien señala Alvarado, en el libro «se encuentran representados los diversos estratos de esta producción, grande no por su abundancia, sino por su consistencia esencial, por su empuje artístico y por su clara originalidad» (1968, 74).

7.3. «Hijos de la ira»

Desde luego, es *Hijos de la ira* la obra más importante de Dámaso Alonso, tanto por sus propias cualidades intrínsecas como

por la extraordinaria trascendencia que supuso su aparición en
1944, paralela por sus consecuencias a la publicación de *Sombra
del paraíso,* tal como ha destacado Alvar en diferentes ocasiones:
«*Hijos de la ira* es el resultado de una personalísima experiencia
como lo son —a distancia histórica de siglos— otros poemas de
Fray Luis de León y de San Juan que han podido converger en
la obra de Dámaso Alonso» (1977 *a,* 234). La presencia del nuevo
libro de Alonso produjo pronto el impacto que toda la crítica
posterior ha destacado y que Emilio Alarcos recuerda:

> La reacción de la crítica a raíz de la aparición de *Hijos de la ira*
> refleja esto: al fin teníamos un libro poético intenso y penetrante. Si al-
> gún escritor, y muy amigo de Dámaso, rezongó reticente ante la novedad
> del libro, fue sólo en nombre de la tradición formal estrófica y como
> consecuencia de estar por entonces dedicado a sacar a flote piedras pre-
> ciosas endecasilábicas, octosilábicas o lo que fueran del proceloso piélago
> de la poesía decimonónica (1976, 143).

La crítica especializada se ha detenido en la consideración de
un libro así y ha observado ante todo la originalidad de una actitud que cambia fundamentalmente en tres aspectos, señalados por
Debicki (1974, 62) y que revelan su condición de angustiada:
imágenes grotescas, lenguaje cotidiano prosaico y tono fuertemente expresivo mediante la utilización del verso libre. Tales aspectos
han sido glosados por los críticos y valorados como un cambio, y,
como hace Concha Zardoya, como un «punto de partida de toda
una corriente anti-retórica, existencial, libre, doloridamente humana» (1974, 220-221), aunque, como apunta Flys, tal posición no
sea «realista», ya que nos habla de problemas eternos del hombre,
y no de su vida circunstancial; «no busca la incitación fiel de la
naturaleza». Pero el poeta apunta a estos problemas con palabras
que expresan lo que él siente en el corazón: un corazón que llora
y sonríe, que acaricia y flagela; en una palabra, un corazón humano.
Por eso, *Hijos de la ira* lleva el subtítulo de «Diario íntimo» (1968,
49). Indudablemente, una de las notas de mayor originalidad es
lo peculiar del mundo poético creado, la condición de mundo
poético *personal* alejado, como señala Víctor García de la Concha,
tanto de la llamada poesía social como de los nuevos intentos neo-
clasicistas, aunque tal «intención [...] no estuvo ausente del autor

a la hora de su composición» (1973, 299). Quizá el personalismo de esa concepción poética del mundo, peculiar de Dámaso Alonso, se descubre si repasamos con Elias L. Rivers el contenido del libro:

> Hijos de la ira, si lo miramos como una sola poesía compleja, está considerado sobre una base de mitos muy particulares. En el principio existía el niño inocente en un jardín edénico protegido por su padre, en una isla con palmeras y villas. Pero luego irrumpió un Caín violento, con insectos y dolores físicos, serpientes venenosas, con el odio, la injusticia y la muerte; las hermosas piedras y árboles se convirtieron en monstruos misteriosos, difíciles ya de comprender y de amar. A través de este mito complejo el poeta pretende comprender y aceptar una nueva realidad más repugnante, y más auténtica de la que antes conocía (1970, 20).

Debicki ha hecho referencia al contexto histórico que provoca la razón de ser de este nuevo mundo poético: la posguerra española coincidente con la Segunda Guerra Mundial, cuyos horrores tanto influyen en la visión pesimista como en el tono directo que llegase al corazón y a la inteligencia de todos, como pretendió el propio poeta (1974, 63). En este sentido, el aspecto lingüístico es fundamental. Torres Nebrera se ha referido a las novedades de la escritura poética de Dámaso Alonso poniéndolas en relación tanto por su tendencia al prosaísmo como por su libertad con «residuos de un talante surrealista [...] que, desde la década de los años veinte, subyace en nuestra poesía» (1980, 85). Bousoño observó que la introducción del lenguaje cotidiano marcaba ya el final de los vocabularios «poéticos» (1958, 262-290), mientras que Flys (1968, 60-72, y 1986, 36-41) y Rivers (1970, 17-18) han visto en la nueva versificación libre una intención de acercamiento al lenguaje conversacional, ya que la supresión de los alambiques estróficos representa una liberación y al mismo tiempo un deseo de claridad y normalización, como ha observado Ballesteros (1967, 371-380).

Pero, desde luego, donde se percibe una más clara actitud de cambio es en el mundo poético del nuevo libro, representado por el poeta (a través de su «diario») y las circunstancias «monstruosas» que le rodean, representadas en criaturas singulares. El mundo «monstruoso», que llama la atención de críticos como Coddou

(1973, 141-161), es el nuevo contexto que observa insomne y angustiado. Algunos poemas han tenido, en este sentido, particular éxito entre los críticos, como «Hombre», comentado, entre otros, por Virtudes Serrano (1976-77, 705-712); «Insomnio», por Rivers (1970, 37) y por Debicki (1974, 66), y «Mujer con alcuza», que estudian Gullón (1965, 107), Rodríguez Padrón (1973, 201-215), Flys (1974, 109-152) y Ferreres (1976, 176-181), entre otros, revelando el gran sentimiento de soledad y de cansancio que define el clima espiritual del libro, delator de una actitud definida que va desde la concepción del mundo como «paraíso perdido», dominado por un «Caín» violento, hasta la concepción mística que en él ha visto Silver (1970). En definitiva, la gran novedad radica tanto en el cambio sustancial como en el acierto de los nuevos hallazgos expresivos, que resume Concha Zardoya:

> El canto de Dámaso Alonso, antes «puro» y bello, se ha vuelto patético, increpador, ardiente, casi ensangrentado y, al mismo tiempo, lleno de ternura. Se eleva hasta un ascetismo de la más auténtica cepa española, cuando increpa la miseria carnal y moral. O desciende, en otros momentos, a un fervor religioso y humano que conmueve hondamente. Los poemas de *Hijos de la ira* atienden tanto al dolor corporal como al anímico, revistiéndose todos de un profundo trascendentalismo humano (1974, 205).

7.4. POESÍA POSTERIOR

Una gran etapa final, prolongada hasta nuestros días, se toma en consideración a la hora de estudiar la poesía de Dámaso Alonso, partiendo del cambio que se opera en 1955 con la aparición de *Hombre y Dios,* con el que, según Torres Nebrera, «asistimos a una especie de reconciliación del poeta con su angustia, al enfocar el binomio del creador y de la criatura, no desde una dimensión religioso-dogmática, sino desde una postura existencial, en la que la relación de los dos polos se hace absolutamente necesaria, para la mutua existencia de hombre y deidad» (1980, 85). También se ha visto en la nueva actitud de Alonso una fusión de lo divino y de lo humano de su poesía, borrando, como ha señalado Flys, los límites entre lo de aquí y lo de allá.

De esta manera, se realiza completamente la idea damasiana de un Dios como conciencia radicada en el hombre y como una especie de fuente de energía interior que hace que el hombre continúe el proceso de la creación original (1968, 314).

Nos introducimos entonces en la gran etapa final de la poesía de Dámaso Alonso que ha de culminar en su último libro, *Duda y amor sobre el Ser Supremo,* publicado ya en 1985, en el que el poeta se plantea de forma interrogadora y dubitativa su relación hombre-Dios. Toda la crítica coincide, desde Sobejano (1955, 240) y Oreste Macrí (1958) hasta Torres Nebrera (1980), en la presencia de Unamuno en la base, tanto temática como expresiva, de este poemario, aspecto que será fácilmente confirmado en el libro último. Que se produce una variación relativa respecto a *Hijos de la ira* ya lo vio Sobejano, quien asegura que *Hombre y Dios* «es, en cambio, un libro claro, delgado, en orden, una obra ajustada, neta, que no proyecta sombra ni emite jadeo. Emana luz, despide gracia intelectual» (1955, 238). Es posible que este sentido de claridad sea percibido sobre todo por la cuidada configuración del libro, el «más laboriosamente estructurado y meditado de este poeta», según señala José Luis Varela (1960, 47), que lleva a cabo un estudio de la cuidada formulación del libro, para concluir que *Hombre y Dios* «no es un canto a la magnificencia de Dios desde la indigencia del hombre (como parecía aguardarse tras *Hijos de la ira*), sino un canto a la grandeza de la criatura por su participación en ella de Dios» (1960, 49).

Para Carlos Bousoño, el cambio es perceptible también en el lenguaje poético utilizado, ya que la presencia de expresiones filosóficas y un más concentrado conceptualismo (1958, 257) nos ofrecen una acentuación de la intención filosófica del poeta, que también se entiende al observar la cuidada estructura a que nos hemos referido, como resume Debicki:

El claro esquema en torno al que el libro se organiza, su uso de conceptos filosóficos en función de imágenes y su énfasis sobre preguntas infinitas y sobre su resolución puede hacer de *Hombre y Dios* algo menos inmediato, menos próximo a la angustia particular de los seres humanos que *Hijos de la ira*. Pero gracias a su estructura y a su uso de recursos líricos y dramáticos sigue siendo una encarnación vital de su tema, un poema excelente que nos da también una versión más plena aún del conflicto básico entre dos puntos de vista que los primeros libros de Dámaso Alonso (1974, 109).

La publicación en 1981 del contenido completo de *Gozos de la vista* permitió conocer en su conjunto las diez composiciones que vieron la luz en distintas revistas entre 1955 y 1957, y que desde luego hay que poner en relación con *Hombre y Dios* por cuanto se configura, a través del tema de la vista, en una meditación del hombre frente a su destino, frente a Dios. La presencia del gozo como fundamento de la perspectiva vital del libro concede una dimensión que, sin embargo, pone al descubierto la fugacidad de esa existencia. *Gozos de la vista* tiene, por otro lado, un solo sujeto, el hombre, capaz, a través de su sentido de la vista, de captar la realidad que, fielmente, no se ofrece como ámbito grato, sino como vida angustiada y sin protección. Tanto Bousoño (1958, 284-288) como Debicki (1974, 109-130), que conocieron la disposición del libro antes de su publicación completa, estudian aspectos variados de esta obra que, para el crítico norteamericano, «supone un tratamiento individualizado, más esencial, del tema de la doble índole de nuestra existencia, de sus valores y de sus defectos» (1974, 110).

Otras obras poéticas de Dámaso Alonso, reunidas en el volumen de 1981, son los «Tres sonetos sobre la lengua castellana» (1958), las «Canciones a pito solo» (1919-1967); pero su último libro, *Duda y amor sobre el Ser Supremo,* ha revelado la vitalidad del poeta al presentarnos un poemario inédito, cuidadosamente estructurado, en el que se percibe de nuevo la influencia de Unamuno junto a la de la mejor tradición clásica ascético-mística: fray Luis de León y San Juan, de nuevo. Dámaso Alonso enfrenta en este nuevo libro el deseo del hombre frente a Dios de creer en él, sin que sea posible someter este anhelo a los límites de nuestra humana razón. Sólo el amor, en el que se ha de traducir ese irracional deseo, permite vislumbrar al poeta lo que debía ser creencia absoluta. Es el amor el único sentimiento que logra superar la duda del Ser Supremo, tal como se anuncia en el título. La brillantez de su expresión angustiada, poblada de interrogaciones y nutrida de reiteraciones que revelan la duda, la vacilación constante, marcan el sentido de un estilo directo y desnudo para expresar un mundo poético «final», lleno de complejidad.

7.5.   OBRA FILOLÓGICA

Al contrario de lo que sucede con otros poetas de su generación, en Dámaso Alonso la aportación más importante a la cultura española la constituye su obra filológica, sin desmerecer por ello la significación de su poesía, especialmente *Hijos de la ira*. Pero en Alonso se constituye quizá la obra filológica más importante de nuestro siglo XX, cuya trascendencia para nuestra historia habría que situarla a la altura de Menéndez Pelayo y Menéndez Pidal. Son, fundamentalmente, Emilia de Zuleta (1966), Muñoz Cortés (1973, 291-322), Debicki (1974, 138-162) y Alvar (1977 *b*) los tres críticos que han dedicado una atención más precisa a sintetizar el valor de un trabajo que abarca, como señala Muñoz Cortés, todos los ámbitos de la filología, desde la lingüística y la estilística a la teoría, la historia y la crítica literaria. El imponente conjunto de su obra crítica «perfila —como señala Zuleta— su sentido unitario por la fiel adhesión de Dámaso Alonso a los fundamentos de su método: los hechos del contexto —historia, tradición, fuentes, biografía—, los procedimientos y recursos, siempre como vías para mejor indagación del objeto literario concreto y único» (1966, 255).

8

LUIS CERNUDA

8.1. EL POETA

EN NINGÚN otro poeta del 27 como en Luis Cernuda (1902-1963) se percibe una mayor vinculación entre su poesía y su vida, de manera que ambas caminan paralelas dejando aquélla sentir los impulsos vitales que fueron trazando la existencia del poeta hosco y retraído, que desde Sevilla hasta México, pasando por Madrid, Toulouse, diferentes lugares de Gran Bretaña y California, va desarrollando una vida y una poesía paralelas. Su obra, por ello, se clasifica en torno a unos períodos que coinciden con unas zonas prefijadas de su propia existencia, vinculada en cada caso a residencias diferentes que producen en el poeta determinados estados de ánimo.

Se ha hablado de un «período sevillano» en la vida y en la obra de Luis Cernuda, que concluye en 1928 y que José María Capote sometió a un detallado análisis biográfico y crítico (1971), ya que es en este período cuando se produce su primera obra, *Perfil del aire,* ampliamente estudiado en particular por Derek Harris (1971), Talens (1975) y Flys (1982). Junto a este libro, que luego modificará notablemente al incluirlo como parte de *La realidad y el deseo* y resultado de sus comienzos entre puristas y clasicistas, aparece su curiosa segunda obra, compuesta por *Égloga, Elegía, Oda y Homenaje,* con fray Luis de León al fondo y Mallarmé y Garcilaso en la superficie. Quizá la incidencia más importante de este período, desde el punto de vista literario, es la oportunidad que Cernuda tiene como estudiante del preparatorio de Derecho de asistir a clases de Pedro Salinas, con el que establece gran amistad y cierto discipulaje espiritual.

La etapa madrileña de Luis Cernuda —tras un breve paréntesis poco representativo como lector aburrido en la provincia francesa de Toulouse— fue quizá de las más valiosas, tanto desde el punto de vista vital como literario, y transcurre entre 1929 y 1939. Los comienzos hay que vincularlos a la etapa surrealista de Luis Cernuda —estudiada por Capote (1976)—, en cuya estética se refugia el *dandy* rebelde, como la ha llamado Luis Antonio de Villena (1977), y produce dos importantes libros: *Un río, un amor* (1929) y *Los placeres prohibidos* (1931), que luego habrán de formar parte, ya que no conocen edición individual, de la obra «completa», que ve la luz en 1936: *La realidad y el deseo*.

En ella aparecen incluidos también otros textos de Cernuda posteriores y que constituyen el intermedio romántico en su poesía, especialmente *Donde habite el olvido,* que había visto edición aparte en 1934; la elegía «El joven marino», que aparece primero en edición independiente, también en 1936, y el libro *Invocaciones a las gracias del mundo,* escrito entre 1934 y 1935. Todo este conjunto poético, vinculado *Donde habite el olvido* a la realidad biográfica de un amor finalmente desdichado, supone la entrega de Cernuda al más puro romanticismo, matizado por un patente simbolismo y vinculado no a la tradición española, sino a Hölderlin, Shelley o Keats, de quienes fue asiduo lector y traductor del primero. La aparición de toda su obra reunida en el tomito que *Cruz y Raya* publica a Cernuda en abril de 1936 supondrá la consagración del poeta. Materializada en un recordado homenaje en la primavera de 1936, en el que participan todos los escritores de la época, y Federico García Lorca, en su nombre, confirma la importancia y altura de este libro cernudiano que, de ahora en adelante, habrá de ir recibiendo los nuevos libros como nuevas secciones de su obra «completa».

El comienzo de la guerra civil y su salida de España para trabajar en la Embajada española en París, el regreso pronto y los deseos del poeta de participar, ya en Valencia, en las actividades intelectuales de los últimos momentos de la República, coinciden con la redacción de su libro de guerra *Las nubes,* que continuará en Inglaterra, adonde marcha en 1938 para dar unas conferencias abandonando definitivamente España, ya que, aunque lo intenta, no se decide a volver, permaneciendo en Inglaterra como profesor de español y viviendo en Glasgow hasta 1943 una de las etapas más penosas de su vida, ampliamente documentada por Martínez Nadal (1983), quien ha estudiado el período británico de Luis Cernuda, que se completa con estancias en Cambridge y en Oxford hasta 1947. Además de *Las nubes,* terminada en Glasgow en 1940, de esta época es *Como quien espera el alba* (1941-1944), en el que tiene presente la guerra mundial vivida de cerca por el poeta en su exilio inglés, y los primeros poemas de *Vivir sin estar viviendo,* ya finalizado en 1949 en América, adonde el poeta había marchado en 1947 como profesor de español, en Massachusetts. De su etapa inglesa es también la primera redacción de sus nostálgicos poemas en prosa de *Ocnos,* que aparecen por primera vez en «The Dolphin», en Londres, en 1942.

La estancia en Estados Unidos tampoco fue satisfactoria para Cernuda, quien a partir de 1949 combina estancias en México en los veranos —en uno de ellos, el de 1951, aparecerá en la vida del poeta «X», su segundo gran amor, de trascendencia poética en los *Poemas para un cuerpo*—, hasta que en 1952 se traslada definitivamente a México, donde vive solitario —con algún regreso como profesor a Los Ángeles— hasta 1963, en que inesperadamente muere una mañana de noviembre. De esta época es *Con las horas contadas* (1951-1956), en la que habrían de figurar los «Poemas para un cuerpo» como final amoroso, las *Variaciones sobre un tema mexicano* (1949-1950) en prosa y al estilo de *Ocnos,* y *Desolación de la quimera,* comenzado en México en 1956 y finalizado en California en 1962, cuando el poeta, prácticamente olvidado en España, empezaba a ser reconocido como maestro de las nuevas generaciones españolas que, aquí, comenzaban a descubrir su poesía, pero de forma lenta y paulatina. El homenaje en 1958 de la revista *Cántico* y en 1962 de *La caña gris,* la publicación en Málaga en 1957 de una edición casi privada de «Poemas para un cuerpo» (pueden repasarse los detalles de esta insólita publicación en el epistolario dado a conocer por Fernando Ortiz en 1981), y algunos artículos aislados de jóvenes progresistas como Goytisolo (1968), determinaban los inicios de una admiración que en los últimos sesenta sería consagración definitiva como maestro de las jóvenes generaciones. Así lo señala Luis Antonio de Villena, que encuentra la justificación de su atractivo en la perfección de su poesía y en la

> *verdad* de su vida reseñada por su palabra. En Cernuda atrae el profundo sabor humano de su obra, es decir, su amalgama (siempre alta en calidad) de contradicciones. El inquieto, el intemperante, el atrabiliario, el profundamente nostálgico y tierno, pero que nunca perdió la mira de la Poesía convertida en vivir, al tiempo que su vida se hacía materia poética (1984, 56).

La figura del poeta, que tantas veces se ha mostrado extraña y contradictoria, llega hoy hasta nosotros transmitida con una cierta verdad, después de haber sufrido, como nadie en su generación, las críticas más adversas. Cuando los más jóvenes, desprovistos de viejos prejuicios y alejados físicamente de la «persona difícil y complicada» que aseguraba ser el propio Cernuda, reivindican el valor de su obra, en una lucha tenaz y desigual, se logra por fin la objetividad de un panorama que Harris no dudó en definir con estos mismos adjetivos:

> La historia de la crítica sobre Cernuda es también complicada y difícil. Ninguno de sus contemporáneos tuvo que sufrir como él una crítica persistentemente antagonística cuando no ferozmente hostil. Y es extraño el cambio de opinión de algunos críticos en años recientes cuando una generación más joven ha emprendido la reivindicación de la obra cernudiana (1979, 9).

8.2. LA OBRA POÉTICA

La producción lírica de Cernuda ha sido valorada las más de las veces en su conjunto, dada la circunstancia editorial de que, a partir de 1936, un título, *La realidad y el deseo,* englobará toda su obra poética incorporando sucesivamente sus nuevos libros poéticos al volumen principal, que llega a alcanzar cuatro ediciones diferentes: 1936, 1940, 1958 y 1965. No se producen transformaciones en el texto previo al ir añadiendo los nuevos libros, sino que, paso a paso, se va construyendo una obra completa. Luis

Maristany ofrece una clarificadora observación sobre el problema cuando señala que

> el procedimiento compositivo es allí orgánico y abierto —por acopio de sucesivas entregas—, muy distinto al circular programático existente en un libro como *Cántico,* de Jorge Guillén. Con sus secciones fielmente eslabonadas en sucesiva cronología, el libro cernudiano ofrece como un doble circuito: el sincrónico, o propio de cada sección, orientado hacia afuera, hacia la experiencia nueva; y el vertical o diacrónico que entraña una mirada ensimismada, de reflexión aplicada a la historia personal (1977; 188).

Consecuencia de todo ello es el hecho de que la crítica que a Cernuda se ha aproximado, sobre todo modernamente, ha visto en la obra del poeta un todo en que ha sido posible, provisionalmente, designar espacios, pero que es sin duda el resultado final lo que en definitiva interesa. Salvo algunos trabajos escasos dedicados a *Primeras poesías,* en general todas las valoraciones se refieren a la obra total, aspecto que justifica posiblemente la circunstancia cronológica de que cuando Luis Cernuda es auténticamente conocido en España, su vida ya es historia y su obra ya está completa por realizarse las primeras aproximaciones a partir de 1963.

Uno de los aspectos más insistentemente atendidos por la crítica cernudiana, a la hora de enfocar la obra completa, ha sido el de caracterizar su poesía como algo excepcional dentro de nuestra lírica, en la que mucho tiene que ver la permanente y constante relación con la propia vida del poeta, tal como lo ve Coleman en su estudio, pionero en señalar la íntima relación entre la creación poética y la existencia de Cernuda (1969), abriendo caminos que otros muchos han seguido y que podríamos resumir con palabras de Octavio Paz, cuando señala que

> en Cernuda, espontaneidad y reflexión son inseparables y cada etapa de su obra es una nueva tentativa de expresión y una meditación sobre aquello que expresa; no cesa de avanzar hacia adentro de sí mismo y no cesa de preguntarse si avanza realmente. Así, *La realidad y el deseo* puede verse como una realidad espiritual, sucesión de momentos vividos y reflexión sobre esas experiencias vitales. De ahí su carácter moral (1977, 140).

El espíritu de esta poesía, que nace, como señala Correa, como un «mundo de frustración y de indolente mirada ante las cosas» (1977, 243) procedente de Mallarmé, mantendrá durante sus primeros años ese mismo espíritu y sentido que Aguirre resume en tres aspectos fundamentales que llegan al lector: la atmósfera de indolente emoción que de alguna manera los unifica, la constante alusión a la noche y la precisión expresiva con que están escritos (1977, 215-227). Luego, en su desarrollo, esta poesía adquirirá nuevas tonalidades, sobre todo a la hora de expresar los motivos que quizá definen mejor que cualquier otro aspecto la originalidad de este mundo poético. Para Ferraté, este tono se descubre a través de unas características entre las que destacan el descaecimiento y postración de ánimo, la duda llevada hasta la dejación de uno mismo y la perplejidad ante el propio destino (1977, 269-278).

En un recordado artículo, Ricardo Gullón quiso establecer —con validez hasta 1950— los temas permanentes en la poesía cernudiana, a través de unos «elementos» que hoy podemos hacer extensivos a toda la poesía del creador sevillano, y entre ellos señala el orgullo de ser poeta, el recelo de que algunas inclinaciones puedan ser reprochadas, la confianza en el lejano futuro donde resplandeciera la gloria, la nostalgia de la tierra y el paisaje, identificados con la infancia y la juventud, la lucha entre la incredulidad y la pasión de creer necesaria a su ser de poeta y a su gemela pasión de crear, la melancolía connatural, hija del temperamento y del choque con el ambiente (1977 a, 87). Un aspecto muy importante, dentro de esta poesía, ha sido visto por los críticos: el componente ético, pero no en las coordenadas de una ética convencional, sino desde un punto de vista muy peculiar de Cernuda. Ya Brines, en 1962, destacaba este aspecto, que otros han comentado después, cuando advertía que

la ética española siempre ha sido colectiva y de raíz tradicional. En la poesía de Cernuda, la ética se ofrece como resultado, personal y contraria, muy a menudo, a la que sustenta tradicionalmente el español (1977, 140),

mientras que José Ángel Valente veía en la obra de madurez

el subsuelo ético en que se fundamenta su producción poética. De ahí que resulte tan particularmente afín a su actitud la meditación moralizadora de nuestro barroco y pueda sentir tan próximo el grave desarrollo meditativo de la «Epístola moral a Fabio» (1977, 312).

Un capítulo muy amplio, atendido por la crítica con variada intensidad, ha sido el de los temas de la poesía cernudiana, aunque tales observaciones se han venido mostrando en algunos de ellos que podríamos ya considerar tópicos, tales como el amor, la soledad, la infancia o la muerte. Cernuda, como buen elegíaco, se aproximó a ellos con una indefinida melancolía, que ha llamado la atención de muchos. En su notable estudio sobre Cernuda, Jenaro Talens ha tratado de definir los núcleos temáticos fundamentales partiendo de la base de que el centro motriz de todo es el anhelo de eternidad, que

imposible de satisfacer por parte del poeta, arrastra como secuela una serie de consideraciones sobre el vivir del hombre. El amor, la muerte, el tiempo y la soledad aparecen como necesidades problemáticas entre las que tal anhelo transcurre, y, por tanto, como centros motrices a la vez de *La realidad y el deseo* (1975, 246).

Sobre tal aspecto han insistido otros, hasta el punto de que algunos análisis están plenamente centrados en la continuidad, a lo largo de toda la producción poética cernudiana, y en la presencia permanente de estos centros temáticos de reflexión poética, lo que ha permitido a autores como Ruiz Silva dedicar una monografía a los tres aspectos fundamentales de la realidad temática cernudiana: soledad, amor y muerte, partiendo de la consideración de que están

rodeando su creación toda, desde *Perfil del aire* a *Desolación de la quimera,* atravesando los mundos interiores de su hontanar poético, esa triple, ¿o es una sola?, temática cernudiana: la soledad, el amor y la muerte. Los eternos temas cobran nueva vida, nuevo dolor y nuevos testimonios a través de la expresión delicada y amarga, tierna y terrible, de una belleza tan sobria como honda, de su verbo. Soledad del amor, de la amistad, de la tierra, del trabajo, soledad del exilio y de ese conglomerado que parece maldito al que llamamos sociedad (1979, 23).

Philip Silver, que se ha referido a la presencia como tema uni-
ficante, de la sed de eternidad, ha valorado especialmente la insistencia temática de la infancia como presente eterno, aunque también ha destacado, en relación con la misma ansia de eternidad, lo
fundamental del amor (como espejo de la misma) y la naturaleza.
Para Silver, el mundo de la infancia aparece recreado en la obra
de Cernuda como «un regreso a un Edén pastoral cuyos atributos
fundamentales darán el sentido a esta constante vuelta hacia un
mundo ya perdido y denotarán su tono elegíaco, la intemporalidad,
la inocencia y un sentimiento de unidad con el mundo» (1972, 82).

Por el camino de la naturaleza, y partiendo de ella, llega Cernuda a convertirse en el gran poeta del amor que muchos han visto en él, conectado con un determinado sector de la tradición
literaria española, caracterizado por la alegría del disfrute de esa
naturaleza que confluye en el amor. Así lo ha considerado en 1963
Carlos P. Otero, cuando, abundando en las condiciones que hacen
de Cernuda un «poeta de Europa», señala que

> su fervor por las gracias del mundo se traduce en una alegría de la
> naturaleza casi cervantina y galdosiana, doblemente rara en una literatura
> lúgubre y fúnebre como la española. A la inventiva de nuestros mís-
> ticos, Cernuda opone la más ferviente exaltación del cuerpo interrogante
> juvenil que acucia, insidiosamente, el amor o deseo, esa urgencia de todo
> ser que es cifra de la vida misma. El amor cernudiano es genuinamente
> platónico: puro eros terrenal. Y viene de tan hondo y tan sutilmente
> expresado, que casi no resulta concebible que algo tan humanísimo acabe
> por parecer efluvio sobrehumano. Cernuda es, como Garcilaso, un gran
> poeta del amor: tanto del amor como presentimiento (*Los placeres prohi-
> bidos*), como del amor como plenitud (*Poemas para un cuerpo*) y como
> desolación angustiosa (*Donde habite el olvido*) (1977, 135).

Al amor, como tema, dedica Martínez Nadal su libro sobre
Cernuda, quien no hacía sino transmitir, a través de los diferentes
motivos de la casuística amorosa, los anhelos de su propia vida,
unida una vez más a su poesía:

> El amor, amor a la juventud eterna, para Cernuda personificada en el
> adolescente, es columna vertebral, nervio e impulso de toda su obra, de
> todo su sentir de hombre y de poeta. Unicidad de un amor que soñaba
> con su «punto de reunión y cita» de realidad, sueño y deseo. En dos

ocasiones creyó haberlo encontrado y lo cantó y lloró en dos bellos poemarios. Pasan los años, y el recuerdo revive en dos nostálgicos epílogos
(1983, 257).

La juventud y la nostalgia de la juventud, la adolescencia y
el recuerdo son conceptos en los que el tiempo se halla presente
y su presencia en la poesía determina un tono que en Cernuda
se ha de hacer inconfundible al someterse a la dinámica del tiempo
que pasa. Ricardo Molina habló en este sentido de conciencia del
tiempo, de conciencia trágica del tiempo y tonalidades elegíacas
en una poesía presidida por él:

> Entre las notas señaladas en *Perfil del aire* apuntamos *la conciencia
> trágica del tiempo*. En ella creemos que reside la raíz esencial de la poesía
> cernudiana. Cuando el sentimiento consciente del tiempo subyuga al poe-
> ta con el imperio que a Cernuda, el resultado es siempre la elegía. Yo
> definiría la elegía como poema en que la consciencia del tiempo subor-
> dina a toda otra vivencia. De ahí que toda la obra de Cernuda, espe-
> cialmente *Las nubes* y *Como quien espera el alba,* sea una gigantesca
> y purísima elegía. Elegía «El joven marino»; elegía *Donde habite el ol-
> vido.* El tiempo tiene sus criaturas y deseos, sus pasiones y anhelos. La
> evocación y nostalgia juegan papel preponderante. Su concepción del hom-
> bre está fundada en la angustiada conciencia de su temporalidad (1977,
> 105).

No sería completa esta revisión temática de la poesía de Cernuda si no se aludiese a la importancia de la creación artística en
su obra, sobre todo a través de la presencia de la música y las
artes plásticas, como ha visto Ruiz Silva, que considera a aquélla
como un vínculo de soledad similar al representado por la poesía,
y al arte plástico como reflejo de una inquietud ante manifestaciones estéticas percibidas con notable naturalidad (1979, 22). Silver, por su parte, ha hablado de la conciencia de Cernuda como
artista-héroe y de la configuración de la inmortalidad del artista
a través de su obra (1972, 228) como elementos esenciales de
una inquietud estética permanente en su obra y que sobre todo
culmina, como veremos más adelante, en *Desolación de la quimera.*
Capítulo muy importante, por la atención recibida sobre todo
en la crítica en torno a Cernuda, lo constituye la cuestión del su-

rrealismo y su presencia en el poeta sevillano, que, paralelamente a lo sucedido con otros poetas de su generación, plantea interesantes problemas de identidad y de originalidad. Para Vittorio Bodini,

> la adhesión de Luis Cernuda al surrealismo se produjo en líneas exteriores —tremendismo, satanismo— y en contradicción, o por lo menos corrección, a una sensibilidad perezosa y sensual, que amaba las transparencias y la delicada nulidad de los sueños del alba, ensimismados con la inmovilidad, retenidos con astuta paciencia como *fondants* de la lengua (1982, 88),

mientras que, para Ilie, el surrealismo en Cernuda, como en Hinojosa, parece reflejar la aceptación de valores superficiales: «Su empleo del surrealismo aparece virtualmente divorciado de todo lo que no sea eficacia en los poemas» (1972, 294).

Otros estudiosos, entre los que hemos de destacar a Harris (1962, 102-108), Morris (1972) y Capote (1976), han demostrado la extraordinaria personalidad de Luis Cernuda, que, si bien es fiel a los conceptos del surrealismo, desarrolla una interpretación del mismo bastante original, aunque momentáneo, ya que, como señala Onís,

> la adhesión de Cernuda al surrealismo no fue total ni muy duradera. Le repugnaban a Cernuda todas las normas y todas las escuelas. Lo mismo que los demás poetas del grupo, sólo tomó del surrealismo aquello que mejor pudiera servir a sus necesidades expresivas. Pero rechazó pronto la dogmática del surrealismo ortodoxo (1974, 213),

ya que, como bien advirtió Harris,

> Luis Cernuda jamás se deja dominar por las influencias que en un momento dado puedan atraerle, ya sea del *surréalisme,* la de Bécquer o la de Hölderlin, o la poesía inglesa. Busca la influencia porque así lo exige la necesidad expresiva que de ningún modo puede ser satisfecha (1982, 291).

Al recoger la anterior opinión, hemos entrado en otro de los apartados más interesantes y amplios de la crítica en torno a Cernuda, el de las influencias recibidas, que quizá en el poeta sevillano, más que en ningún otro de los de su generación, recibe una atención especial y se multiplican los nombres de aquellos autores que parecen haber configurado la forma más clara de su personalidad. Comenzando por las discusiones relativas a la presencia de Guillén, puestas en su justo punto por Molina (1977, 100), hay que continuar por la influencia de Réverdy, señalada por Mac Mullan (1977, 244-268). De Bécquer en Cernuda se ocupó José Luis Cano, que vio en el poeta del 27 «ese mismo concepto extremado y trágico del amor que se deduce de los versos de Bécquer» (1977 a, 93), mientras que todos reconocen la importancia que Hölderlin tuvo en la poesía de Cernuda, a cuya relación dedican páginas Talens (1975) y Ruiz Silva (1982), aunque es Martínez Nadal el que asegura que de Hölderlin admira todo desde que lo conoce en 1934 y con él coincide en la

admiración por los ideales de la antigüedad clásica y plena conciencia de su irreversible desaparición; dramatismo del vivir humano donde amor, belleza, deseos, la vida misma, se agitan y mueven oscurecidos siempre por la sombra de la muerte, sobrio empleo de la versificación combinado con hondura en el pensar y en el sentir (1983, 201).

Para Arana es Heidegger el que transmite a Cernuda «su actitud heroica ante la vida por la poesía» (1977, 176), mientras que para Ferraté es Thomas Hardy motivo de comparación con el poeta sevillano (1977, 273-274). Correa, por su lado, después de enumerar a los que considera modelos en la formación de Cernuda (Mallarmé, Rimbaud, Réverdy, Manrique, Garcilaso, Fray Luis, San Juan de la Cruz, Quevedo, Calderón y Góngora) (1977, 228), considera que «llegó a conformar su mundo de frustración y de indolente mirada ante las cosas, gracias a estímulos que proceden de los símbolos negativos de la poesía de Mallarmé» (1977, 243). Una revisión muy pormenorizada de todas las influencias antes citadas ha realizado en su reciente libro también Manuel Ulacia (1984). Correa también veía luego el descubrimiento de una manera optimista, que ve en Garcilaso y que es posible apreciar en la *Elegía* y en la *Oda*. Maristany ha valorado, sin embargo, la influencia liberadora de André Gide, a quien lee en 1925, por estímulo de su profesor Pedro Salinas, convirtiéndose el escritor francés en un modelo liberador que «no sólo había de orientar su autorreconciliación íntima, sino también su posibilidad de expresar en poesía su instinto erótico» (1977, 186), aunque, desde luego, para Maristany, lo más importante en la formación del poeta es la sabia combinación de tradición y experiencia:

> Para Cernuda, tradición y experiencia se alían en el acto creativo. Probablemente fue el poeta moderno español en cuyos versos cabe rastrear más huellas —reminiscencias vivas, me refiero, y no aproximaciones o préstamos eruditos— de autores espiritualmente afines, se llamaran éstos Cervantes, Galdós, Goethe, Yeats o Bécquer. La lectura le transmitía los ensueños de sus creadores y estimulaba la revelación de los suyos propios surgidos esporádicamente entre la revelación y el cansancio (1977, 201).

En este sentido, habría que citar también, como ha hecho Valente, la presencia en Cernuda de todos aquellos poetas meditativos-metafísicos, que tanto influyeron en Unamuno, y que en Cernuda vuelven a ejercer poderosa atracción, hacia el tipo de poesía reflexiva representada por la larga lista de lecturas cernudianas de poetas como Wordsworth, Coleridge, Browning, Leopardi, Blake, Hopkins, E. Dickinson, Yeats, Eliot, Rilke, y, a través de ellos, el «redescubrimiento o hallazgo contemporáneo de nuestra poesía meditativa, cuyas raíces no son probablemente distintas de los metafísicos» (1977, 132). Sobre la presencia de Rilke en Cernuda también se ha ocupado Isabel Paraíso (1980, 710-786), y justamente la condición de Cernuda como descubridor de toda esta poesía tan lejana, y la influencia de sus conocimientos de tales poetas, también ha sido destacada, incluso en la posición de guía de las generaciones posteriores, tal como señalaba Gil de Biedma (1977 a), quien advirtió que

> en mucha parte de él, los poetas españoles estamos hoy en mejor situación de comprender a Blake, Coleridge y Woldsworth, Leopardi, Goethe y Hölderlin son algo más que unos remotos nombres prestigiosos: son los primeros poetas modernos, los fundadores de la poesía que nosotros hacemos (1977 c, 29).

Lo cierto es que la poesía de Luis Cernuda fue adquiriendo con el tiempo un carácter especial, distinto de las representadas por los mundos poéticos habituales entre nosotros, hasta el punto de que cuando aparece la última entrega de *La realidad y el deseo,* su último libro, *Desolación de la quimera,* Cernuda ha adquirido entre nosotros el máximo valor como poeta ético. Han destacado este aspecto todos los que colaboraron en el homenaje de *La caña gris,* de 1962, y en especial Juan Goytisolo da cuenta en sus dos artículos (1967) del impacto que en la sociedad intelectual española de los años sesenta produce Luis Cernuda. Por su parte, José Olivio Jiménez informa de una encuesta realizada para *Cuadernos para el Diálogo* en 1969, en la que Cernuda aparece en un primerísimo lugar como poeta más significativo de España, aspecto que logra a partir de la fecha de su muerte (1977 *b,* 328). Es sin duda *Desolación de la quimera* el libro que más contribuye al que desde entonces va a ser el magisterio indiscutible del poeta, y así ha sido valorado por la crítica especializada, ya que junto al interés en recoger la imagen quizá más auténtica de su autor, que se ofrece en este poemario con la sinceridad y extroversión frecuentes también en otros momentos de su obra, vemos ahora más que nunca el valor moral de la poesía cernudiana que Octavio Paz destacaba como «crítica de nuestros valores y creencias; en ella, destrucción y creación son inseparables, pues aquello que afirma, implica la disolución de lo que la sociedad tiene por justo, sagrado e inmutable» (1977, 139). Por nuestra parte vimos en algunos de los últimos poemas de Cernuda la importancia de la representación artística en su último libro como reflejo de su

clara postura crítica ante la vida, entre los convencionalismos sociales destructores del sentido del arte y, sobre todo, ante la falsedad y la postura nada auténtica de los que pretenden homenajear a nuestros autores y artistas sin comprender su fondo, su valor, que muchas veces ha sido criticado por esa misma sociedad que ahora los elogia (1978 *a,* 40).

Sobre todo, se percibe esta actitud en el grupo de amplios poemas en los que una serie de autores y artistas (Goethe, Galdós, Tiziano, Wagner, Mozart, Dostoievski, Valéry y Rimbaud) son el objeto de su creación artística y significación humana, de la reflexión ética de Cernuda, cuya trascendencia —culturalismo— en nuestra poesía posterior ha sido muy grande, aunque, como acertadamente escribe Jiménez, Cernuda

> no hará... malabarismos culturalistas, hoy tan al uso sobre tales motivos. Si los trae al verso, es decir, si le mueven poéticamente, es porque los asuntos convocados —música, pintura, obra literaria— le despiertan las positivas resonancias humanas por él anheladas; con lo cual el motivo pierde toda exterioridad, quedando sustanciado entrañablemente (1977 *b*, 330).

A pesar de la atención recibida por el último libro, hay que insistir, sin embargo, en la unidad de la poesía de Cernuda, que ha determinado su valoración conjunta por la crítica. Frente al resto de los poetas de su generación, la de Cernuda es una obra extraordinariamente unitaria, y éste ha sido el signo plenamente destacado por los estudiosos, como bien ha reflejado Emilia de Zuleta cuando ha advertido que

> dentro de su evolución, determinada por la experiencia vital y por las circunstancias exteriores, que se reflejan de modo inmediato en el orden de la conciencia y del sentimiento, la obra de Cernuda refleja una gran unidad. Su núcleo temático ya aparece definido en lo fundamental en *Perfil del aire,* en 1927. La oscilación del espíritu entre una apariencia incierta y una realidad esquiva; el sentimiento del tiempo con su doble urgencia —el temor al cambio y el ansia de inmovilizar lo transitorio—, la soledad, la frustración y el hastío, son notas lacerantes bajo una superficie serena y resignada (1971, 456-457).

La atracción ejercida por la poesía de Cernuda en la crítica posterior tiene un importante capítulo en lo que se refiere a aproximaciones a la realidad formal de la misma, aspecto que han estudiado bastantes críticos con resultados muy interesantes. Quizá el más completo de ellos, desde la base de una perspectiva teórica muy rigurosa, sea el de Jenaro Talens, que, desde planteamientos internos, llega al análisis de la forma exterior, retórica y verso (1975), aspecto este último también revisado por Bousoño, en relación con la tradición literaria española enfocada desde la perspectiva del verso libre (1951, 283-289). Por su parte, Bellón Cazabán llevó a cabo un análisis cuantitativo del léxico sumamente revelador, que podríamos completar con las aportaciones de Debicki, que estudia los distintos tipos de imágenes naturales en la poesía de Cernuda, elaboradas con recursos estilísticos y metafóricos muy exactos, lo que nos permite observar

> cómo una poesía conscientemente artística puede ofrecer, gracias a sus recursos exactos, una visión a la vez universal, llena de sentimientos humanos y de temas fundamentales, pero nunca limitada a lo anecdótico y pasajero (1968, 306).

Martínez Nadal ha destacado, como rasgo general, la importancia del peculiar uso de los pronombres —quizá uno de los rasgos más personales de Cernuda—, y en especial

> el constante empleo de la segunda persona del singular, a menudo también de la tercera como formas de aludir al propio yo del poeta. Poesía, pues, que de entrada se diría querer excluir al lector, mirar a sí misma: diálogo del poeta consigo mismo (1983, 199).

Muy propio y original de Cernuda —y otra de sus notas externas definitorias— lo constituye la condición natural de su lenguaje poético, que, como ya definió Jacobo Muñoz, experimentó a lo largo de los años una constante tendencia a lo que él llama lenguaje «coloquial», que se aleja tanto de un extremo (lo folklorista) como del otro (lo pedantesco), simplificándose progresivamente al tiempo que los recursos del verso se hacen poco acusados (1977, 121).

Finalmente, se ha prestado atención a la poética de Cernuda expresada tanto en su poesía como en su prosa. En diferentes momentos de sus estudios se ocupan de este aspecto Silver (1970), Talens (1975), Real Ramos (1983) y Zuleta (1971), aunque es Agustín Delgado el que dedica una monografía completa a este importante aspecto en el poeta (1975). Como nota general, es válida la apreciación de Muñoz, que destaca

> su pensamiento poético propio, su peculiar proceso de aprehensión y cristalización de la poesía y sus reflexiones generales acerca de la función poética, elevándonos de lo particular cernudiano a lo universal, pero siempre ahondando en el sentido y significado de estos temas en y para la obra de Cernuda (1977, 112).

8.3. PROSA LÍRICA

Frente a otras literaturas europeas de la época, la española acusa un escaso cultivo del «poema en prosa», que no es notable ni siquiera en la gran época de la producción de esta especialidad en Europa, que había alcanzado su esplendor a partir de las interpretaciones simbolistas, cubistas y surrealistas desde Baudelaire y Rimbaud a Lautréamont, Mallarmé, Verlaine, Réverdy, Jacob o Éluard, desde Nerval a Gide y Aragon. Sin embargo, como se puede apreciar en el imaginativo panorama de Díaz-Plaja (1956), en España la especialidad ni alcanzó grandes cultivadores ni experimentó resultados notables. Como señala Valender, «un miembro de la generación del 27 se destaca como obvia excepción a este panorama general de abandono: el poeta Luis Cernuda» (1984, 19).

Dos son las obras de Luis Cernuda que podemos incluir dentro de esta modalidad: *Ocnos,* escrito entre 1940 y 1963, y *Variaciones sobre un tema mexicano,* escrito en una temporada más breve, entre 1949 y 1950, con recuerdos de sus estancias en México en esos años. Mientras este último libro presenta un solo texto, *Ocnos,* sin embargo, tiene tres ediciones que corresponden a tres redacciones durante el exilio en Gran Bretaña primero (1938-1947) y Estados Unidos y México después (1947-1963). Las tres ediciones son diferentes, ya que en cada oportunidad (Oxford, 1942; Madrid, 1949, y Xalapa, 1963) Cernuda revisaba textos y añadía nuevos materiales, modificando, como señala Valender, notablemente «la unidad estilística y temática del libro» (1984, 25).

La prosa poética de Cernuda ha sido estudiada en relación con el resto de la obra por los diferentes críticos ya señalados, aunque por su carácter peculiar desde el punto de vista genético, ha merecido acercamientos monográficos exclusivos, lo que parece quedar justificado si atendemos las observaciones de Valender, que afirma «el valor independiente de los poemas en prosa frente a aquellos críticos que tienden a reducirlos a meras fuentes de información» (1984, 21). Por su parte, Ramos Ortega ha demostrado la múltiple variedad de la «prosa literaria» del autor sevillano, que presenta dos vertientes: una de prosa poética, en la que junto a los libros ya citados habría que tener en cuenta las prosas poéticas aparecidas en revistas como *Verso y Prosa, Mediodía* y *Meseta,* y las incorporadas a *Los placeres prohibidos;* y otra de «prosa narrativa», en la que se incluirán las *Tres narraciones* (1958) y prosas sueltas en otras revistas, aunque, como señala Ramos, no se trata de una clasificación absolutamente rígida, ya que resulta «difícil de apreciar, y sobre todo de definir, las distancias que separan genéricamente al poema en prosa o prosa poética de la prosa narrativa» (1982, 23).

Junto a los estudios amplios de los dos especialistas citados (Valender y Ramos), debemos destacar las aportaciones específicas realizadas, en las escasas ediciones críticas, por Cesare Acutis (1966), Gil de Biedma (1977 *b*) y Musacchio (1977), que insisten en la excepcionalidad de la obra en prosa del poeta sevillano y muy especialmente de *Ocnos,* cuya trascendencia, para comprender a Cernuda, es extraordinaria, ya que, como concluye Ramos Ortega, «aparte de los hallazgos en el campo expresivo, [...] sólo a partir de él es explicable para el propio autor, y por supuesto para sus lectores, el mito del héroe cernudiano arrojado al paraíso de la infancia», al mismo tiempo que se constituye en respuesta a los interrogantes planteados en *La realidad y el deseo* para «trascender al tiempo limitado y, cosa aún más difícil, a su propio mito como poeta-héroe» (1982, 278).

8.4. Prosa crítica

Aparte de prosas sueltas en revistas y una obra de teatro, *La familia interrumpida,* aún inédita, Luis Cernuda dejó escrita —y publicada— una interesante obra crítica que reunió, en tres libros, artículos dispersos publicados con anterioridad, siguiendo la norma habitual de nuestros ensayistas y estudiosos en el siglo XX. En 1957 publica *Estudios sobre poesía española contemporánea,* panorama literario desde Bécquer hasta el presente, que recoge artículos publicados en los años cincuenta en México; en 1958, *Pensamiento poético en la lírica inglesa,* también recopilación de artículos de esos años sobre Blake, Wordsworth, Coleridge, Shelley, Keats, Tennyson, Browning, Arnold, Swinburne y Hopkins, y en 1960, el que tituló *Poesía y literatura,* con estudios sobre escritores españoles y extranjeros. Otro libro similar dejó preparado el poeta, aunque apareció ya tras su muerte con el título de *Poesía y literatura, II* (1964), y, finalmente, con los estudios breves inéditos, Maristany reúne en 1970 *Crítica, ensayos y evocaciones,* con lo que queda completo lo fundamental de la obra crítica, luego aumentada hasta la exhaustividad, en el volumen de *Prosa completa* de Harris y Maristany.

Si hay que establecer un juicio sobre la obra crítica de Cernuda, éste ha de destacar su peculiar subjetividad y su independencia de moldes establecidos tanto en las valoraciones como en la elección de temas. En este sentido, habría que destacar su interés, insólito, por la poesía de aquellos que «oficialmente» no son poetas: Cervantes, Unamuno. Como ya señaló Maristany,

> la aportación más sustancial de Cernuda a la crítica española tal vez radique en su misma visión, distanciada y libre de compromisos, de lo nacional. Mirada poco reverencial, casi extranjera, debido en parte a la expresa o tácita confrontación de lo escrito en la lengua nativa con la literatura y el pensamiento de otros países (en especial, los del área lingüística anglosajona) (1970, 31).

Desde luego, pasado ya bastante tiempo, y restando en Cernuda muchos de sus juicios tan subjetivos característicos de su personalidad, la obra crítica de Cernuda ofrece una validez cada vez más aceptada. La peculiaridad de sus apreciaciones deja, sin embargo, ver una extraordinaria seriedad y una gran autenticidad en sus juicios que, quizá, le conceden su mayor virtud hoy.

9

RAFAEL ALBERTI

9.1. EL POETA

LOS PRIMEROS pasos en el campo de la expresión estética en Alberti no fueron poéticos, sino plásticos, ya que el poeta en principio quiso ser pintor. Nacido en 1902 en El Puerto de Santa María, alumno juvenil de jesuitas, cuando se traslada con su familia a Madrid en 1917 desarrolla una vocación inicial hacia la pintura que no abandonará jamás, y que ha tenido en la vejez un interesante reverdecimiento. Por ello sus principales biógrafos dan bastante importancia a este hecho al descubrir un permanente amor hacia las artes plásticas, que culminará en uno de sus libros de destierro: *A la pintura*.

La poesía de Alberti, vista en su conjunto, ofrece la larga trayectoria de un poeta fecundo, autor de numerosos libros, que, como señala Durán, tiene tres cumbres destacadas: *Marinero en tierra, Sobre los ángeles* y *A la pintura* (1975, 11), pero cuyo desarrollo asistirá a la constante búsqueda de una expresión poética personal que, siguiendo el sino de otros poetas de su generación, le hará atravesar una serie de etapas sucesivas y hasta contradictorias desde el punto de vista estético: neotradicionalismo, gongorismo, surrealismo, poesía social y política, poesía de destierro, neotradicionalismo de nuevo, etc., hasta llegar a la etapa de senectud, tan peculiar en este poeta como en otros de su generación.

Si observamos detenidamente los hitos de esa trayectoria, advertimos que Alberti comienza su andadura poética por un libro de madurez estética, *Marinero en tierra,* que obtiene el Premio Nacional de Literatura en 1924, y supone su consagración como poeta en los medios madrileños, en los que Alberti, a partir de ese momento, se integra. Aunque podemos señalar una etapa previa de poemas sueltos, a la que hace referencia González Martín (1980, 8-10), su inicio en la poesía surge tras la lectura de los cancioneros de los siglos XV y XVI y de Gil Vicente, que determinaron la forma tanto de *Marinero en tierra* como de *La amante* y *El alba del alhelí*. Su segundo libro, vinculado a paisajes castellanos conocidos en sus viajes de negocios familiares, aparece en *Litoral,* en Málaga, con lo que Alberti, que ya había tenido relación en Madrid con Diego, Salinas, Guillén y Lorca, se integra plenamente en el mundo del 27, al publicar en la editorial de Prados y Altolaguirre.

Antes, en 1925, cuyo invierno lo había pasado en la Serranía de Rute, en Córdoba, había escrito otro libro, que no vería la luz hasta mucho después, *El cuaderno de Rute,* al que nos referimos a raíz de su aparición (1978 *b*). Cerrado el ciclo inicial en 1927, el poeta participa en las conmemoraciones gongorinas y su fervor hacia el poeta supondrá la composición de su cuarto libro, *Cal y canto,* siguiendo una línea culterana que pronto abandonará, tras una crisis personal, para integrarse en el mundo del surrealismo y escribir *Sobre los ángeles,* que ya ve la luz en 1929, y *Sermones y moradas,* no editado hasta más tarde.

Al escribir en 1930 su poema «Con los zapatos puestos tengo que morir», que se subtitula «Elegía cívica», Alberti inicia su etapa más personal, la que denomina poesía civil o de «poeta en la calle», que se corresponderá con las actividades políticas del poeta, unido a partir de entonces a María Teresa León, con sus viajes a la Unión Soviética y la participación en congresos y actividades literarias de signo revolucionario, que culminará en la fundación, en 1934, de la revista *Octubre.* La aparición en *Cruz y Raya* en 1935 de su volumen de *Poesías 1924-1930,* recopilación de los ya publicados y algunos inéditos —*Sermones y moradas*—, y en 1936 de *13 bandas y 48 estrellas. Poema del mar Caribe,* da cuenta de la producción en estas fechas en las que ya está trabajando en *El poeta en la calle* (1931-1936) y en *De un momento a otro. Poesía e historia* (1925-1937), además de la elegía a Sánchez Mejías *Verte y no verte* (1935). Todo ello aparecerá recogido en el volumen, último que aparece en España, *Poesía 1924-1937,* que se publica en Madrid, en la Editorial Signo, en 1938.

Con el fin de la guerra y el comienzo del exilio, primero en París y a partir de 1940 en Buenos Aires, donde consigue trabajo en la Editorial Losada, Alberti continuará su obra comenzada todavía en Europa *La arboleda perdida* y dando fin a *Entre el clavel y la espada* y a la *Vida bilingüe de un refugiado español en Francia,* que aparecerán ya en los primeros cuarenta en Buenos Aires, junto a las sucesivas colecciones de libros de poemas o antologías, que Losada va publicando, siguiendo el tipo de recopilación de la edición de 1938, en 1940 (*Poesía 1924-1938*), 1942 (*Antología poética 1924-1940*), 1945 (*Antología poética 1942-1944*), 1946 (*Poesía 1924-1944,* que reproduce la edición de 1948 más *Entre el clavel y la espada* y *Pleamar,* que habían visto ya luz independiente por primera vez, respectivamente, en 1941 y 1944.

A la pintura aparece por primera vez en 1945 como «Cantata de la línea y del color», aunque su edición definitiva no ve la luz hasta 1948. Al año siguiente aparece en Montevideo el primer libro de las *Coplas de Juan Panadero,* a la que le seguirán ediciones de *Buenos Aires en tinta china* (1951), *Retornos de lo vivo lejano* (1952), *Ora marítima* y *Baladas y canciones del Paraná* (1953 y 1954), *Sonríe China* (1958), hasta llegar en 1961 a la primera edición de las *Poesías completas.* Durante esta etapa americana, que finaliza en 1963 con el traslado de su casa y familia a Roma, el poeta ha vuelto a la pintura, que ha enriquecido con nuevas experiencias y viajes por América del Sur y por la Unión Soviética y China en 1957. En 1959 ha aparecido por segunda vez su libro de memorias *La arboleda perdida,* que había publicado en México en 1942 por primera vez Bergamín.

La vida de Alberti en la etapa romana de su exilio es de una gran actividad como pintor y grabador, cuyos resultados muestra en diferentes exposiciones y carpetas de arte, mientras continúa su obra poética con los *X sonetos romanos* (1964), que suponen el comienzo de su libro del exilio en la ciudad del Tíber, *Roma, peligro para caminantes,* que no aparece hasta 1968 y que será el libro más importante de toda esta etapa, en la que hay que consignar otros títulos como *Los ocho nombres de Picasso y no digo más de lo que no digo* (1970) y *Canciones del alto valle del Aniene*

(1972). A partir de su regreso a España en 1976 y de su integración en la vida política, social y cultural del país surgieron nuevos poemarios, como *Fustigada luz* (1980), *Versos sueltos de cada día* (1982), *Los hijos del drago y otros poemas* (1986), además de las recopilaciones *Poemas del destierro y de la espera* (1976), *Coplas de Juan Panadero* (1977), *El poeta en la calle* (1978), *Todo el mar* (1985), lo que da idea de la constante actividad del «poeta en la calle», cuya vocación artística en las diferentes facetas plásticas (pintor, grabador, ilustrador, cartelista) sigue produciendo frutos, al tiempo que recibe los más importantes reconocimientos extranjeros —doctorado *honoris causa*— y premios nacionales, entre los que cabe destacar el Miguel de Cervantes, concedido a todos los del 27 vivos, en sucesivas convocatorias, excepto al Nobel Vicente Aleixandre.

9.2. Primera madurez (1924-1930)

La etapa en la que la poesía de Rafael Alberti ha recibido mayor atención de la crítica es sin duda la que se cierra al final de los años veinte y que, a pesar de la variedad de sus registros —neopopularismo o neotradicionalismo, gongorismo y surrealismo—, ha recibido una atención especial en bloque por constituir quizá la parte de su obra poética más genuina y estética, en consonancia con los criterios artísticos vinculados al espíritu del 27. El libro de Solita Salinas de Marichal (1968) podría ser representativo de una serie de estudios que se centraron en esta etapa y que culminan en el minucioso de Tejada (1977), comentarista del poeta «entre la tradición y la vanguardia».

Desde 1969 se conoce con detalle la poesía de Alberti anterior a *Marinero en tierra,* a la que han prestado atención detenida Tejada (1977) y González Martín (1980). Se trata de una serie de composiciones que publicó en Italia una sobrina del poeta, María Alberti, y que, como señala Tejada, confirmaba la creencia de los especialistas de que «aquellas agilísimas canciones, aquellos correctísimos sonetos de *Marinero en tierra* no podían ser los primeros escritos de Alberti» (1979, 69). Su interés radica en que a través de una lectura se descubre el taller del poeta en formación que tantea las diferentes formas expresivas del momento, lo que le hace participar en experiencias vanguardistas, abandonadas muy pronto. González Martín ha inventariado estos tanteos señalando los siguientes seis apartados: 1) versos creacionistas puros; 2) poemas parcialmente creacionistas; 3) versos con influencia marcada de la lírica tradicional; 4) presencia del posromanticismo becqueriano; 5) versos con influencias mezcladas, y 6) poemas inconfundiblemente albertianos (1980, 47). De todo el conjunto, en efecto, los más interesantes son aquellos en los que se percibe el Alberti posterior que, alejado de las experiencias vanguardistas apenas tocadas, inicia el camino neotradicionalista que culmina, por ejemplo, en el último de la serie, una canción característica, con la que —como señala Tejada— «se cierra este primerísimo y curioso poemario de adolescencia con el que nuestro Alberti ensayó casi todas sus armas de versificador y con el que se vacunó, para varios años, contra cualquier otro brote de fiebre vanguardista» (1977, 185).

El centro de atención de esta etapa para los críticos lo constituye *Marinero en tierra,* a cuya significación y extraordinario valor consagran amplios capítulos todos los que se han dedicado al estudio de la poesía de Alberti, considerándolo primera cumbre de una obra que ya nace con gran madurez. Así lo hacen Spang (1973), Senabre (1977), Manteiga (1978) y Wesseling (1981), quien, siguiendo la tradición crítica sobre este libro y los dos siguientes que inició Eric Proll en un valioso y temprano estudio monográfico (1942), ve el máximo acierto del que fue Premio Nacional de Literatura, en la importante contribución al *revival* de las formas del viejo verso tradicional, que el poeta había encontrado en los antiguos cancioneros del siglo XVI y en algunos autores, en especial en Gil Vicente (1981, 11). De los numerosos críticos que se han ocupado de este conjunto, que se inicia con *Marinero en tierra* y se continúa con *La amante* y *El alba del alhelí,* Ricardo Gullón se destaca por su valoración de los elementos manejados por el poeta en su resurrección de las formas tradicionales: «Manierismos, locuciones, travesuras, ritmos, estribillos, surgen con la espontaneidad de las canciones que el pueblo hizo suyas, mas la voz que las canta tiene modulaciones, sutileza y variedad atribuibles a un instrumento cultivado, cuidadosamente puesto a punto. Y junto a ellas, los sonetos iniciales, en donde "la estirpe gongorina" se revela en los mares albertianos» (1975 a, 67).

Tales rasgos se prolongan en *La amante,* con la novedad de incluir una realidad exterior distinta, la de las tierras altas de Castilla, y en *El alba del alhelí,* en el que se «precisan los elementos de una mitología personal» que no debe ser oscurecida por la «gracia andaluza de las chuflillas y seguidillas, los giros rápidos del capote con que el poeta lleva de un lado para otro, ágilmente, el toro de la poesía» (1975 a, 67).

El mundo poético establecido, con sus variaciones, en los tres primeros libros fue analizado con detalle y acierto por Solita Salinas, que, partiendo de la presencia de Baudelaire y Rimbaud, analiza la interpretación del mar en la poesía al tiempo que destaca la novedad del intento del poeta: «El esfuerzo de Alberti en su primer libro consistirá en trasladarse a un mundo marino ucrónico y mágico, un paraíso perdido y encontrado a la vez en el verso y por él» (1968, 15). Para Solita Salinas, la nostalgia será el signo más claro de *Marinero en tierra,* que en *La amante* se mezclará con la realidad vivida, pero en *El alba del alhelí* se experimentará un nuevo giro y será «realidad vivida en tiempo y espacio presentes» las que marquen la presencia de un nuevo mundo poético: «Al mundo bronco y sombrío de Andalucía la Alta corresponde una nueva voz, que cuenta la vida de un pueblo andaluz contemporáneo, con su geografía y sus costumbres, sus fiestas, las tragedias en él latentes» (1968, 109).

En *Marinero en tierra,* Alberti establece la que será su impecable técnica metafórica que se constituirá en una forma de expresión permanente, más allá de este libro primero. Quien ha prestado atención más directa a este asunto ha sido Concha Zardoya, que no sólo ha visto la

excepcional maestría —excepcional por juvenil— de la forma, sino también una *complejidad* lírica, emotiva y estética. Debajo de metáforas e imágenes descubrimos significaciones más profundas. El jugueteo infantil —a través de encantadoras humanizaciones de la flora y de la fauna y, sobre todo, a través de una microvisión del mundo— encubre una añoranza de la infancia perdida y el deseo de revivir su inocencia (1975, 109).

Otros sentimientos se unen a éste, especialmente la nostalgia del mar, de la libertad, y el sentimiento del amor imposible, que se expresa por medio de la canción, cuya misión, aparte de aciertos y de perfección formales, es fundamentalmente humana. Desde luego, entre los elementos más intensos de éste y de muchos poemarios hasta la actualidad, el mar se constituye en centro y recurrencia de su universo poético, cuyo simbolismo en *Marinero en tierra* fue analizado por Gustavo Correa, que observaba en él su revelación de la forma

de un paraíso especial y temporal que corresponde a una época acabada de vivir, pero el cual, a su vez, se halla en riesgo inmediato de hundirse definitivamente. A causa de esta experiencia fundamental en el alma del poeta, se revela el carácter evocativo de dicha poesía que se proyecta hacia las mágicas creaciones del huerto fructificante (naranjas del mar) y del jardín florecido, las cuales son, a su turno, contadoras de una inocencia y alegría prístinas, lo mismo que del mundo maravilloso del amor (1975, 117).

Aunque, como el mismo Correa señala, negros presagios son perceptibles en la insistencia de un mundo funeral negativo, que se combina con la alegría característica de las canciones. Esta nota contradictoria ha sido apreciada por otros críticos, el último de ellos Marie de Meñaca, que en su análisis de la génesis y estructura del poemario ha destacado que, junto a la realidad vital de Alberti, representada por el mar, el viento, la luz, los pinos, la barca, éstos «pasaban a ser símbolos y representación de los aspectos más dramáticos de su vivencialidad, cobrando la obra, gracias a ello, toda su hondura de alcance universal» (1984, 103).

Queda clara, en la obra albertiana, la condición de comienzo de estos tres libros fundamentales, en los que Alberti ha trazado unos caminos temáticos y simbólicos que servirán de pórtico a una obra suya, cuya continuación posterior, hasta nuestros días, mantendrá muchos elementos de su visión del mundo, aquí iniciados. Como ha advertido con mucha insistencia Robert Marrast,

Marinero en tierra, La amante y *El alba del alhelí* no constituyen un mundo poético cerrado, aparte, autónomo y sin relación alguna con las obras escritas más tarde, y especialmente las que entran en la categoría de «littérature engagée». Los tres primeros libros de Alberti representan el primer núcleo de un universo que se va enriqueciendo cada día —y sea por mucho tiempo— con nuevas canciones, pero sin solución de continuidad, en un constante y armonioso devenir (1972, 49).

Dentro de esta continuidad, el primer cambio importante lo constituye *Cal y canto,* escrito, como ya señaló Pedro Salinas, desde la «tradición de Góngora» (1970, 195-196) y no desde la servil imitación. El poeta cordobés está presente en el libro, y de la medida de su influencia más o menos directa y que culmina en la insólita «Soledad Tercera», se han ocupado numerosos estudiosos, desde Elsa Dehennin (1962, 147-170) hasta Robert Jammes (1984, 132-137), coincidiendo todos en la reveladora modernidad del poeta, puesta de manifiesto por Zuleta:

> La impronta gongorina se advierte a primera vista en el cultivo de sonetos y tercetos de elaborada arquitectura, con imágenes tan complejas como nítidamente acuñadas, y en una lengua poética donde la sintaxis, el vocabulario, los sonidos, acusan de inmediato la intención de religarse a una tradición de voluntad de estilo y, a la vez, de adecuar estos instrumentos expresivos a una vivencia personal y moderna (1971, 315).

La continuidad con el resto de la obra está asegurada. Solita Salinas ha repasado la permanencia de elementos fundamentales del «mundo poético» albertiano en esta falsa etapa realizada «bajo el signo de Góngora» y ha destacado «la dinamización y destrucción progresiva del mundo marino» (1968, 153), al tiempo que ha visto el ingreso de «la maravilla mecánica» en el nuevo paraíso, «sustitución del perdido y abandonado huerto submarino» (1968, 166). La multiplicidad, tanto de las formas como de los temas (mar, cielo, feria, paisaje polar, toros, ciudad moderna, mitos clásicos), constituye el signo del enriquecimiento de una poesía en la que ya se da entrada a los temas angélicos, que nos anuncian inevitablemente *Sobre los ángeles*» (1968, 177), porque, como advierte Zuleta, en este libro

> la poesía de Alberti se prepara para un cambio más profundo, que va más allá de la renovación temática y expresiva [...]. El libro siguiente, *Sobre los ángeles,* no representa ya una evolución y cambio, sino un verdadero viaje dentro de su poesía y, además, del movimiento poético de esos años (1971, 322).

La repercusión crítica de *Sobre los ángeles* ha sido, en consecuencia, muy grande, quizá la mayor en relación con cualquier obra de Alberti, desde los juicios iniciales de Enrique Díez-Canedo y Pedro Salinas hasta la primera edición crítica realizada por C. B. Morris (1981). Un resumen de algunas opiniones nos ofrece Connell (1975, 157), que hace referencia a la primera tentativa crítica de González Muela (1952), a las observaciones de Vivanco en relación con el tema amoroso del libro, la insatisfacción con la obra anterior y la pérdida de fe religiosa (1971), a la de Morris (1960), a la de Cohen (1959), etc. Indudablemente, la cuestión autobiográfica ha despertado un gran interés y se ha querido ver en ella la explicación del viraje a que hacía alusión Zuleta, y así lo hace Connell, demostrando a través de textos del propio poemario y de *La arboleda perdida* el carácter autobiográfico de *Sobre los ángeles* (1975, 155-169), en la línea de lo establecido por la crítica anterior. Joaquín Marco ha puesto en relación la crisis de Alberti con la que en estos mismos años experimenta Emilio Prados (1983, 405-414).

Muy interesantes también son las aportaciones de Gullón (1975 a, 72-75), Bowra (1949, 220-253), Horst (1966, 174-194) y, en relación con el surrealismo, las observaciones de Sarriá (1978), Soria (1980) y de los especialistas en el movimiento: Bodini, Ilie y Onís, que dedican espacios y valoraciones a la actitud albertiana al crear una escritura seudoautomática.

Uno de los estudiosos más fieles a *Sobre los ángeles* ha sido Morris, que comenzó su acercamiento relacionado con las imágenes de Alberti con las de Quevedo (1959, 135-145), para continuar con el estudio de la pérdida de la fe en relación con las vivencias infantiles en el colegio de los jesuitas de San Luis Gonzaga (1960, 22-231), el análisis de las imágenes claves (1975), el estudio de los cuatro temas fundamentales (amor, ira, fracaso, desconcierto) (1966) y finalmente la recopilación en 1978 que culminará en la edición (1981), en la que Morris lleva a cabo un interesante prólogo y una generosa anotación del texto.

En relación con la moda surrealista, hay que destacar también el estudio primero de Eric Proll (1982, 211-223) y el de Margaret Heisel sobre la imagen y estructura (1982, 224-239), una de las más recientes aportaciones, preocupada más que por los temas,

por las estructuras formales y las imágenes, que considera que
«no sólo actúan como generadoras de orden y método, sino que,
con el tejido de imágenes y recuerdos de su experiencia personal,
provocan también reacciones en el mismo lector» (1982, 239).
Más reciente aún es la aportación de Arnaldo Leal sobre el tema
del vacío, que se inscribe dentro de los estudios de la simbología
del libro, centrado en esta ocasión en el citado aspecto (1984,
113-121).

Para González Martín, *Sermones y moradas* es un apéndice de
Sobre los ángeles, ya que supone la continuidad de los impulsos
que produjeron aquél (1980, 96), aunque se experimenta un avance en la cosmovisión albertiana. Emilia de Zuleta ha prestado a
este conjunto especial atención y ha resaltado que ya su título,

> con su referencia a un ámbito religioso, místico, anuncia el carácter de
> «iluminación» que reviste este conjunto de poemas: el poeta dará un tes-
> timonio exhortativo de la condición humana en sus más hondos estratos;
> revelará su itinerario a través de las sucesivas moradas del viaje inte-
> rior (1971, 331).

Continuación de la última parte de *Sobre los ángeles,* en *Sermones y moradas,* y aunque aquí la enumeración es la base del
estilo, para Wesseling hay, sin embargo, cambios interesantes, ya
que las líneas son más largas, las imágenes son más negras y surrealistas y el tono es más agrio (1981, 44), digno final de una
búsqueda, como también lo ha considerado G. W. Connell (1965,
290-309).

Cierran esta primera etapa de la poesía de Alberti, y compartiendo las mismas fechas que van desde *Cal y canto* a *Sobre los
ángeles,* los poemas de *Yo era un tonto y lo que he visto me ha
hecho dos tontos,* serie de composiciones inspiradas en las grandes figuras del cine mudo cómico, desde Charlot a Harold Lloyd,
desde Harry Landdon a Buster Keaton. Carlos Alberto Pérez ha
dedicado a su estudio una breve monografía, destacando los valores
de esta poesía menor realizada en los mismos años en que está
escribiendo sus mejores obras:

> La melancolía y la tristeza dominan en la mayoría de los poemas de
> *Yo era un tonto...* El absurdo de muchos versos, si bien desata la car-

cajada, no alcanza a destruir la seriedad del conjunto. Alberti, como todos los intelectuales de su época, ve claramente el fondo trágico de las bufonadas del cine (1975, 212).

C. B. Morris, que ha realizado la primera edición completa de la obra, da cuenta de todos los azares bibliográficos del conjunto y realiza una interesante valoración crítica de tan originales poemas no sólo como «testimonios de una época y el entusiasmo que despertó en ella el cine mudo», sino

> también algo más trascendente dentro de la obra de Rafael Alberti: la expresión burlesca y estrafalaria de su pasión por el cine que [...] ensancha los límites de su arte y añade un nuevo capítulo en su autobiografía espiritual y poética (1981, 54).

9.3. Poesía social y política

La llegada a la poesía social o política de Rafael Alberti la ven los críticos en un poema que, fechado significativamente el 1.º de enero de 1930, lleva el no menos revelador subtítulo de «Elegía cívica». Se trata de «Con los zapatos puestos tengo que morir», donde el poeta comienza su larga andadura de «poeta en la calle», aunque Antonio Jiménez Millán la ha considerado punto de transición de una poesía que ya se había estado anunciando y la etapa que ahora comenzaba:

> El texto es de suma importancia en la evolución del discurso poético albertiano, pero hemos de remarcar que su importancia radica mucho más en constituirse como exponente de la agudización máxima de las contradicciones ideológicas del propio Alberti que en una posible ruptura radical con textos inmediatamente anteriores (1984, 85).

En este camino albertiano se ha concedido gran importancia a sus dos obras dramáticas, *El hombre deshabitado* y *Fermín Galán,* que, como veremos más adelante, constituyen un eslabón ineludible, antes de llegar a las diversas composiciones que han de constituir *El poeta en la calle* (1931-1935). Como señala Juan Cano Ballesta, es a partir de *Un fantasma recorre Europa* (1933) cuando el poeta

abre desconocidas rutas y una temática nueva a la creación lírica [...].
Adopta un tono combativo, enérgico, agresivo; levanta su voz de denuncia ante la agresión de los campesinos por el mismo Gobierno de la República. El acontecer de la vida política española, con sus continuas re-
vueltas y la represión subsiguiente, hechos históricos recién ocurridos,
arrancan al poeta un canto de protesta (1975, 222).

Todo culminará en el inmediato *Un fantasma recorre Europa,*
publicado en otoño de aquel año, tras su viaje por la URSS y
Alemania, tras haber presenciado el incendio del Reichstag. Como
señala González Martín,

los versos claros, incisivos, demoledores y claramente revolucionarios di-
rigidos a los obreros, los hombres del campo, las tripulaciones, las cár-
celes, tienen detrás una consigna clara de matiz comunista (1980, 104).

La condición de Alberti como poeta de la revolución queda
asegurada a partir de 1934, ya que sus composiciones —difundidas por medio de significativas revistas o a través de folletos de
breve extensión— van ejerciendo influencia, como ha señalado
Cano Ballesta (1975, 227), al tiempo que van trazando su propia
autobiografía, tal como ha visto Jiménez Millán (1984, 99). El
conjunto titulado *De un momento a otro. Poesía e historia* será
representativo de la actitud albertiana en este momento y «donde
la canción protesta, denuncia y desenmascaramiento de la explo-
tación burguesa y capitalista, se continúa en una serie de poemas
sobre temas extranjeros» (Cano Ballesta, 1975, 229), reunidos,
en 1936, bajo el título *13 bandas y 48 estrellas, poema del Mar
Caribe.* Como única excepción en este momento, que se aparta
de la temática revolucionaria, se destaca la serie de elegías a Sánchez Mejías, que se recoge bajo el título de *Verte y no verte,* con
las que, según Gullón, «no solamente volvió Alberti a su andalucismo natural, a los campos de infancia prestados por el toro, mas
a los escrutables abismos del mito» (1975 *b,* 245).

La poesía de Alberti en la guerra civil, que debió ser muy extensa y variada, se recoge sobre todo en el grupo de poemas titulado *Capital de la gloria* (1936-1938), de la serie de *De un momento a otro,* en la que se reúnen poemas muy cercanos a los
impulsos diarios de las actividades de Alberti en el Madrid de la

guerra civil y de las circunstancias de la contienda. La actitud del poeta, de extraordinario valor satírico, en el que no está ausente el tono de soflama y de panfleto, tiene intermedios elegíacos notables como el de la dedicada a García Lorca, «Elegía a un poeta que no tuvo su muerte». Quizá el más significativo de este poemario sea su variedad de temas, puesta de manifiesto por González Martín (1980, 117-118), y el carácter que mucha de esta poesía tiene de «Canto al héroe colectivo», aspecto estudiado por Jiménez Millán (1984, 158-166), quien aprecia el *humanismo* de esta poesía que canta a los soldados como «superhombres» representativos de un militarismo fatuo:

> Es un ejército de trabajadores al que canta el poeta, a los hombres que se han visto obligados a abandonar sus pueblos, sus tareas para combatir: la habitual resistencia en el trabajo se convierte ahora en un esfuerzo continuado por alcanzar la victoria y la posesión de una tierra que les pertenecía (1984, 163).

9.4. POESÍA DEL DESTIERRO, DE LA ESPERA Y DEL REGRESO

Una de las primeras imágenes de Alberti en su poesía del exilio queda simbolizada por la figura del Cid caminando hacia el destierro con los suyos «como fieles vasallos», en una de las secciones de *Entre el clavel y la espada*. Los primeros poemas de posguerra de Alberti, recogidos en *Vida bilingüe...*, y sobre todo en *Entre el clavel y la espada,* reflejan la hondura de un sentimiento que los diferentes especialistas han advertido en esta etapa. Gullón percibe aún «el acre sabor de la guerra. La guerra civil se siente como llaga no cicatrizada, como brasa viva bajo el rescoldo del tiempo, y junto a ella el dolor del exilio» (1976 *b*, 247), mientras que Catherine G. Bellver, que ha dedicado una amplia monografía a sus «horas de destierro», ve en estos primeros poemarios el predominio de la nota elegíaca reflejada en el último de ellos sobre todo:

> *Entre el clavel y la espada* es una elegía impecable, a veces dulcemente melancólica y a veces hondamente poética, por la patria que se ha perdido, por los soldados, por los amigos, y por su vida misma (1984, 45).

Transcurre, pues, esta poesía, como ha visto con detalle Bellver, entre los recuerdos sombríos, el pasado que vuelve y el que no vuelve, el mar y los amigos, los viejos amigos y los nuevos. Surgen así nuevos poemarios: *Pleamar, Coplas de Juan Panadero, Retornos de lo vivo lejano...,* etc. Esta etapa argentina ha sido estudiada por Vicente Granados (1984, 71-84).

Ni qué decir tiene que la cumbre de toda esta etapa la constituye *A la pintura. Poema del color y la línea,* considerado por Gullón como «el primer libro total de la añoranza», además de valorar el intento de cantar en poesía a la pintura como algo totalmente innovador en Alberti frente a ejemplos anteriores como el de Manuel Machado en su *Museo*: «En *A la pintura* la subjetividad cede a la exigencia de reflejar objetivamente la realidad» (1975 *b*, 252). Lo que quizá se ha valorado más ha sido la fusión en el poemario de las dos grandes pasiones-aficiones de Alberti, representadas esta vez en un lenguaje poético y por la palabra escrita. Como señala Ana María Winkelmann,

> Alberti no sólo conoce el oficio artístico, sino también su historia. La introducción de lo pictórico en su poesía fue el resultado no sólo de su conocimiento de la pintura, sino también de una consciente visión poética, pues vio en la pintura una posibilidad de enriquecer su expresión (1975, 273-274).

Por su parte, Ángel Crespo ha destacado el «realismo y el pitagorismo» de la poesía albertiana, conectando sus hallazgos con las búsquedas de los filólogos griegos, de los pitagóricos, y cómo sus conceptos «de naturaleza matemática y musical se repiten una y otra vez en *A la pintura*» (1975, 289).

Lo cierto es que *A la pintura* coincide con la vuelta de Alberti a su primera pasión de adolescente, como señala Emilia de Zuleta, porque quizá «el nuevo contorno social y humano en que vive el poeta, pese a su identificación idiomática, no fuera ya el marco propicio para la comunicación por el lenguaje» (1971, 287). El poeta, que siempre ha sido fiel a la pintura, lo que se revela en aspectos técnicos de su poesía, como han visto Manuel Mantero (1961, 22-27) y Carlos Areán (1974, 208-209), concede ahora todo el protagonismo plástico y lo hace objeto de su propia poesía, tal como concluye Bellver:

La pintura y la poesía se enlazan definitivamente en la vida y la obra de Alberti. Más que mera diversión o segunda vocación u otro tema más para la poesía, la pintura representa una parte esencial de su existencia, de su personalidad y su ambición creativa. El desterrado intenta trascender la ruptura de su vida circunstancial entretejiendo los distintos hilos de esa vida en la poesía y trata de recuperar la pintura de su pasado al mismo tiempo que intenta fundirla con su poesía (1984, 164).

El final del destierro y de la espera está constituido por la etapa romana, y el fruto principal de esa fase, *Roma, peligro para caminantes,* no ha pasado inadvertido desde su primera aparición en los *X sonetos romanos.* Pablo de la Fuente ha estudiado la versión romana de Alberti (1975, 293-295) y dos estudiosos del poeta más recientes prestan atención a las últimas producciones del poeta antes de su llegada a España. Así, Manuel Bayo (1974, 95, y 1972, 1-6), Jerónimo González Martín (1980, 152-159), y con mayor amplitud Catherine G. Bellver, quien destaca la fidelidad de Alberti hacia la poesía, su «acento constante, a pesar de las circunstancias, a veces difíciles, a pesar de los avatares biográficos» (1984, 206-213).

9.5. EL TEATRO DE RAFAEL ALBERTI

No es muy abundante la obra teatral de Rafael Alberti, sobre todo si la comparamos con la fecundidad de su obra poética. Por ello ha sido considerada como una actividad secundaria en el poeta, aunque ha recibido cierta atención por parte de la crítica especializada, sobre todo a partir de la importante reposición de su mejor obra, *El adefesio,* en España en 1977. Pero lo cierto es que aún tiene rigor la frase escrita en 1963 por Ventura Doreste:

Suele decirse que en la obra de Rafael Alberti son más relevantes las virtudes líricas que las propiamente dramáticas. Y aunque ello es cierto, creemos que el teatro del gran poeta merece, por su valor y características, un amplio estudio dentro de la historia particular del género (1975, 233).

La obra teatral de Rafael Alberti tiene una conocida «prehistoria» que Robert Marrast denominó «primeras tentativas» (1924-

1930), y entre las que incluyó los siguientes títulos: *Ardiente-y-fría* y *La novia del marinero,* de las que tan sólo nos queda el nombre y alguna escena reconstruida. Algo parecido ocurre con los títulos mencionados en la biografía de la *Antología* de Gerardo Diego: *Lepe, Lepijo y su hijo* y *El hijo de la Gran Puta,* aunque de otros de este tiempo sí se conservan importantes fragmentos. Así, de *La pájara pinta* o de *Santa Casilda,* pero lo cierto es que no son, como los considera Marrast, más que «títulos ofrecidos a nuestra curiosidad, tras los cuales es necesario intentar imaginar actos, escenas, y personajes, que no tienen en Alberti sino un vago recuerdo...» (1967, 9).

Indudablemente, mucha más importancia tienen las restantes obras del poeta, que son tan sólo *El hombre deshabitado* (1929-1930), «auto sacramental sin sacramento»; *Fermín Galán* (1931), «romance de ciego»; *De un momento a otro* (1938-1939), *El trébol florido* (1940), *El adefesio* (1944) y *La gallarda* (1944-1945), además de otras obras «menores» como *Bazas de la providencia* y *Farsa de los Reyes Magos* (1934), *Radio Sevilla* y *Cantata de los héroes y fraternidad de los pueblos* (1938) y las últimas creaciones: *Noche de guerra en el Museo del Prado* (1956), *La lozana andaluza* (1964), *El despertar a quien duerme* (1979) y algunos poemas escénicos (así, *El matador,* 1979).

El primer estudio significativo y bastante completo del teatro de Rafael Alberti lo constituyen los *Aspects* de Robert Marrast (1967), que lleva a cabo un pormenorizado análisis de las «primeras tentativas» y de los grandes dramas albertianos hasta *La gallarda,* completado con una selecta y rigurosa bibliografía, en la que se recogen las entonces escasas exégesis del teatro albertiano. Otro significativo estudio pionero en este espacio lo constituye la «introducción» de Ricardo Doménech, que sienta las bases definitivas para el acercamiento a un teatro que ha estado a punto «de ser eclipsado por dos enemigos muy poderosos: el teatro de García Lorca —tan similar en no pocos presupuestos— y la poesía del propio Alberti» (1972, 95).

Muy interesantes son también, para el conocimiento de la obra dramática del poeta y su difusión, los textos escritos por José Monleón en torno a *El adefesio,* tras su reposición en España en 1976 (1978), y por Ricardo Salvat al frente de *Noche de gue-*

rra en el Museo del Prado (1976) y de *La lozana andaluza* (1975), interesantes tanto por lo que tienen de aproximaciones críticas como por su valor documental al descubrirnos el impacto que en la sociedad española del comienzo de la transición tienen los ya veteranos dramas albertianos.

Desde el punto de vista histórico, la primera monografía completa, rigurosa y ordenada es la de Louise B. Popkin, que lleva a cabo una detallada revisión del teatro de Alberti siguiendo una clasificación basada en los temas y formas y en la cronología: teatro como lirismo, años veinte; teatro como ideología, años treinta; obras maestras y la emergencia en el estilo, años cuarenta, y creación y colaboración, años cincuenta. A lo largo de las cuatro décadas señaladas analiza la autora con todo detalle el valor de un teatro en relación con la tradición literaria a la que pertenece y valorando las innovaciones y avances que representa (1976). En el mismo sentido destaca el estudio de Gregorio Torres Nebrera, que igual lleva a cabo la revisión de todo el teatro partiendo de una clasificación original: prehistoria teatral; teatro entre la tradición y la vanguardia; teatro épico y de guerra; trilogía del destierro y adaptaciones de clásicos y poemas escénicos, realizando una valoración completa de esta faceta de la obra literaria de Alberti,

> un autor que llegó a la escena movido por una convicción de verdadero «hombre de teatro», sintiéndolo como una faceta —la más combativa, la más «pictórica» de la literatura— donde su nervio y su verso han tenido (y tienen) cosas que decir y casi nunca de una manera ancilar, subordinada a la cosmovisión de su vasto mundo poético (1982, 11).

En este conjunto cabe citar finalmente las aportaciones de González Martín (1982), que dedica un amplio capítulo al estudio del teatro, y las más recientes monografías valiosas, particularmente la de Soria Olmedo sobre *El hombre deshabitado* (1979) y la de Robert Marrast sobre el teatro de guerra (1983).

9.6. LA PROSA DE ALBERTI

González Martín, en su libro, dedica un apartado a la prosa de Alberti, sin duda debido al gran interés que esta parcela, como en otros poetas de su generación, tiene en Alberti. Y pone de manifiesto lo abandonada de la crítica que se encuentra esta sección de la obra del poeta:

> Poca gente ha estudiado, con el detenimiento debido, otras facetas suyas; pero sin duda a la que menos se ha prestado atención ha sido a su labor como prosista. Sólo ocasionalmente, de pasada, y en general la crítica extranjera, ha hecho pequeños estudios sobre su prosa. Sin embargo, el escritor tiene a su cargo un volumen considerable de escritos que no son poesía ni teatro, y que es necesario tener en cuenta (1980, 160).

Tres libros destacan fundamentalmente en el campo de esta actividad de Alberti: la recopilación de Robert Marrast con el título de *Prosas encontradas,* que recoge en 1971 artículos sobre diversos temas escritos entre 1924 y 1942, entre ellos algunos tan representativos como «Miedo y vigilia de Gustavo Adolfo Bécquer», «La poesía popular en la lírica española contemporánea», «Teatro de urgencia», etc.; *La arboleda perdida,* editada en 1942, aunque con versiones más recientes (1959, 1972), está siendo continuada en la actualidad; y el titulado *Imagen primera de…,* que, aparecido en 1945, recoge semblanzas de los escritores más representativos contemporáneos. Estos volúmenes y cientos de artículos dispersos, por la prensa española y americana, reflejan la constante dedicación de Alberti a la literatura y ponen de manifiesto su condición de escritor total, que día a día va construyendo su obra y reflejando en ella la realidad de su circunstancia pasada y presente, que se constituye, como señala González Martín, en «documento personal y a la vez histórico de un momento importante de la historia española y su literatura» (1980, 182).

10
OTROS POETAS DEL 27

OTROS POEMAS DE ?

10.0. LOS OTROS POETAS DEL 27

LAS FIGURAS de los más conocidos poetas del 27, sobre las que han tratado las páginas precedentes, no estuvieron aisladas ni en su tiempo ni posteriormente. Junto a ellos, contemporáneos a ellos, participantes en los mismos afanes, surgieron una serie de poetas de la misma edad que, sin embargo, no alcanzaron la dimensión histórica y la trascendencia posterior que los ocho poetas ya estudiados, y que en algún momento hemos considerado la plana mayor de la generación o del grupo poético. Por ello, su bibliografía es extraordinariamente reducida si la comparamos con los grandes nombres ya citados.

Aun así, las figuras de esta decena de poetas —también en cierto modo del 27— completa el conjunto de toda esa gran manifestación de la lírica de la España del segundo Siglo de Oro y sus nombres aparecen en antologías y en estudios frecuentemente como poetas de este movimiento. A tal segundo grupo, encabezado por los dos más significativos —Emilio Prados y Manuel Altolaguirre—, se dedican las páginas que siguen, en la inteligencia de que —en diferente medida— ellos son también poetas del 27.

10.1. EMILIO PRADOS

Las causas por las que Emilio Prados no es un poeta tan conocido como los restantes de su generación hay que buscarlas en la constante tendencia al aislamiento que caracterizó su vida y que ya se refleja en las condiciones en las que participa en la primera *Antología* de Gerardo Diego (1932) y su exclusión en la segunda (1934). Los investigadores que más han hecho por Prados, Carlos Blanco Aguinaga y Antonio Carreira, tratan, al publicar la excelente edición de sus difíciles *Obras completas,* de paliar ese desequilibrio respecto a sus compañeros de grupo, al tiempo que son conscientes de las causas de este notable desconocimiento del poeta:

> porque su poesía de madurez, casi toda la escrita en México, resulta a menudo hermética y, además, apenas se ha difundido en España; porque su a veces magnífica poesía social y política de los años treinta y de la guerra civil ha corrido la suerte de casi toda la poesía política y social de aquellos tiempos; porque durante su primera época (1923-1929), cuando sus compañeros de generación —a quien él editaba en *Litoral*— se habían dado ya a conocer ampliamente, él prefirió muy poco de lo que escribía (1971, I, XI).

La consecuencia, desde este punto de vista, no se hace esperar y el resultado bibliográfico es tan escaso que aún hoy nos sorprende la poca atención recibida por su poesía, por tantas razones valiosa.

Podríamos decir que son exclusivamente las ediciones de Blanco Aguinaga y Carreira (1971 y 1973) y la de Sanchís-Banús (1979) las que más han contribuido al conocimiento de Prados, ya que a través de ellas se han podido conocer ediciones críticas de *Cuerpo perseguido* (1971), *La piedra escrita* (1979) y de las *Poesías completas* (1975). Especialmente, estas dos últimas ofrecen amplias introducciones de carácter biográfico y crítico, que informan con amplitud de todo lo referente al poeta. Carlos Blanco Aguinaga es autor, además, del primer estudio extenso sobre Prados (1961) y de toda la labor de recopilación y fijación de textos, a través de sus «papeles» (1967), mientras que Carreira, por medio de un artículo no muy amplio (1970), da a conocer en parte trabajos anteriores aún inéditos en su totalidad.

Además de breves, pero significativos, estudios de Gullón (1962) y Cano (1985) —del que hay que citar también la edición del *Diario íntimo* (1966)—, las aportaciones más difundidas son las de Debicki (aunque se refiere a aspectos sintácticos) (1968), las de Cano Ballesta, en la línea de sus estudios sobre poesía y revolución (1970, 1972), y la de Zardoya, que destaca en él al poeta de la melancolía (1974).

Emilio Prados publicó pocos y breves libros antes de la guerra. Tan sólo vieron la luz *Tiempo. Veinte poemas en verso* (1925), *Canciones del farero* (1926), *Vuelta (Segmentos-ausencias)* (1927), *El llanto subterráneo* (1936) y *Llanto de sangre. Romances 1933-36* (1937), además de un *Cancionero menor para los combatientes* (1936-1938). Ninguno de estos libros superaba las ciento veinte páginas y apenas dos superaban el centenar. Como bien resume Debicki, «en su obra temprana, Prados ofrece un cuadro de la naturaleza en el que se intercambian diversos elementos dentro de una unidad total; el poeta siente una correspondencia entre su vida y este esquema natural, y encuentra en la naturaleza la respuesta a sus angustias vitales» (1968, 305). Pero esta obra previa a 1939 y a la publicación de *Memoria del olvido,* que aparece en México en 1940, es mucho más extensa y, de hecho, el volumen primero de sus *Obras completas* recoge todo lo anterior al exilio, aunque publicado mucho más tarde, entre lo que se encuentran algunos de sus mejores libros, como *Nadador sin cielo* (1924-1926), *Cuerpo perseguido* (1927-1928), que se constituye en un impresionante poemario amoroso, y *Andando, andando por el mundo* (1930-1935), *Calendario incompleto del pan y del pescado* (1933-1934), etc., reveladores máximos de su poesía social y política. A la crisis que produjo estos libros, relacionable con la de Alberti, se ha referido Joaquín Marco (1983, 405-414).

La actividad política de Prados en el exilio fue también muy intensa y los libros publicados entonces numerosos, desde *Mínima muerte* (1944) a *Jardín cerrado* (1946), *La sombra abierta* (1961), *La piedra escrita* (1961), etc., en los que nos aparece el Prados reflexivo y visionario, preocupado por la soledad, la muerte, el tiempo. De esta forma, la poesía de Emilio Prados se ha distinguido por una triple visión del mundo que va desde los inicios cercanos al espíritu del 27, aunque en una versión muy personal más cercana al surrealismo que a la poesía pura o al gongorismo, a su interpretación de la lucha política y social y finalmente la do-

lorida y dilatada etapa del exilio cercana, como señala Juan Larrea
en el prólogo a *Jardín cerrado,* a nuestra mística (1976, II, 17-
20). Resume Sanchís-Banús:

> Tres poetas distintos, sí: el joven andaluz de la revista *Litoral,* el
> combatiente que leyó el romance *Ciudad sitiada* en el heroico Madrid
> de noviembre de 1936 y el desterrado que en México oyó resonar los
> pasos de Dios, en ese progresivo y recogido exilio interior que anuncia
> su muerte. Tres poetas distintos, pero un solo poeta verdadero: Emilio
> Prados (1979, 23).

10.2. MANUEL ALTOLAGUIRRE

Ante la crítica posterior, Manuel Altolaguirre forma pareja «in-
disoluble» con Emilio Prados, sin que haya una justificación precisa que así lo determine, por más que ambos poetas fueron en
vida algo más que «socios» en su labor de impresores y excelentes
amigos. Pasado el tiempo, se advierte que Altolaguirre escribió una
obra de menor alcance que la de Prados y, finalmente, su trascendencia posterior se nos ofrece como la de un poeta menor. Su
obra es reducida —prácticamente, hasta 1936 sólo tiene un libro, *Las islas invitadas* (1935), de 137 poemas, de los que 113
había aparecido ya en sus títulos anteriores: *Las islas invitadas y
otros poemas* (1926), *Ejemplo* (1927), *Soledades juntas* (1931),
La lenta libertad—, dispersa —la segunda etapa formada por poemas de circunstancias escritos en guerra todavía no se ha recogido
debido a su escaso interés, a pesar de encontrarse en revistas como
*Hora de España, El Mono Azul, Granada de las Letras y de las
Armas*—, aunque continuada a lo largo de su vida, ya que una tercera etapa, en el exilio, le permite alumbrar libros interesantes
que van desde *Nube temporal* (1939) a *Poemas de América* (1955),
destacando, sobre todo, *Fin de un amor* (1945), basado en su
ruptura con Concha Méndez.

La atención otorgada por los críticos no ha sido, en consecuencia, importante. Editado, tras su muerte, por Cernuda y Martí Soler (1960), es sobre todo Margarita Smerdou Altolaguirre la que
ha realizado las más difundidas ediciones con completos estudios

críticos, tanto de *Las islas invitadas* (1973) como de las *Poesías completas* —en colaboración con Milagros Arizmendi— (1982). A su obra se han aproximado, entre otros, Carmen Hernández de Trelles (1974), con un libro que recoge biografía y estudio crítico; Leopoldo de Luis (1977), Mercedes Reyes Peña, que aborda el tema del agua (1978), y Gregorio Torres Nebrera, que estudia el teatro, escaso y disperso, de nuestro poeta (1977).

Quizá, para resumir su significado, son aclaratorias las palabras de Leopoldo de Luis, que valora así su trascendencia y evolución: «Situado, en su arranque, en la esencialidad poética juanramoniana, próximo a la "poesía pura", modificado por una entrañada y auténtica vena andaluza, las emociones que sustancian sus poemas se perciben, latiendo, siempre, en ellos. Pero contenidas y como hacia dentro» (1977, 122). Aunque, como es notorio, su poesía fuese reducida, no lo fue su trascendencia como componente de la generación del 27, sobre todo desde su particular perspectiva de impresor y antólogo, tal como ha valorado Torres Nebrera (1980, 58).

10.3. OTROS POETAS

De acuerdo con algunas tendencias actuales de la crítica española e hispanista, que pretenden abrir el cuadro de la «generación del 27» a otros poetas de la época, y habida cuenta de las notas y reflexiones que hemos llevado a cabo en la introducción general, vamos a proceder a dar cuenta de los panoramas críticos particulares de aquellos poetas que en algún momento han sido encuadrados en la generación del 27. A la hora de escoger los nombres que siguen, hemos tenido en cuenta las opiniones que ya se reflejaron en la introducción, en el momento de contabilizar los componentes del grupo, o algunas otras que ahora indicamos.

10.3.1. *Fernando Villalón*

Mayor en edad que sus compañeros y amigos del 27, Fernando Villalón (1881-1930) mantuvo una extraordinaria relación con todos los poetas del grupo, a los que se une cronológicamente por la fecha de publicación de sus libros: *Andalucía la Baja* (1926), *La Toriada* (1928), *Romances del 800* (1929), a los que hay que añadir *Poesías* (1944) y *Poesía inédita* (1985). Toda la bibliografía referente a Villalón se halla recopilada en el excelente estudio introductorio de la producción inédita realizado por Jacques Issorel (1985), quien considera que Fernando Villalón «en muy breve trecho, crea una obra variada y coherente, cuya parte hasta ahora conocida —ni siquiera los dos tercios— basta para que se le considere como uno de los más genuinos componentes de la generación del 27, aunque a menudo se encasilla de modo restrictivo como poeta andaluz, insistiendo en el aspecto regionalista de su obra» (1985, 30).

Recientemente, Villalón ha sido objeto de atención por parte de críticos andaluces como José Cebrián (1980) o Jacobo Cortines (1982), pero es a través de su tesis, aún inédita, Jacques Issorel el estudioso más dedicado a Villalón, que ha encontrado en él su más decidido defensor (1986).

10.3.2. *Rafael Laffón*

Dentro del grupo andaluz del 27 hay que encuadrar también la figura de Rafael Laffón (1895-1978), cuya personalidad y significación ha estudiado, completa y cuidadosamente, Miguel Cruz Giráldez (1984), quien, tras situarle inicialmente en el 27, observa su peculiar andalucismo posterior, en una trayectoria parecida a la de tantos poetas del grupo.

Toda la bibliografía referente al poeta sevillano, recogida por Cruz Giráldez, es una bibliografía local o de mera referencia circunstancial; pero a pesar de ese evidente localismo hay en Laffón algo más, según apunta su estudioso:

> Rafael Laffón ha llenado con su poesía setenta años de literatura sevillana. Es un poeta de la generación del 27 si tenemos en cuenta su predilección por la metáfora, su actitud clasicista y su contacto con la vanguardia, aunque el caso de Laffón es particular, pues a pesar de haber alcanzado resonancia nacional y hasta internacional, su continuada permanencia en Sevilla, su natural temperamento retraído y la existencia en su

promoción generacional de poetas creadores de un poderosísimo mundo
lírico, lo han relegado a un lugar secundario, a pesar de ser nuestro escritor el de mayor dedicación habitual al ejercicio literario y el de mayor
entidad poética del grupo local reunido en torno a la revista *Mediodía*
(1984, 387).

10.3.3. *Juan Larrea*

Mucho más universal es Juan Larrea (1895-1980), cuyo panorama crítico hallamos en el imprescindible libro de Robert Gurney (1985), que considera a Larrea «la figura fantasmal de la generación del 27» (1985, 9). La poca atención prestada a este excelente poeta quizá viene justificada por dos razones fundamentales: su abandono de la poesía en verso en el París de 1932 y la
no aparición hasta 1969 en Italia y 1970 en España de su único
libro, *Versión celeste*. Previamente al libro de Gurney hay que
destacar la aportación bastante difundida de David Bary (1976)
a través de un libro que contribuyó extraordinariamente a dar a
conocer en España a este extraño poeta hispano-francés del 27,
colaborador juvenil de *Cervantes, Grecia* y *Carmen* y conocido
sobre todo a través de veinticinco poemas suyos que aparecen en
la *Antología* de Gerardo Diego (1932).

Hoy, quizá mejor conocido, su valoración como poeta es muy
alta, sobre todo por el papel jugado por él en el desarrollo del
arte de vanguardia y en la interpretación española del ultraísmo
y del creacionismo, e incluso del surrealismo, como ha estudiado
Paul Ilie, entre otros (1982, 201-210). «Larrea —como señala
Barry— vio en la poesía el modo de integrarse en forma total
a los azares supremos de la vida. Produjo unos versos enigmáticos
que sólo se explican, como reza el título de sus poesías reunidas,
como "versión celeste" de una experiencia vital que el tiempo se
ha encargado de revestir de un interés y una ejemplaridad excepcionales» (1976, 21). Posteriormente a estos estudios, un volumen
titulado *Al amor de Juan Larrea* recoge las actas de unas jornadas
internacionales sobre el escritor, celebradas en 1984 en el País
Vasco. Entre los participantes destaca Juan Cano Ballesta, con
un interesante trabajo sobre la vanguardia y la visión de la ciudad
cosmopolita (1985, 41-50).

10.3.4. *José María Hinojosa*

Muy interesante es también la personalidad de José María Hinojosa (1904-1936), por ser considerado uno de los introductores del surrealismo en España, papel que se le viene atribuyendo cuando aparece citado en libros y antologías. Su más dedicado estudioso, Julio Neira, señala que

> el carácter surrealista de gran parte de su obra es sin duda lo más destacable de su producción literaria; y aunque en propiedad no puede hablarse de introductor —una suerte de apóstol surrealista tras el que los poetas conocieron el movimiento y antes del cual el surrealismo no tuviese presencia en España—, pues la estética de Bréton penetró en nuestro país por diversas vías y de forma casi simultánea, sí puede afirmarse que es Hinojosa quien antes concentra en su persona la postura vital surrealista en España, y el que antes publica en España un libro plenamente identificable con los caracteres de las creaciones surrealistas (1982, 271).

Residente en París en los años veinte, Hinojosa conoció a poetas y pintores surrealistas, fruto de cuyos contactos fue su primer libro de relatos surrealista, *La flor de California,* al que seguirían *Orillas de la luz* (1928) y *La sangre en libertad* (1931). Antes había publicado *Poema del campo* (1925) —de resonancias juanramonianas—, *Poesía de perfil* (1926) —publicado en París— y *La rosa de los vientos* (1927), con sus primeros acercamientos al surrealismo. De la escasa bibliografía que sobre Hinojosa existe se ocupa detalladamente Julio Neira en su artículo y en su tesis inédita *José María Hinojosa. Vida y obra.*

10.3.5. *Juan José Domenchina*

La presencia de Juan José Domenchina (1898-1959) en la que quizá es la más difundida entre las antologías del 27, la de Vicente Gaos (1984), ha contribuido a dar a conocer, entre las figuras principales de la generación, a este escritor contemporáneo «antes escritor de oficio que poeta indeclinable», según su antes citado antólogo (1984, 38).

La escasa bibliografía en torno a su obra —si dejamos aparte las reseñas sobre su narrativa, crítica y poesía— aparece recogida en la monografía más completa que a él se ha dedicado, el libro de C. G. Bellver (1979). Sus obras poéticas, comenzadas en plena precocidad por *Del poema eterno* (1917), responden a impulsos comunes a otros poetas de su generación; partiendo de los ecos juanramonianos —aunque peculiarmente influido por Pérez de Ayala—, acaba abrazando, como tantos otros, el surrealismo, que culmina en *Dédalo* (1932). Antes había publicado *Las interrogaciones del silencio* (1918), *La corporeidad de lo abstracto* (1929), *El tacto fervoroso* (1930), realizando así un conjunto de poemas que para Bellver

> revelan en su conjunto una subyacente búsqueda intensa de la Verdad, en la cual, drama al fin y al cabo, podemos apreciar claramente las tres clásicas divisiones de planteamiento, desarrollo y desenlace. Tras un primer estado de vitalidad y poesía extrovertida, la búsqueda de Domenchina pasa por un período intimista de lucha y de crisis, para orientarse, en el momento culminante, hacia una resignación que le obliga a aceptar su propio destino y hacia una muerte física, liberadora y triunfadora sin apelaciones (1979, 12).

Entre sus libros publicados en México destacan *Exul umbra* (1948), *La sombra desterrada* (1950) y *El extrañado* (1958), en los que se incorporan los sentimientos del destierro a sus temas poéticos.

10.3.6. *Antonio Oliver y Miguel Valdivieso*

La personalidad de Antonio Oliver (1903-1968) ha sido estudiada, sobre todo, por Leopoldo de Luis, quien prologó sus *Obras completas,* lugar en el que ya destacó su vinculación por edad y por temas al 27:

> En el clima de tal generación se inscribe, sin ningún género de dudas, nuestro poeta, tanto por la comprensión y entendimiento de nuestra poesía como por actitud intelectual. La obra de Oliver va desde la influencia juanramoniana y de los brotes ultraístas a la rehumanización, sin omitir el neopopularismo, la valoración de la metáfora, el gusto por el lenguaje, un suave panteísmo y una clara exaltación vitalista (1971, 3).

Finalmente, son tres sus libros poéticos, el inicial *Mástil* (1925), *Tiempo cenital* (1932) y *Libro de las loas* (1947). Sobre estos dos últimos poemarios nos hemos ocupado (1982 *a*, II, 60-79) para poner de relieve la autenticidad de una poesía valiosa y personal, a la que se han referido, entre otros, Manuel Ariza y Concha Zardoya, al tiempo que Francisco Marcos Marín estudia su importancia como crítico literario (1971).

Muy poca bibliografía hay sobre el interesante poeta Miguel Valdivieso (1893-1966), que se conoce sobre todo a partir de la publicación de la poesía completa con prólogo de Jorge Guillén (1968). Vinculado inicialmente a Rubén Darío, encuentra en los clásicos del Siglo de Oro el motivo central de su inspiración, que en la etapa de posguerra volverá los ojos hacia Unamuno, aunque, como se ha reconocido, es Jorge Guillén —y en especial *Cántico*— el maestro del poeta. Así lo reconoce, precisamente, el propio Guillén:

> La compañía de aquel libro contribuye a establecer la propia personalidad, y aquella influencia fue asimilada y superada. Acorde a su época, buscó siempre la concisión sin extremar la elipsis. Si cultivó la imagen con agilidad, no fue nunca número de circo metafórico. Su interés apasionado por la realidad inmediata le pone en relación con los escritores de los tristes decenios (1968, 81).

De cinco títulos se componen sus poesías completas: *Destrucción de la luz*, *Sino a quien conmigo va*, *Números cantan*, *Los alrededores* y *Formas de luz*. Todos ellos formalizan, con intensidad, una obra en la que, como hemos señalado, «se percibe la predilección por ciertos temas —sobre todo por la luz y la existencia del hombre— y por las formas desnudas desprovistas de inútiles adornos» (1982 *a*, II, 82).

10.3.7. *José Bergamín*

Dado que no vamos a entrar en el estudio de la obra de críticos y ensayistas del 27 ni de su repercusión crítica (que sería crítica de la crítica sobre críticos), sí interesa dar cuenta de la obra poética tardía de José Bergamín, el más significativo de los ensayistas del 27, excluido de antologías poéticas del grupo por su reciente incorporación a la poesía activa. Bergamín publicó, sin embargo, una serie de libros poéticos a partir de *Rimas y sonetos rezagados* (1962), que culminaron en sus *Poesías casi completas* (1982), a las que seguiría *Esperando la mano de nieve* (1982). Sobre esta obra, de la que hay escasísima bibliografía, se ha ocupado Nigel Dennis (1983) en una monografía valiosa y llena de información sobre el carácter de esta poesía tardía, muy rica, como era de esperar, tanto en el plano de la expresión como en el del contenido, ya desde su primer libro, donde plantea los temas y las formas que permanecerán en sus restantes libros, y que nos revelan su personalidad al descubierto. Señala Dennis:

> Es como si, de pronto, en verso, en la intimidad recóndita de la poesía, Bergamín se hubiera quitado un gran peso de encima. Es como si, de repente, pudiera desenmascarar y poner al desnudo esas inquietudes que, aunque presentes en su obra desde el comienzo, había tendido anteriormente a comunicar de un modo indirecto, casi oblicuo a veces (1983, 19).

10.3.8. *Otros poetas «del 27»*

Fue Luis Jiménez Martos quien, en un artículo conmemorativo del cincuentenario del 27 (1977, 16-19), llamó la atención sobre «Valdivieso, Laffón Oliver y otros poetas de los años veinte», que, a su juicio, debían quedar inscritos en la «generación del 27», rompiendo el *numerus clausus* que ha sido norma habitual cuando de estos escritores se ha tratado. Para él, junto a los ya citados, interesan sobre todo los siguientes: Joaquín Romero Murube, sevillano, autor de *Canción del amante andaluz* (1941) y *Casida del olvido* (1941); Pedro Pérez Clotet, gaditano, autor de *Signo del alba* (1929), *A orillas del silencio* (1943) y *Soledades en vuelo* (1945); Rafael Porlán, cordobés, autor de *Romances y canciones* (1936); Juan Rejano y Pedro Garfias, también cordobeses, y, finalmente, Ernestina de Champourcín, la mujer de Domenchina, autora de *El silencio* (1926), *Presencia a oscuras* (1952) y recientemente *La pared transparente* (1984), la única mujer representativa de los del 27, que figuró, con Josefina de la Torre, ya en la *Antología* de Gerardo Diego.

Quizá aún se podrían añadir algunos otros nombres, y así lo hace Joaquín Marco (1977, 28), que suma a los citados los de Adriano del Valle (nacido en 1895), Antonio Espina (en 1894), Guillermo de Torre (en 1900), Rogelio Buendía y José María Quiroga Pla. Quede constancia, pues, a la hora de cerrar este panorama de los nombres de esos otros poetas del 27 que, participantes, como hemos tenido ocasión de ver, en las revistas de la época, junto a los grandes nombres del grupo, realizaron también su obra poética, su obra literaria, compartiendo afanes de renovación y originalidad característicos de una época única en la literatura española.

11
BIBLIOGRAFÍA

11

Abad, Francisco, Edición de *Estudios* de Jorge Guillén, Narcea, Madrid, 1982.

Acutis, Cesare, Edición de *Ocnos* de Luis Cernuda, Università di Torino, Turín, 1966.

Aguirre, J. M., «El sonambulismo en Federico García Lorca», en Gil, 1973, pp. 21-43.

——, «La poesía primera de Luis Cernuda», en Harris, 1977, pp. 121-134.

——, «El llanto y la risa de la zapatera prodigiosa», *BSS,* LVIII, 1981, pp. 241-250.

Alarcos Llorach, Emilio, *Ensayos y estudios literarios,* Júcar, Madrid, 1976.

Alberti, Rafael, *La arboleda perdida,* Fabril, Buenos Aires, 1959.

Aleixandre, Vicente, «Federico», en *Obras completas* de Federico García Lorca, Aguilar, Madrid, 1977.

——, y Briemeister, Dieter, Reedición de *Héroe,* Turner, Madrid, 1977.

Allen, Rupert C., *The Symbolic World of Federico García Lorca,* University of New Mexico, Albuquerque, 1972.

——, *Psyche and Symbol in the Theater of Federico García Lorca,* University of Texas, Austin, 1974.

Alonso, Amado, «Jorge Guillén, poeta esencial», en Ciplijauskaité, 1977, pp. 117-122.

Alonso, Dámaso, *Poetas españoles contemporáneos,* 3.ª edición, Gredos, Madrid, 1969.

——, «Espadas como labios», en Cano, 1977, pp. 205-213.

——, Prólogo a *Ensayos completos* de Pedro Salinas, Barral, Barcelona, 1983.

——, «Tres ensayos de Jorge Guillén y su encanto», *BRAE,* LXIV, 1984, pp. 81-99.

——, «Poemas inéditos de Vicente Aleixandre», *Ins,* 458-459, 1985, páginas 1 y 16.

Alvar, Manuel, *El romancero. Tradicionalidad y pervivencia,* Planeta, Barcelona, 1970.

——, *Visión en claridad. Estudios sobre «Cántico»,* Gredos, Madrid, 1976.

——, «Análisis de "Ciudad del paraíso"», en Cano, 1977 *a,* pp. 221-243.

——, *La estilística de Dámaso Alonso,* Universidad, Salamanca, 1977 *b.*

——, «Pervigilium Veneris», *BRAE,* LXIV, 1984, pp. 59-69.

——, «Los cuatro elementos en la obra de García Lorca», *CHA,* 435-436, 1986, pp. 69-88.

Alvarado de Ricord, Elsie, *La obra poética de Dámaso Alonso,* Gredos, Madrid, 1967.

Álvarez Altman, Grace, «*Blood Wedding*: A Literary Onomastic Interpretation», *GLR,* VIII, 1980, pp. 60-72.

Álvarez de Miranda, Ángel, *La metáfora y el mito,* Cuadernos, Taurus, Madrid, 1963.

Amorós, Andrés, «Lorca: la metáfora y el mito», en *Federico García Lorca y su teatro,* Teatro Español, Madrid, 1985, pp. 37-40.

——, Edición de *Lorca,* Cuadernos del Centro Dramático Nacional, Madrid, 1986-87, 14 vols.

Anderson, Andrew A., Edición de *Antología poética* de Federico García Lorca, Comisión del Cincuentenario, Granada, 1986.

——, «García Lorca como poeta petrarquista», *CHA,* 435-436, 1986, páginas 495-518.

Arana, María Dolores, «Sobre Luis Cernuda», en Harris, 1977, pp. 176-193.

Aranguren, José Luis, «La poesía de Jorge Guillén ante la actual crisis de valores», en Ciplijauskaité, 1975, pp. 252-272.

Arce de Vázquez, Margot, «Mar, poeta, realidad en *El contemplado*», *Asom,* 3, 1947, pp. 90-97.

——, «La casa de Bernarda Alba», *SN,* 1, 1970, pp. 5-14.

Areán, Carlos, «La imagen pictórica en la poesía de Alberti», *CHA,* 289-290, 1977, pp. 198-209.

Ariza, Manuel, «Antonio Oliver en su poesía (Antología de una vocación poética)», *SARD,* 12, 1971, pp. 49-56.

Arizmendi, Milagros, Edición de *Manual de Espumas* y *Versos Humanos,* de Gerardo Diego, Cátedra, Madrid, 1986.

Artola, Manuel, «Denuncia del tiempo futuro», *CHA,* 68-69, 1955, pp. 150-167.

Atencia, M.ª Victoria, Edición de *Poemas galegos* de Federico García Lorca, El Observatorio, Madrid, 1986.

Auclair, Marcelle, *Vida y muerte de García Lorca,* Biblioteca Era, México, 2.ª edición, 1975.

Baader, Horst, *Pedro Salinas. Studien zu seinem dichterischen und kritischen Werk,* Kölner Romanitische Arbeiten, Colonia, 1955.

——, «Symbol und Metaphor in Salinas' *El Contemplado*», *RF,* LXVIII, 1956, pp. 252-273.

Babín, María Teresa, *García Lorca: vida y obra,* Las Américas, Nueva York, 1955.

Balboa Echevarría, Miriam, *Lorca: el espacio de la representación. Reflexiones sobre Surrealismo y Teatro,* Ed. del Mall, Barcelona, 1986.

Balcells, Josep María, «Cartas de Margarita Xirgu sobre Lorca y Alberti», *CHA,* 435-436, 1986, pp. 195-198.

Ballesteros, Rafael, «Algunos recursos rítmicos de *Hijos de la ira*», *CHA,* 215, 1967, pp. 371-380.

Baquero Goyanes, Mariano, «Tiempo y vida en *Cántico* de Jorge Guillén», en *Jorge Guillén y la Universidad de Murcia,* Universidad, Murcia, 1984.

Barea, Arturo, *Lorca, el poeta y el pueblo,* Losada, Buenos Aires, 1956.

Barnstone, Willis, «Los griegos, San Juan y Jorge Guillén», en Ciplijauskaité, 1976, pp. 61-78.

Bary, David, *Larrea o la transfiguración literaria,* Cupsa, Barcelona, 1977.

Bayo, Manuel, «Poemas de Alberti en Anticoli Corrado», *ROcc,* 115, 1972, pp. 1-6.

——, *Sobre Alberti,* CVS, Madrid, 1974.

Bayo, Marcial J., «El romance de Santa Olalla», *Clav,* 13, 1952, pp. 20-24.

Bécarud, Jean, *Cruz y Raya (1933-1936),* Cuadernos Taurus, Madrid, 1969.

Belamich, André, «Cartas inéditas de Federico García Lorca», *Ins,* 162, 1960, p. 1.

——, *Lorca,* Gallimard, París, 1981.

——, Edición de *Suites* de Federico García Lorca, Ariel, Barcelona, 1983.

——, «*El público* y *La casa de Bernarda Alba,* polos opuestos en la dramaturgia de García Lorca», en Doménech, 1985, pp. 77-92.

Bellver, Catherine G., *El mundo poético de Juan José Domenchina,* Editora Nacional, Madrid, 1979.

——, *Rafael Alberti en sus horas de destierro,* Colegio de España, Salamanca, 1984.

Bellón Cazabán, J. A., *La poesía de Luis Cernuda (estudio cuantitativo del léxico de «La realidad y el deseo»),* Universidad, Granada, 1973.

Berenguer Carisomo, Arturo, *Las máscaras de Federico García Lorca,* 2.ª edición, Talleres Gráf. Ruiz, Buenos Aires, 1969.

Bergamín, José, «*Cruz y Raya*». *Antología,* Tuner, Madrid, 1974.

——, «La poética de Jorge Guillén», en Ciplijauskaité, 1975 *a*, pp. 101-106.

——, Reedición de *Cruz y Raya,* Turner, Madrid, 1975 *b.*

Bigiongiari, Piero, «El tiempo pasa», en Ciplijauskaité, 1975, pp. 379-384.

Blanch, Antonio, *La poesía pura española. Conexiones con la cultura francesa,* Gredos, Madrid, 1976.

Blanco Aguinaga, Carlos, *Emilio Prados. Vida y obra*, Hispanic Institut, Nueva York, 1961.

——, *Lista de papeles de Emilio Prados*, The Johns Hopkins University Press, Baltimore, 1967.

——, Edición de *Cuerpo perseguido* de Emilio Prados, Labor, Barcelona, 1971.

——, y Carreira, Antonio, Edición de *Poesías completas* de Emilio Prados, Aguilar, México, 1975.

Blas Vega, José, «Gerardo Diego. Bibliografía», *EL,* 594-595, 1976, pp. 37-40.

Blecua, José Manuel, «En torno a *Cántico* de Jorge Guillén», en Gullón y Blecua, 1949, pp. 145-315.

——, Edición de *Cántico 1936* de Jorge Guillén, Labor, Barcelona, 1970.

——, «El tiempo en la poesía de Jorge Guillén», en Ciplijauskaité, 1975, pp. 183-189.

——, «Sobre *Final*», *BRAE,* LXIV, 1984, pp. 35-43.

Bluefarb, S., «Life and Death in García Lorca's *House of Bernarda Alba*», *DS,* IV, 1965, pp. 109-120.

Bobes, María del Carmen, *Gramática de «Cántico» (Análisis semiológico),* Cupsa, Barcelona, 1974.

Bodini, Vittorio, *Los poetas surrealistas españoles,* 2.ª edición, Tusquets, Barcelona, 1982.

Bousoño, Carlos, «La correlación en el verso libre: Luis Cernuda», *Seis calas en la expresión literaria española,* Gredos, Madrid, 1951, pp. 283-289.

——, *Teoría de la expresión poética,* Gredos, Madrid, 1952.

——, «La poesía de Dámaso Alonso», *PSA,* III, XXXII-XXXIII, 1958, pp. 253-300.

——, Edición de *Obras completas* de Vicente Aleixandre, Aguilar, Madrid, 1968 *a.*

——, *La poesía de Vicente Aleixandre. Imagen. Estilo. Mundo poético,* 2.ª edición, Gredos, Madrid, 1968 *b.*

——, «En torno a "Malestar y noche"», *El comentario de textos,* Castalia, Madrid, 1973, pp. 305-342.

——, *El irracionalismo poético. El símbolo,* Gredos, Madrid, 1977.

——, «Nueva interpretación de *Cántico* de Jorge Guillén (El esencialismo juanramoniano y el guilleniano)», en Ruiz de Conde y otras, 1978, páginas 73-96.

——, «Las técnicas irracionalistas de Vicente Aleixandre», en García de la Concha, 1982, pp. 255-270.

——, «El influjo de Aleixandre desde 1935 hasta hoy», *BRAE,* LXV, 1985, pp. 49-60.

——, «Presentación de unos poemas inéditos de Vicente Aleixandre», *EC,* 419, 1986, pp. 23-26.

Bowra, Cecil Maurice, «Rafael Alberti: *Sobre los ángeles*», *The Creative Experiment,* Macmillan, Londres, 1949.

Breton, André, *Manifiestos del surrealismo,* Guadarrama, Madrid, 1969.

Brihuega, Jaime, *Manifiestos, programas y textos doctrinales. Las vanguardias artísticas en España,* Cátedra, Madrid, 1979.

——, *La vanguardia y la República,* Cátedra, Madrid, 1982.

Brines, Francisco, «Ante unas poesías completas», *La caña gris,* 6-8, 1962, pp. 134-138.

Buchler, Franz, «Ventana a lo diáfano (Virginia Woolf y Jorge Guillén)», en Ciplijauskaité, 1975, pp. 93-100.

Buckley, Ramón, y Crispin, John, *Los vanguardistas españoles (1925-1935),* Alianza, Madrid, 1973.

Buero Vallejo, Antonio, *Tres maestros ante el público,* Alianza, Madrid, 1973.

Bussete, Cedric, *La obra dramática de García Lorca. Estudio de su configuración,* Las Américas, Nueva York, 1971.

Byrd, Suzanne, *«La Barraca» and the Spanish National Theatre,* Abra, Nueva York, 1975.

Cabrera, Vicente, *Tres poetas a la luz de la metáfora: Salinas, Aleixandre y Guillén,* Gredos, Madrid, 1975.

——, «*World Alone*: A Cosmovision and Metaphor of Absent Love», *Critical Views on Vicente Aleixandre's Poetry,* Lincoln, Nebraska, 1978, pp. 53-70.

Camacho Guisado, E., *La elegía funeral en la poesía española,* Gredos, Madrid, 1969.

Canavaggio, Jean, «García Lorca ante el entremés cervantino: el telar de *La zapatera prodigiosa*», en *El teatro menor en España a partir del siglo XVI,* CSIC, Madrid, 1983, pp. 141-152.

Cannon, Calvin, «*Yerma* as Tragedy», *Sym,* XVI, 1962, pp. 82-93.

——, «Lorca's Llanto por Ignacio Sánchez Mejías and the Elegiac Tradition», *HR,* 31, 1963, pp. 229-238.

Cano, José Luis, *García Lorca. Biografía ilustrada,* Destino, Barcelona, 1962.

——, Edición de *Diario íntimo* de Emilio Prados, Guadalhorce, Málaga, 1966.

——, Edición de *Espadas como labios. La destrucción o el amor* de Vicente Aleixandre, Clásicos Castalia, Madrid, 1972.

——, «Bécquer y Cernuda», en Harris, 1977 *a*, pp. 89-95.

——, Edición de *Vicente Aleixandre,* El Escritor y la Crítica, Taurus, Madrid, 1977 *b.*

——, *Vicente Aleixandre,* Ministerio de Cultura, Madrid, 1981.

——, *Antología de los poetas del 27,* Espasa-Calpe, Madrid, 1984.

——, Edición de *Los encuentros* de Vicente Aleixandre, Espasa-Calpe, Madrid, 1985.

——, *La poesía de la generación del 27*, 3.ª edición, Guadarrama, Madrid, 1986.

Cano Ballesta, Juan, «Poesía y revolución: Emilio Prados (1930-1936)», *Homenaje Universitario a Dámaso Alonso,* Gredos, Madrid, 1970, pp. 231-248.

——, «Una veta reveladora en la poesía de Federico García Lorca (Los tiempos del verbo y sus matices expresivos)», en Gil, 1973, pp. 45-75.

——, *Poesía española entre pureza y revolución,* Gredos, Madrid, 1975.

——, *Literatura y tecnología. Las letras españolas ante la revolución industrial (1900-1933),* Orígenes, Madrid, 1981.

——, «Juan Larrea, vanguardista y cantor de la ciudad cosmopolita», *Al amor de Juan Larrea,* Pre-Textos, Valencia, 1985, pp. 41-50.

Capote, José María, *El período sevillano de Luis Cernuda,* Gredos, Madrid, 1971.

——, *El surrealismo en la poesía de Luis Cernuda,* Universidad, Sevilla, 1976.

Carbonell Basset, Delfín, «Tres dramas existenciales de Federico García Lorca», *CHA,* 190, 1965, pp. 118-130.

Carnero, Guillermo, «"Conocer" y "saber" en los *Poemas de la consumación* y *Diálogos del conocimiento*», en Cano, 1977, pp. 247-282.

——, *Ámbito* (1928): razones de una continuidad», *CHA,* 352-354, 1979, pp. 384-393.

——, «El juego lúgubre: la aportación de Salvador Dalí al pensamiento superrealista», *CyR,* 12, 1983.

Carreira, Antonio, «La primera salida de Emilio Prados», *Homenaje Universitario a Dámaso Alonso,* Gredos, Madrid, 1970, pp. 221-230.

Casalduero, Joaquín, «*Cántico*» de Jorge Guillén y «*Aire nuestro*», Gredos, Madrid, 1974.

Castro, Eduardo, *Versos para Federico. Lorca como tema poético,* Universidad, Murcia, 1986.

Caudet, Francisco, *Antología de «Héroe»,* Torres, Madrid, 1975.

——, «Lorca: por una estética popular (1929-1936)», *CHA,* 435-436, 1986, pp. 763-778.

Cebrián, José, «La evasión temporal culturalista en la "opera prima" de Fernando Villalón (Notas sobre un modernista rezagado)», *Gades,* Cádiz, 1980.

Cernuda, Luis, *Estudios sobre poesía española contemporánea,* Guadarrama, Madrid, 1957.

——, y Martí Soler, Edición de *Poesías completas* de Manuel Altolaguirre, *FCE,* México, 1960.

Ciplijauskaité, Biruté, «Jorge Guillén y Paul Valéry al despertar», *PSA,* XCIX, 1964, pp. 267-294.

——, *Jorge Guillén,* El Escritor y la Crítica, Taurus, Madrid, 1975.

——, «Tensión adverbial "aún-ya" en la perfección del círculo guilleniano», en Ruiz de Conde y otras, 1978, pp. 103-120.

——, «Yo soy mi cotidiana tentativa», *SN,* XIV, 1985, pp. 31-46.

Cirre, José Francisco, *Forma y espíritu de una lírica española (1920-1935),* Gráfica Panamericana, México, 1950.

Coddou, Marcelo, «Notas para otra crítica: ¿Por qué los "monstruos" de Dámaso Alonso?, *CHA,* 280-282, 1973, pp. 142-161.

Cohen, J. M., *Poesía de nuestro tiempo,* FCE, México, 1959.

Colecchia, Francesca, *García Lorca. A Selectively Annotated Bibliography of Criticism,* Garland Publishing, Londres-Nueva York, 1979.

——, *García Lorca. Annotated Primary Bibliography,* Garland Publishing, Londres-Nueva York, 1982.

Coleman, John A., *Others Voices: A Study of the Late Poetry of Luis Cernuda,* University of North Carolina, Chapel Hill, 1969.

Colinas, Antonio, «Sobre *Poemas de la consumación*», *RL,* 22, 1974, páginas 251-267.

——, *Conocer. Aleixandre y su obra,* Dopesa, Barcelona, 1977.

Combet, I., «*Maremágnum* ou l'inquietude. L'engagement histori-social chez Jorge Guillén et la jeune poésie espagnole», *LLNL,* LV, 158, 1961, pp. 25-26.

Comincioli, Jacques, «En torno a Federico García Lorca. Sugerencias. Documentos. Bibliografía», *CHA,* 139, 1961, pp. 37-76.

——, *Federico García Lorca. Textes inédits et documents critiques,* Rencontre, Lausana, 1970.

Connell, G. W., «A Recurring Theme in the Poetry of Rafael Alberti», *RMS,* III, 1959, pp. 95-110.

——, «The End of a Quest: Alberti's *Sermones y Moradas and Three Incollected Poems*», *HR,* 33, 1965, pp. 290-309.

——, «Los elementos autobiográficos en *Sobre los ángeles*», en Durán, 1975, pp. 155-169.

Corbalán, Pablo, *Poesía surrealista en España,* Eds. Centro, Madrid, 1974.

Correa, Gustavo, *La poesía mítica de Federico García Lorca,* Gredos, Madrid, 1970.

——, «El simbolismo del mar en *Marinero en tierra*», en Durán, 1975, pp. 111-118.

——, «*El contemplado*», en Debicki, 1976, pp. 142-151.

——, «Mallarmé y Garcilaso en Cernuda», en Harris, 1977, pp. 228-243.

——, «Conciencia poética y clarividencia», *CHA,* 352-354, 1979, pp. 41-74.

Cortines, Jacobo, «Tres libros a la sombra (Lectura de Fernando Villalón)», *Homenaje a Fernando Villalón,* Sevilla, 1982.

Cossío, José María de, «Recuerdos de una generación poética», *Homenaje Universitario a Dámaso Alonso,* Gredos, Madrid, 1970.

Costa, Luis, «De la *Divina Comedia* a *Clamor:* afinidad y divergencia», en Ruiz de Conde y otras, 1978, pp. 143-164.

Couffon, Claude, *Granada y García Lorca,* Losada, Buenos, Aires, 1967.

Couland, Ana María, «La problematique du temps dans *Aire nuestro* de Jorge Guillén», en Ruiz de Conde y otras, 1978, pp. 165-184.

Cowes, H. W., *Relación yo-tú y trascendencia en la obra dramática de Pedro Salinas,* Universidad, Buenos Aires, 1965.

——, «Realidad y superrealidad en *Los santos* de Pedro Salinas», en Debicki, 1976, pp. 213-228.

Craige, Betty Jean, *Lorca's Poet in New York: The Fall into Conciousness,* The University of Kentucky Press, Lexington, 1977.

Crespo, Ángel, «Realismo y pitagorismo en el libro de Alberti *A la pintura*», en Durán, 1975, pp. 275-294.

Crispin, John, *Oxford y Cambridge en Madrid. La Residencia de Estudiantes 1910-1935 y su entorno cultural,* La Isla de los Ratones, Santander, 1981.

——, «*La casa de Bernarda Alba* dentro de la visión mítica lorquiana», en Doménech, 1985, pp. 171-186.

Cruz Giráldez, Miguel, *Vida y poesía de Rafael Laffón,* Diputación, Sevilla, 1984.

——, «Jorge Guillén y Sevilla (Nuevas notas)», *AH,* 209, 1985, pp. 83-113.

Cuevas García, Cristóbal, «El compromiso en la poesía de Jorge Guillén», *AM,* VI, 1983, pp. 319-338.

Chiarini, Giorgio, «La crítica literaria de Jorge Guillén», en Ciplijauskaité, 1975, pp. 169-179.

Chica-Salas, Susan, «Synge y García Lorca: aproximación de dos mundos poéticos», *RHM,* XXVIII, 1961, pp. 128-137.

Darmangeat, Pierre, «Essai d'interpretation de Romance sonámbulo», *LLNL,* L, 136, 1956, pp. 1-11.

——, *Antonio Machado. Pedro Salinas. Jorge Guillén,* Ínsula, Madrid, 1969.

D'Arrigo, Miledda C., *Gerardo Diego. Il poeta di Versos Humanos,* G. Giapicheli, Turín, 1955.

Debicki, Andrew P., *Estudios sobre poesía española contemporánea. La generación de 1924-1925,* Gredos, Madrid, 1968.

——, *La poesía de Jorge Guillén,* Gredos, Madrid, 1973.

——, *Dámaso Alonso,* Cátedra, Madrid, 1974.

——, *Pedro Salinas, El Escritor y la Crítica*, Taurus, Madrid, 1976.

——, «*Final*. Reflejo y reelaboración de la poesía y poética guillenianas», *SN*, XIV, 1985, pp. 85-105.

——, «Metonimia, metáfora y mito en el *Romancero gitano*», *CHA*, 435-436, 1986, pp. 609-618.

Dehennin, Elsa, *Passion d'absolu et tension expresive dans l'oeuvre poétique de Pedro Salinas*, Romanica Gandensia, Gante, 1957.

——, *La résurgence de Góngora et la génération poétique de 1927*, Didier, París, 1962.

——, «*Cántico*» *de Jorge Guillén. Une poésie de la clarté*, Presses Universitaires de Bruxelles, Bruselas, 1969.

Delgado, Agustín, *La poética de Luis Cernuda*, Editora Nacional, Madrid, 1975.

De Long, Beverly J., «Mythic Unity in Lorca's Camborio Poems», *Hisp*, 52, 1969 *a*, pp. 840-845.

——, «Sobre el desarrollo lorquiano del romance tradicional», *Hispa*, 35, 1969 *b*, pp. 51-62.

——, «The Lyric Dimension in Lorca's "Romance sonámbulo"», *RN*, 12, 1971, pp. 289-295.

Dennis, Nigel, *El aposento en el aire. Introducción a la poesía de José Bergamín*, Pretextos, Valencia, 1983.

Devoto, Daniel, «Lecturas de García Lorca», *RLC*, 33, 1959, pp. 518-528.

——, «*Doña Rosita la soltera*: estructura y fuentes», *BHi*, LXIX, 1967 *a*, pp. 407-440.

——, «García Lorca y Darío», *Asom*, XIII, 1967 *b*, pp. 27-31.

——, «Notas sobre el elemento tradicional en la obra de García Lorca», en Gil, 1973, pp. 115-164.

——, *Introducción al "Diván del Tamarit" de Federico García Lorca*, Editions Hispaniques, París, 1976.

Díaz de Castro, Francisco J., «Estructura y sentido de *Final* de Jorge Guillén», *CER*, 10, 1984.

——, *La poesía de Jorge Guillén. Tres ensayos*, Ed. Prensa Universitaria, Palma de Mallorca, 1986 *a*.

——, «Los sonetos de *Clamor*», *Cal*, 2, 1, 1986 *b*, pp. 53-103.

——, «Jorge Guillén ante la "realidad irresistible" (En torno al tema de la poesía en *Y otros poemas*», *AUIB*, 1, 1986 *c*, pp. 55-81.

Díaz-Plaja, Guillermo, *El poema en prosa en España*, Gili, Barcelona, 1956.

——, *Federico García Lorca*, Espasa-Calpe, 5.ª edición, Madrid, 1973.

Diego, Gerardo, *Primera antología de sus versos*, Espasa-Calpe, Madrid, 1941.

——, *Poesía española contemporánea (Antología)*, Taurus, 4.ª edición, Madrid, 1968.

——, *Versos escogidos*, Gredos, Madrid, 1970.

——, Reedición de *Carmen* y *Lola,* Turner, Madrid, 1977.

——, «El llanto, la pena y otros recuerdos», en *Llanto por Ignacio Sánchez Mejías,* edición facsímil, Diputación Regional, Santander, 1982.

——, *Antología poética en honor de Góngora (Desde Lope de Vega a Rubén Darío),* Alianza, Madrid, 1982.

Díez de Revenga, Francisco Javier, «La revista *Verso y Prosa,* Murcia (1927-1928)», *Murg,* 35, 1971, pp. 31-60.

——, *La métrica de los poetas del 27,* Universidad, Murcia, 1973.

——, Reedición de *Verso y Prosa,* Chys Galería de Arte, Murcia, 1976.

——, «Jorge Guillén: el poeta y nuestro mundo», *Murg,* 47, 1977 *a,* páginas 35-61.

——, «Vicente Aleixandre, poeta de la consumación», *Mont,* 59, 1977 *b,* pp. 39-46.

——, «La creación artística y la poesía última de Luis Cernuda», *Mont,* 60, 1978 *a,* pp. 39-46.

——, «Rafael Alberti y su *Cuaderno de Rute»,* *Mont,* 61, 1978 *b,* pp. 43-46.

——, «Miguel Hernández y el grupo murciano de la revista *Sudeste»,* *Murg,* 50, 1978 *c,* pp. 5-46.

——, «Gerardo Diego y sus *Versos Divinos»,* *AUMur,* 31, 1978 *d,* pp. 99-108.

——, *Revistas murcianas relacionadas con la generación del 27,* 2.ª edición, Academia Alfonso X el Sabio, Murcia, 1979 *a.*

——, «Gabriel Miró y los poetas del 27», *Homenaje a Gabriel Miró,* Universidad, Alicante, 1979 *b,* pp. 243-263.

——, *De don Juan Manuel a Jorge Guillén,* Academia Alfonso X el Sabio, Murcia, 1982 *a.*

——, «Teatro de García Lorca y canción tradicional: notas a *Yerma»,* *RR,* 4, 1982 *b,* pp. 66-72.

——, «Sobre la génesis de *Cántico* de Jorge Guillén. Los primeros poemas», *Murg,* 66, 1984, pp. 99-118.

——, «Ultraísmo, creacionismo y ¿surrealismo? en Gerardo Diego», *LC27,* 1, 1985, pp. 5-14.

——, Edición de *Alondra de verdad y Ángeles de Compostela* de Gerardo Diego, Clásicos Castalia, Madrid, 1986.

——, y Torregrosa Díaz, José Antonio, «Más sobre *Suplemento Literario de La Verdad»,* *Mont,* 79, 1983, pp. 43-54.

Doménech, Ricardo, «A propósito de *Mariana Pineda»,* *CHA,* LXX, 1967, pp. 608-613.

——, «Introducción al teatro de Rafael Alberti», *CHA,* 259, 1972, pp. 95-126.

——, «*La casa de Bernarda Alba»* y el teatro de García Lorca, Cátedra-Teatro Español, Madrid, 1985 *a.*

——, «Símbolo, mito y rito en *La casa de Bernarda Alba*», en Doménech, 1985 *b*, pp. 187-209.

——, «Realidad y misterio (Notas sobre el espacio escénico en *Bodas de sangre, Yerma* y *La casa de Bernarda Alba*)», *CHA*, 435-436, 1986, páginas 293-310.

Durán, Manuel, *El superrealismo en la poesía española contemporánea*, México, 1950.

——, *Lorca. A Collection of Critical Essays,* Prentice-Hall, Englewood Cliffs, Nueva Jersey, 1963.

——, *Rafael Alberti,* El Escritor y la Crítica, Taurus, Madrid, 1975.

——, «Pedro Salinas y su "Nocturno de los avisos"», en Debicki, 1976, pp. 163-167.

Earle, Peter G., y Gullón, G., *Surrealismo/surrealismos. Latinoamérica y España,* Universidad of Pennsylvania, Filadelfia, 1977.

Edwards, Gwynne, *El teatro de García Lorca,* Gredos, Madrid, 1983.

Eich, Christopher, *Federico García Lorca, poeta de la intensidad,* 3.ª edición, Gredos, Madrid, 1976.

Eisenberg, Daniel, «Dos textos primitivos de *Poeta en Nueva York*», *PSA,* 221-222, 1974, pp. 169-174.

——, «The Textual Tradition of *Poeta en Nueva York*», *UNCS,* 12, 1975 *a*.

——, «Un texto en prosa atribuido a Lorca (Recepción de *Gallo*)», *Ins,* 339, 1975 *b*, pp. 1 y 12.

——, «*Poeta en Nueva York*»; *historia y problemas de un texto de Lorca,* Ariel, Barcelona, 1976.

Egea, Javier, Edición de *El Compañero,* sobre García Lorca, Comisión del Cincuentenario, Granada, 1986.

Falconieri, John V., «Tragic Hero in Search of a Role: *Yerma's* Juan», *REH,* I, 1967, pp. 17-33.

Falla, Manuel de, *El cante jondo (Canto primitivo andaluz),* Ucrania, Granada, 1922.

Feal Deibe, Carlos, «Romance de la luna, luna: una reinterpretación», *MLN,* 86, 1971 *a*.

——, «Los seis poemas galegos de García Lorca y sus fuentes rosalianas», *RF,* 83, 1971 *b*, pp. 555-587.

——, *La poesía de Pedro Salinas,* 2.ª edición, Gredos, Madrid, 1971 *c*.

——, *Eros y Lorca,* Edhasa, Barcelona, 1973.

Feito, Francisco E., «Synge y Lorca: de *Riders to the Sea* a *Bodas de sangre*», *GLR,* IX, 1981, pp. 144-152.

Fergusson, Francis, «*Don Perlimplín,* el teatro poesía de Lorca», en Gil, 1973, pp. 175-185.

Fernández Montesinos, Manuel, «Algunos sonetos de Federico García Lorca», *ABC,* 17 marzo 1984, p. 57.

Ferrán, Jaime, «Vicente Aleixandre o el conocimiento total», *CHA,* 352-354, 1979, pp. 157-166.

Ferraté, Juan, «Luis Cernuda y el poder de las palabras», en Harris, 1977, pp. 269-285.

Ferreres, Rafael, *Aproximación a la poesía de Dámaso Alonso,* Bello, Valencia, 1976.

Flys, Miguel J., *El lenguaje poético de Federico García Lorca,* Gredos, Madrid, 1955.

——, *La poesía existencial de Dámaso Alonso,* Gredos, Madrid, 1968.

——, Edición de *La realidad y el deseo* de Luis Cernuda, Clásicos Castalia, Madrid, 1982.

——, Edición de *Hijos de la ira* de Dámaso Alonso, Clásicos Castalia, Madrid, 1986.

Forradellas, Joaquín, Edición de *La zapatera prodigiosa* de Federico García Lorca, Almar, Salamanca, 1978.

Forster, Jeremy C., «Aspects of Lorca's St. Christopher», *BHS,* XLIII, 1943, pp. 109-116.

Fuente, Pablo de la, «Rafael Alberti en Roma», en Durán, 1975, pp. 293-295.

Fusero, Clemente, *García Lorca,* Dall'Ogio, Milán, 1969.

Franco Grande, J. G., y Landeira Yrago, José, «Cronología gallega de Federico García Lorca y datos sincrónicos», *Grial,* 45, 1974, pp. 1-29.

Frutos, Eugenio, «El esencialismo jubiloso de Jorge Guillén», en Ciplijauskaité, 1975, pp. 189-206.

Galbis, Ignacio, «The Scope *of Ambito*: Aleixandre's First Cosmic Vision», *RL,* 22, 1974, pp. 219-224.

Galilea, Hernán, *La poesía surrealista de Vicente Aleixandre,* El Espejo de Papel, Santiago de Chile, 1971.

Gallego Morell, Antonio, «Las revistas de los poetas: *Gallo,* Granada, 1928», *EMP,* 1, 1954 *a,* p. 7.

——, «Las revistas de los poetas: *Litoral,* Málaga, 1926-1929», *EMP,* 2, 1954 *b,* pp. 6-7.

——, «Las revistas de los poetas: *Carmen,* Gijón, 1927-1928», *EMP,* 3, 1954 *c,* pp. 6-7.

——, «Las revistas de los poetas: *Grecia,* Sevilla-Madrid, 1918-1920», *EMP,* 4, 1954 *d,* pp. 6-7.

——, «Las revistas de los poetas: *Ultra,* Madrid, 1921-1922», *EMP,* 5, 1955, pp. 6-7.

——, *Vida y poesía de Gerardo Diego,* Aedos, Barcelona, 1956.

——, «Concurso de cante jondo en la Granada de 1922», *ABC,* 6 noviembre 1960.

——, *Cartas, postales, poemas y dibujos de Federico García Lorca,* Moneda y Crédito, Madrid, 1968.

——, *Diez ensayos sobre literatura española,* Ed. Revista de Occidente, Madrid, 1972.

——, *«Gallo, revista de Granada.* Vanguardistas y putrefactos y gallo y contragallo», *Ins,* 339, 1975, pp. 1 y 12.

——, «García Lorca y su *Poema del cante jondo», Homenaje a José Manuel Blecua,* Gredos, Madrid, 1983, pp. 203-215.

——, «El teatro de Lorca y su mundo», en *Federico García Lorca y su teatro,* Teatro Español, Madrid, 1985, pp. 13-21.

Gaos, Vicente, «Itinerario poético de Dámaso Alonso», *Temas y problemas de la literatura española,* Guadarrama, Madrid, 1959.

——, *Antología del grupo poético del 27,* 2.ª edición, Anaya, Madrid, 1969.

——, «Fray Luis de León, fuente de Aleixandre», en Cano, 1977, pp. 189-203.

García, Michel, Reedición de *El Mono Azul,* Turner, Madrid, 1975.

García Berrio, Antonio, *La construcción imaginaria de «Cántico» de Jorge Guillén,* Université, Limoges, 1985.

García de la Concha, Víctor, «Alfar, historia de dos revistas literarias: 1920-1927», *CHA,* 255, 1971, pp. 500-534.

——, *Poesía española de posguerra,* Prensa Española, Madrid, 1973 *a.*

——, «Ronsel. Revista de Literatura y Arte. Lugo, 1924», *PSA,* 203, 1973 *b,* pp. XIX-XXXVI.

——, «Anotaciones propedéuticas sobre la vanguardia literaria hispánica», *Homenaje a Samuel Gili Gaya,* Bibliograf, Barcelona, 1979.

——, «Una polémica ultraísta: Gerardo Diego en el Ateneo de Santander (1919)», *Homenaje al Ilmo. Sr. D. Ignacio Aguilera y Santiago,* I, Diputación, Santander, 1981, pp. 175-195.

——, *El surrealismo,* El Escritor y la Crítica», Taurus, Madrid, 1982.

——, «La generación del 27. De la vanguardia al surrealismo», *Historia crítica de la literatura española,* vol. VII, Crítica, Barcelona, 1984.

García Lorca, Francisco, «Verde», *Homenaje a Casalduero,* Gredos, Madrid, 1972, pp. 135-139.

——, «Córdoba, lejana y sola», en Gil, 1973, pp. 187-197.

——, *Federico y su mundo,* Alianza, Madrid, 1980.

García Posada, Miguel, «Un romance mítico: El martirio de Santa Olalla de García Lorca», *RB,* 2, 1978, pp. 51-62.

——, *Lorca. Interpretación de «Poeta en Nueva York»,* Akal, Madrid, 1981.

——, Edición de *Obras (Poesía y Teatro)* de Federico García Lorca, Akal, Madrid, 1982.

——, Edición de *La casa de Bernarda Alba,* Castalia Didáctica, Madrid, 1983.

——, Edición de *Sonetos de amor* de Federico García Lorca, *ABC,* 17 marzo 1984.

——, «Realidad y transfiguración artística en *La casa de Bernarda Alba*», en Doménech, 1985, pp. 149-170.

Gaskell, Ronald, «Theme and Form: Lorca's *Blood Wedding*», *MD,* V, 1963, pp. 431-439.

Gauthier, Michel, «Essai d'explication du Romance con lagunas Burla de don Pedro a caballo», *LLNL,* 139, 1956, pp. 1-23.

Geist, Anthony Leo, *La poética de la generación del 27 y las revistas literarias: de la vanguardia al compromiso (1918-1936),* Labor-Guadarrama, Barcelona, 1980.

Gibbons, Reginald, y Geist, Anthony L., Edición de *El poeta ante su obra* de Jorge Guillén, Hiperión, Madrid, 1980.

Gibson, Ian, «Federico García Lorca. Un pequeño texto olvidado», *BHi,* 68, 1966.

——, «Federico García Lorca. Más artículos olvidados», *BHi,* 69, 1967, pp. 179-194.

——, *Granada en 1936 y el asesinato de García Lorca,* Crítica, Barcelona, 1979.

——, Edición de *Libro de Poemas* de Federico García Lorca, Ariel, Barcelona, 1982.

——, *Federico García Lorca,* Grijalbo, Barcelona, 1985 *a*, vol. I.

——, «En torno al primer estreno de Lorca. *El maleficio de la mariposa*», en Doménech, 1985 *b*, pp. 57-76.

Gicovate, Bernardo, «El Romance sonámbulo de García Lorca», *Hisp,* XLI, 1958, pp. 300-302.

——, «Pedro Salinas y Marcel Proust: seducción y retorno», *Asom,* XVI, 1960, pp. 7-16.

Gil, Ildefonso Manuel, *Federico García Lorca,* El Escritor y la Crítica, Taurus, Madrid, 1973.

Gil de Biedma, Jaime, «El ejemplo de Luis Cernuda», en Harris, 1977 *a*, pp. 124-128.

——, Edición de *Ocnos. Variaciones sobre un tema mexicano* de Luis Cernuda, Taurus, Madrid, 1977 *b*.

——, «Como en sí mismo, al fin», *3 Luis Cernuda,* Universidad, Sevilla, 1977 *c*, pp. 9-34.

——, «*Cántico*: el mundo y la poesía de Jorge Guillén», *El pie de la letra,* Crítica, Barcelona, 1980.

Gilman, Stephen, «El proemio a *La voz a ti debida*», en Debicki, 1976, pp. 119-127.

Giménez Caballero, Ernesto, Reedición de *La Gaceta Literaria,* Turner, Madrid, 1980.

Gimferrer, Pedro, Edición de *Antología total* de Vicente Aleixandre, Seix Barral, Barcelona, 1975.

——, «La poesía última de Vicente Aleixandre», en Cano, 1977, pp. 265-273.

Glasser, D. M., «La "Burla de don Pedro a caballo" de Lorca», en Gil, 1973, 199-210.

Gómez Paz, Julieta, «El amor en la poesía de Pedro Salinas», *BSL,* II, 13, 1953, pp. 55-68.

Gómez Yebra, A. A., «Los nombres propios en *Final* de Jorge Guillén», *AM,* VII, 1984, pp. 249-265.

González, Ángel, *Antología del grupo poético del 27,* 4.ª reimpresión, Taurus, Madrid, 1985.

González Martín, Jerónimo P., *Rafael Alberti,* Júcar, Madrid, 1980.

González Muela, Joaquín, «¿Poesía amorosa en *Sobre los ángeles?*», *Ins,* 80, 1952.

——, *El lenguaje poético de la generación Guillén-Lorca,* Ínsula, Madrid, 1954.

——, «Concentración expresiva en Federico García Lorca», *ML,* XXXVI, 3, 1955, pp. 99-101.

——, *La realidad y Jorge Guillén,* Ínsula, Madrid, 1962.

——, Edición de *La voz a ti debida* y *Razón de amor* de Pedro Salinas, Clásicos Castalia, Madrid, 1968.

——, «Poesía y amistad: Jorge Guillén y Pedro Salinas», en Debicki, 1976, pp. 197-204.

——, y Rozas, Juan Manuel, *La generación poética de 1927. Estudio y Antología,* 2.ª edición, Alcalá, Madrid, 1974.

González del Valle, Luis, «*Bodas de sangre* y sus elementos trágicos», *AO,* XXI, 1971, pp. 95-120.

——, *La tragedia en el teatro de Unamuno, Valle-Inclán y García Lorca,* Torres, Nueva York, 1975.

——, «Perspectivas críticas: horizontes infinitos. *La niña que riega la albahaca y el príncipe preguntón* y las constantes dramáticas de Federico García Lorca», *ALEC,* VII, 1982, pp. 253-264, y IX, 1984, pp. 295-306.

Goytisolo, Juan, *El furgón de cola,* El Ruedo Ibérico, París, 1968.

Granados, Vicente, *La poesía de Vicente Aleixandre (Formación y evolución),* Cupsa, Barcelona, 1977.

——, «La etapa argentina de la poesía de Rafael Alberti», *Epos,* 1, 1984, pp. 71-84.

Granell, Eugenio F., «Así que pasen cinco años, ¿qué?», en Gil, 1959, páginas 211-224.

Greenfield, S. M., «Poetry and Stagecraft in *La casa de Bernarda Alba*», *Hisp,* XXXVIII, 1955, pp. 456-461.

——, «*Doña Rosita la soltera* y la poetización del tiempo», *CHA,* 435-436, 1986, pp. 311-318.

——, «El problema de *Mariana Pineda*», en Gil, 1973, pp. 225-226.

Guerrero Ruiz, Juan, *Escritos literarios,* Academia Alfonso X el Sabio, Murcia, 1983.

Guerrero Zamora, Juan, *Historia del teatro contemporáneo,* Juan Flors, Barcelona, 1962.

Guillén, Jorge, Edición de *Poesías completas* de Miguel Valdivieso, El Toro de Barro, Carboneras, Cuenca, 1968.

——, «El estímulo superrealista», *Homenaje Universitario a Dámaso Alonso,* Gredos, Madrid, 1970.

——, *Lenguaje y poesía. Algunos casos españoles,* Alianza, Madrid, 1972.

——, Prólogo a *Poesías completas* de Pedro Salinas, 2.ª edición, Barral, Barcelona, 1975.

——, «Federico en persona», en *Obras completas* de Federico García Lorca, 20.ª edición, Aguilar, Madrid, 1977.

——, «Los símbolos de la muerte», en *Llanto por Ignacio Sánchez Mejías* de Federico García Lorca, Diputación Regional, Santander, 1982, pp. 15-24.

——, Reedición de *Poesía,* Diputación, Badajoz, 1986.

Gullón, Germán, *Poesía de vanguardia española. Antología,* Taurus, Madrid, 1981.

Gullón, Ricardo, «Pedro Salinas, novelista», *Ins,* 71, 1951, p. 3.

——, «La generación poética de 1925», *Ins,* 90, 1953, p. 1.

——, «García Lorca y la poesía», *Ins,* 100-101, 1954, p. 7.

——, «Aspectos de Gerardo Diego», *Ins,* 137, 1958, pp. 1-4 y 138-139, páginas 3 y 20.

——, «Septiembre en Chapultepec», *Ins,* 187, 1962, p. 1.

——, «El otro Dámaso Alonso», *PSA,* XXXVI, 1965, pp. 167-196.

——, «Variation in *Homenaje*», en Ivask y Marichal, 1969, pp. 107-123.

——, «Alegrías y sombras de Rafael Alberti (primer momento)», en Durán, 1975 *a*, pp. 65-74.

——, «Alegrías y sombras de Rafael Alberti (segundo momento)», en Durán, 1975 *b*, pp. 241-264.

——, «La poesía de Pedro Salinas», en Debicki, 1976 *a*, pp. 85-98.

——, «Gerardo Diego y el creacionismo», *Ins,* 354, 1976 *b*, pp. 1 y 10.

——, «La poesía de Luis Cernuda», en Harris, 1977 *a*, pp. 71-88.

——, «Itinerario poético de Vicente Aleixandre», en Cano, 1977 *b*, páginas 113-135.

——, y Blecua, José Manuel, *La poesía de Jorge Guillén. Dos ensayos,* Heraldo de Aragón, Zaragoza, 1949.

Gurney, Robert, *La poesía de Juan Larrea,* Universidad del País Vasco, Bilbao, 1985.

Halliburton, Charles Lloyd, «García Lorca, the Tragedian: an Aristotelian Analysis of *Bodas de sangre*», *REH,* II, 1, 1968, pp. 35-40.

Harris, Derek, Edición de *Perfil del aire* de Luis Cernuda, Támesis, Londres, 1971.

——, *Luis Cernuda. A Study of the Poetry,* Támesis, Londres, 1973.

——, *Luis Cernuda,* El Escritor y la Crítica, Taurus, Madrid, 1977.

——, *García Lorca: «Poeta en Nueva York»,* Grant and Cutler, Londres, 1978.

——, «Ejemplo de fidelidad poética: el superrealismo de Luis Cernuda», en García de la Concha, 1982, pp. 286-292.

——, y Maristany, Luis, Edición de *Prosa completa* de Luis Cernuda, Barral, Barcelona, 1975.

Havard, Robert G., «Las décimas tempranas de Jorge Guillén», en Ciplijauskaité, 1975, pp. 317-332.

——, «Lorca's Buster Keaton», *BHS,* LIV, 1977, pp. 13-20.

Heisel, Margaret, «Imagen y estructura en *Sobre los ángeles*», en García de la Concha, 1975, pp. 224-239.

Helman, Edith, «Verdad y fantasía en el teatro de Pedro Salinas», en Debicki, 1976, pp. 207-212.

Hernández, Mario, «La muchacha dorada por la luna», *TN,* 1-2, 1976, pp. 211-220.

——, «Huellas árabes en *Diván de Tamarit*», *Ins,* 370, 1977.

——, «Adivinación de lo oriental en García Lorca», *Guadalimar,* 33, 1978, pp. 39-41.

——, Edición de *Romancero gitano* de Federico García Lorca, Alianza, Madrid, 1981 *a*.

——, Edición de *Yerma* de Federico García Lorca, Alianza, Madrid, 1981 *b*.

——, Edición de *Diván del Tamarit, Llanto por Ignacio Sánchez Mejías y Sonetos* de Federico García Lorca, Alianza, Madrid, 1981 *c*.

——, Edición de *Primeras canciones, Seis poemas galegos, Poemas sueltos, Canciones populares* de Federico García Lorca, Alianza, Madrid, 1981 *d*.

——, Edición de *Poema del cante jondo* de Federico García Lorca, Alianza, Madrid, 1982 *a*.

——, Edición de *La zapatera prodigiosa* de Federico García Lorca, Alianza, Madrid, 1982 *b*.

——, Edición de *Canciones* de Federico García Lorca, Alianza, Madrid, 1982 *c*.

——, Edición de *La casa de Bernarda Alba* de Federico García Lorca, 2.ª edición, Alianza, Madrid, 1984 *a.*

——, Edición de *Libro de poemas* de Federico García Lorca, Alianza, Madrid, 1984 *c.*

——, «Jardín deshecho: los *Sonetos* de García Lorca», *AF,* 1, 1984 *d,* páginas 193-228.

Hernández de Trelles, Carmen, *Manuel Altolaguirre. Vida y literatura,* Universidad, Puerto Rico, 1974.

Hernández Valcárcel, María del Carmen, «Poesía y música en los *Nocturnos de Chopin* de Gerardo Diego», *Estudios literarios dedicados al profesor Mariano Baquero Goyanes,* Murcia, 1974, pp. 199-209.

——, *La expresión sensorial en cinco poetas del 27,* Universidad, Murcia, 1978.

Hernando, Miguel Ángel, *La Gaceta Literaria (1927-1932). Biografía y valoración,* Universidad, Valladolid, 1974.

——, *Prosa vanguardista en la generación del 27 (Gecé y La Gaceta Literaria),* Prensa Española, Madrid, 1975.

Higginbotham, Virginia, «Bernarda Alba. A Comic Character?», *DS,* VI, 1968, pp. 258-265.

——, «Reflejos de Lautréamont en *Poeta en Nueva York*», en Gil, 1973, pp. 237-248.

——, *The Comic Spirit of Federico García Lorca,* University of Texas, Austin, 1976.

Horst, Robert T., «The Angelic Prehistory of *Sobre los ángeles*», *MLN,* 81, 1966, pp. 174-194.

Hoyo, Arturo del, Edición de *Obras completas* de Federico García Lorca, 20.ª edición, Aguilar, Madrid; 22.ª edición, 1986.

Honig, Edwin, *García Lorca,* Laia, Barcelona, 1974.

Hutman, Norma Louise, «Inside the Circle: on Re-reading *Blood Wedding*», *MD,* XVI, 1973, pp. 329-336.

Ilie, Paul, *Los surrealistas españoles,* Taurus, Madrid, 1972.

Issorel, Jacques, Reedición de *Papel de Aleluyas,* Diputación, Huelva, 1981.

——, «Note sur les anthologies de la génération de 1927», *BHi,* 86, 1984, pp. 201-204.

——, Edición de *Poesía inédita* de Fernando Villalón, Trieste, Madrid, 1985.

——, *Fernando Villalón ou la rébelion de l'automne. Étude sur un poète andalou de la génération de 1927.* Tesis Doctoral, inédita, Universidad de Montpellier, 1986.

Ivask, Ivar, «On First Locking into Guillén's *Homenaje*», en Ivask y Marichal, 1969, pp. 124-130.

——, y Marichal, Juan, *Luminous Reality. The Poetry of Jorge Guillén*, University of Oklahoma Press, Norman, 1969.

Jammes, Robert, «La "Soledad tercera" de Rafael Alberti», *Dr. Rafael Alberti*, Toulouse, 1984, pp. 132-137.

Jareño, Ernesto, «*El caballero de Olmedo*. García Lorca y Albert Camus», *PSA*, 58, 1970, pp. 217-242.

Jiménez, José Olivio, «Vicente Aleixandre en dos tiempos (De *Historia del corazón* a *En un vasto dominio*)», en Cano, 1977 *a*, pp. 79-112.

——, «*Desolación de la quimera*», en Harris, 1977 *b*, pp. 326-335.

——, *Vicente Aleixandre. Una aventura hacia el conocimiento*, Júcar, Madrid, 1982.

Jiménez Martos, Luis, «Valdivieso, Laffón, Oliver y otros poetas de los años veinte», *LEL*, 618-619, 1977, pp. 16-19.

Jiménez Millán, Antonio, *La poesía de Rafael Alberti (1930-1939)*, Diputación, Cádiz, 1984.

Jones, R. O.-Scanlon, G., «Ignacio Sánchez Mejías: the "mythic" hero», *Studies in Modern Spanish Literature and Art presented to Helen F. Grant*, Támesis, Londres, 1972.

Joseph, Allen, y Caballero, Juan, Edición de *La casa de Bernarda Alba* de Federico García Lorca, 9.ª edición, Cátedra, Madrid, 1982.

——, Edición de *Poema del cante jondo* y *Romancero gitano* de Federico García Lorca, 7.ª edición, Cátedra, Madrid, 1984.

——, Edición de *Bodas de sangre* de Federico García Lorca, Cátedra, Madrid, 1985.

Klibbe, Lawrence H., *Lorca's "Impresiones y paisajes": The Young Artist*, Porrúa, Madrid, 1983.

Knight, R. G., «Federico García Lorca's *Así que pasen cinco años*», *BHS*, XLII, 1966, pp. 32-46.

Laffranque, Marie, «Federico García Lorca. Déclarations et interviews retrouvées», *BHi*, LVIII, 1956, pp. 301-343.

——, «Essai de chronologie de Federico García Lorca», *BHi*, LIX, 1957, pp. 206-208.

——, «Federico García Lorca. Conferences, déclarations et interviews oubliées», *BHi*, LX, 1958, pp. 508-545.

——, «Federico García Lorca. Interview sur le théâtre contemporain», *BHi*, LXI, 1959, pp. 437-440.

——, *Federico García Lorca*, Seghers, París, 1966.

——, «Federico García Lorca. Experiencia y concepción de la condición de dramaturgo», *El teatro moderno. Hombres y tendencias,* Eudeba, Buenos Aires, 1967 a, pp. 287-311.

——, *Les idées esthetiques de Federico García Lorca,* Centre de Recherches Hispaniques, París, 1967 b.

——, «Bases cronológicas para el estudio de Federico García Lorca», en Gil, 1973, pp. 411-459.

——, «Una cadena de solidaridad. Federico conferenciante», *TN,* 1-2, 1976, pp. 132-140.

——, Edición de *Viaje a la Luna. Guión cinematográfico* de Federico García Lorca, Braad Editions, Loubressac, 1980.

——, «Federico García Lorca: teatro abierto, teatro inconcluso», en Doménech, 1985, pp. 211-230.

——, y Martínez Nadal, Rafael, Edición de *El público* y *Comedia sin título,* Seix Barral, Barcelona, 1978.

Lapesa, Rafael, «El sustantivo esencial en la poesía de Jorge Guillén», en Ruiz de Conde y otras, 1978, pp. 303-314.

Landeira Yrago, José, *Viaje al sueño del agua. El misterio de los poemas gallegos de García Lorca,* Ed. do Castro, Coruña, 1986.

Larrea, Juan, «Asesinado por el cielo», *España peregrina,* I, 1940, pp. 252-255.

——, «Ingreso a una trasfiguración», en *Poesías completas* de Emilio Prados, Aguilar, Madrid, 1976, II, pp. 9-24.

Laurenti, J. L., y Siracusa, J., *The World of Federico García Lorca. A General Bibliography Survey,* The Scarecrow Press, Metuchen, Nueva Jersey, 1974.

Lázaro Carreter, Fernando, «Apuntes sobre el teatro de Federico García Lorca», en Gil, 1973, pp. 327-342.

——, «Una décima de Jorge Guillén (Como pretexto para tratar de su poética)», en Ruiz de Conde y otras, 1978, pp. 315-326.

——, «Poesía de García Lorca recuperada», *ABC,* 17 marzo 1984.

Leal, Arnaldo, «Acerca del tema del vacío en *Sobre los ángeles* de Rafael Alberti», *Dr. Rafael Alberti,* Toulouse, 1984, pp. 113-121.

Lechner, J., *El compromiso en la poesía española del siglo XX (De la guerra de 1898 a 1939). Antología,* Universidad, Leiden, 1968.

——, Reedición de *Caballo Verde para la Poesía,* Turner, Madrid, 1974.

Lida, Raimundo, «Sobre las décimas de Jorge Guillén», en Ciplijauskaité, 1975, pp. 317-332.

——, «Camino del poema: *Confianza* de Pedro Salinas», en Debicki, 1976, pp. 169-193.

Lima, Robert, *Theatre of García Lorca,* Las Américas, Nueva York, 1963.

López Campillo, Evelyne, La «Revista de Occidente» y la formación de las minorías (1923-1936), Taurus, Madrid, 1972.

López Estrada, Francisco, Métrica española del siglo XX, Gredos, Madrid, 1970.

——, «Jorge Guillén y Sevilla», AH, 175, 1974, pp. 181-188.

López-Morillas, Juan, «García Lorca y el primitivismo lírico: reflexiones sobre el Romancero gitano», en Gil, 1973, pp. 287-299.

Lorenzo-Rivero, Luis, «Afinidades poéticas de Jorge Guillén con Fray Luis de León», en Ciplijauskaité, 1975, pp. 79-92.

Lott, Robert, «Tragedy of Unjust Barreness», MD, VII, 1965, pp. 20-27.

Loughram, David K., Federico García Lorca: The Poetry of Limits, Támesis, Londres, 1978.

——, «Lorca, Lope and the Idea of a National Theatre: Bodas de sangre and El caballero de Olmedo», GLR, III, 1980, pp. 127-136.

Luis, Leopoldo de, Edición de Obras completas de Antonio Oliver Belmás, Biblioteca Nueva, Madrid, 1971.

——, Edición de Sombra del Paraíso de Vicente Aleixandre, Clásicos Castalia, Madrid, 1976.

——, «Otro acercamiento a Sombra del Paraíso», en Cano, 1977, pp. 255-263.

——, Vida y obra de Vicente Aleixandre, 2.ª edición, Espasa-Calpe, Madrid, 1978.

——, «Consideraciones sobre la poesía de Gerardo Diego», NE, 15, 1980, pp. 43-44.

Lunardi, Giovanni Giuseppe, «Sobre "El martirio de Santa Olalla"», Entregas de poesía, núm. 21, Barcelona, 1946.

Macrí, Oreste, «Estructura y significado de Hombre y Dios», Ins, 138, 1958, p. 9.

——, La obra poética de Jorge Guillén, Ariel, Barcelona, 1976.

Machado Bonet, Ofelia, Federico García Lorca: su producción dramática, Imp. Rosgal, Montevideo, 1951.

Mainer, José Carlos, La Edad de Plata, Los Libros de la Frontera, Barcelona, 1975.

Mandel, Oscar, A Definition of Tragedy, New York University Press, Nueva York, 1955.

Manteiga, Robert C., The Poetry of Rafael Alberti. A Visual Approach, Támesis, Londres, 1978.

Mantero, Manuel, «Rafael Alberti y su retina universal», Cuadernos del Ágora, 1961, pp. 22-27.

March, Kathleen, «Gerardo Diego: la poesía como laberinto original», Ins, 411, 1981, p. 3.

Marcilly, Charles, «Notes pour l'étude de la pensée réligieuse de Federico García Lorca: Essai d'interpretation de "Burla de don Pedro a caballo"», *LLNL,* 141, 1957, pp. 9-42.

——, *Ronde et fable de la solitude à New York (Prelude à «Poeta en Nueva York» de Federico García Lorca),* Ediciones Hispanoamericanas, París, 1962 a.

——, «Notes pour l'étude de la pensée réligieuse de Federico García Lorca: "Crucifixión"», *BHi,* 64 bis, 1962 b, pp. 507-527.

Marco, Joaquín, «Tensión poética en Pedro Salinas», *Ins,* 300-301, 1971.

——, «¿Generación del 27?», *Ins,* 368-369, 1977, p. 28.

——, «La poesía de R. Alberti y E. Prados entre 1929 y 1934», *Homenaje a José Manuel Blecua,* Gredos, Madrid, 1983, pp. 405-414.

——, *Poesía española del siglo XX,* Edhasa, Madrid, 1986.

Marcos Marín, Francisco, «Antonio Oliver Belmás, crítico literario», *SARD,* 12, 1971, pp. 75-81.

Marichal, Juan, Edición de *Teatro completo* de Pedro Salinas, Aguilar, Madrid, 1957.

——, *Tres voces de Pedro Salinas,* Taller de Ediciones, Barcelona, 1969.

——, «Una espléndida década. 1926-1936. La segunda Edad de Oro de la literatura española», *ABC,* 10 abril 1986.

Marinello, Juan, *García Lorca en Cuba,* Ediciones Especiales, La Habana, 1965.

Maristany, Luis, «La poesía de Luis Cernuda», en Harris, 1977, pp. 185-202.

Martín, Eutimio, «¿Existe una versión definitiva de *Poeta en Nueva York* de Lorca?», *Ins,* 310, 1972, pp. 1 y 10.

——, *Contribution à l'étude du cycle poétique newyorkais: «Poeta en Nueva York», «Tierra y Luna» et autres poèmes (Essai d'edition critique),* Université, Poeitiers, Tesis inédita, 1974.

——, «*Tierra y Luna*: ¿un libro adscrito abusivamente a *Poeta en Nueva York*?», *TN,* 1-2, 1976, pp. 125-131.

——, Edición de *Poeta en Nueva York. Tierra y Luna* de Federico García Lorca, Ariel, Barcelona, 1981.

——, «Yerma o la imperfecta casada», en Doménech, 1985, pp. 93-122.

——, *Federico García Lorca, heterodoxo y mártir. Análisis y proyección de la obra juvenil inédita,* Siglo XXI, Madrid, 1986.

Martínez Barbeito, Carlos, «García Lorca, poeta gallego: un viaje a Galicia del cantor de Andalucía», *El Español,* 24 marzo 1945.

Martínez Nadal, Rafael, «*El público*». *Amor y muerte en la obra de Federico García Lorca,* 2.ª edición, Joaquín Mortiz, México, 1974.

——, *Federico García Lorca. Autógrafos. Facsímiles de 87 poemas y tres prosas,* The Dolphin, Oxford, 1975.

——, Edición de *El público* y *Comedia sin título* con Marie Laffranque, Seix Barral, Barcelona, 1978.

——, *Cuatro lecciones sobre Federico García Lorca,* Fundación Juan March, Madrid, 1980.

——, *Españoles en Gran Bretaña. Luis Cernuda. El hombre y sus temas,* Hiperión, Madrid, 1983.

Martínez Torrón, Diego, Edición de *El argumento de la obra* de Jorge Guillén, Taurus, Madrid, 1985.

Marrast, Robert, *Aspects du théâtre de Rafael Alberti,* Societé d'Enseignament Supérieur, París, 1967.

——, Edición de *Prosas encontradas* de Rafael Alberti, Ayuso, Madrid, 1971.

——, Edición de *Marinero en tierra, La amante, El alba del alhelí* de Rafael Alberti, Clásicos Castalia, Madrid, 1972.

——, «El teatro de guerra de Alberti», en *Dr. Rafael Alberti,* Toulouse, 1984, pp. 139-154.

Massoli, Marco, *Federico García Lorca e il suo «Libro de Poemas»,* Università, Florencia-Pisa, 1982.

Maurer, Christopher, Edición de *Conferencias* de Federico García Lorca, Alianza, Madrid, 1984.

——, «Sobre la prosa temprana de García Lorca (1916-1918)», *CHA,* 435-436, 1986, pp. 13-30.

Maurin, Mario, «Temas y variaciones en el teatro de Pedro Salinas», *Ins,* 104, 1954, pp. 1 y 3.

McMullam, Terence, «Luis Cernuda y la influencia emergente de Pierre Reverdy», en Harris, 1977, pp. 244-268.

Menarini, Piero, «*Poeta en Nueva York* y *Tierra y Luna*: dos libros aún "inéditos" de García Lorca», *LS,* 13, 1978, pp. 283-293.

——, «Les deux versions de l'idylle sauvage de Don Cristóbal et la señá Rosita», *Europe,* LVIII, 1980, pp. 83-95.

——, Edición de *Lola la comedianta* de Federico García Lorca, Alianza, Madrid, 1981.

——, Edición de *Canciones. Primeras Canciones* de Federico García Lorca, Clásicos Castellanos, Nueva Serie, Madrid, 1986.

Menéndez Pidal, Ramón, «Los romances de don Bueso», *De la primitiva lírica a la antigua épica,* Espasa-Calpe, Buenos Aires, 1951.

Meneses, Carlos, y Carretero, Silvia, *Jorge Guillén,* Júcar, Madrid, 1981.

Meñaca, Marie de, «Las poesías asiáticas: source poétique de Lorca», *LLNL,* 217, 1976.

——, «*Marinero en tierra*: estructura y génesis», *Dr. Rafael Alberti,* Toulouse, 1984, pp. 55-103.

Meregalli, Franco, «La Gaceta Literaria», *LM,* III, 1952.

Millán, M.ª Clementa, «*Poeta en Nueva York* y *El público*: dos obras afines», *Íns*, 476-477, 1986, pp. 9 y 10.

Miller, M. C., *García Lorca's «Poema del cante jondo»*, Támesis, Londres, 1978.

Molina, César Antonio, Edición de *Alfar (Revista de Casa América-Galicia) 1922-1929*, Nos, La Coruña, 1984 *a*.

——, *La revista «Alfar» y la prensa literaria de su época (1920-1930)*, Nos, La Coruña, 1984 *b*.

Molina, Ricardo, «La conciencia del tiempo, clave esencial», en Harris, 1977, pp. 102-110.

Molina Fajardo, Eduardo, *Manuel de Falla y el cante jondo*, Granada, Universidad, 1962.

——, *Los últimos días de García Lorca*, Plaza & Janés, Barcelona, 1983.

Molho, Maurice, «La aurora insumisa de Vicente Aleixandre», en Cano, 1977, pp. 139-143.

Monleón, José, *García Lorca. Vida y obra de un poeta*, Aymá, Barcelona, 1970.

——, Edición de *El adefesio* de Rafael Alberti, Aymá, Barcelona, 1978.

Montero, Enrique, Reedición de *Octubre*, Turner, Madrid, 1978.

Mora Guarnido, José, *Federico García Lorca y su mundo*, Losada, Buenos Aires, 1958.

Moraleda, Pilar, *El teatro de Pedro Salinas*, Pegaso, Madrid, 1985.

Morales, Antonio, «Nota y documentos sobre el estreno de *El público*», sin editor, Murcia, 1986.

Morelli, Gabriele, *Linguaggio poetico del primo Aleixandre*, Cisalpino-Goliardica, Milán, 1972.

——, «La presencia del cuerpo humano en *Pasión de la tierra*», en Cano, 1977, pp. 177-185.

Morello-Frosch, Martha, «Teatro y crítica de Pedro Salinas», *RHM*, XXVII, 1960, pp. 116-117.

——, «Salinas y Guillén: dos formas de la esencialidad», *RHM*, XXVIII, 1961, pp. 16-22.

Morla Linch, Carlos, *En España con Federico García Lorca. Páginas de un diario íntimo (1928-1936)*, Aguilar, Madrid, 1957.

Morris, C. B., «Prallel Imaginery in Quevedo and Alberti», *BHS*, 36, 1959, pp. 135-145.

——, «*Sobre los ángeles*: A Poet's Apostasy», *BHS*, 37, 1960, pp. 222-231.

——, *Rafael Alberti's «Sobre los ángeles». Four Mayor Themes*, University, Hull, 1966.

——, *A Generation of Spanish Poets (1920-1936)*, Cambridge University Press, Cambridge, 1969.

——, *Surrealism and Spain 1920-1936,* Cambridge University Press, Cambridge, 1972.

——, «Lorca's *Yerma*: Wife without an Anchor», *NPh,* LIV, 1972, pp. 285-297.

——, «Las imágenes claves en *Sobre los ángeles*», en Durán, 1975, pp. 171-180.

——, Edición de *Sobre los ángeles. Yo era un tonto y lo que he visto me ha hecho dos tontos* de Rafael Alberti, Cátedra, Madrid, 1981.

Mota, Francisco, *Poetas españoles de la generación del 27,* Arte y Literatura, La Habana, 1977.

Musacchio, Daniele, Edición de *Ocnos* de Luis Cernuda, Barral, Barcelona, 1977.

——, *La revista «Mediodía» de Sevilla,* Universidad, Sevilla, 1980.

Muñoz, Jacobo, «Poesía y pensamiento poético en Luis Cernuda», en Harris, 1977, pp. 111-123.

Muñoz Cortés, Manuel, «Problemas y métodos de la filología en la obra de Dámaso Alonso», *CHA,* 280-282, 1973, pp. 291-322.

Navarro Tomás, Tomás, *Los poetas en sus versos,* Ariel, Barcelona, 1973.

Neira, Julio, «*Litoral*», *la revista de una generación,* La Isla de los Ratones, Santander, 1978.

——, «El surrealismo de José María Hinojosa (Esbozo)», en García de la Concha, 1982, pp. 271-285.

——, «Notas sobre la introducción del surrealismo en España», *BRAE,* 63, 1983.

——, *Aleixandre: el proyecto editorial de «Desamor»,* Art. Gráf. Bedia, Santander, 1986.

——, *Jorge Guillén: la edición de «Tréboles» (y otras publicaciones santanderinas),* Universidad de Extremadura, Cáceres, 1986.

Newberry, Wilma, «Aesthetic Distance in *El público*», *HR,* XXXVII, 1969, pp. 276-296.

——, «Pirandellism in the Plays of Pedro Salinas», *Sym,* XXV, 1971, pp. 59-69.

——, *The Pirandellian Mode in Spanish Literature from Cervantes to Sastre,* University of New York Press, Nueva York, 1973.

Nicolás, César, «Lope y Diego: algo más que una influencia», *Lope de Vega y los orígenes del teatro español,* Edi 6, Madrid, 1981, pp. 879-898.

Nonoyama, Minako, «Vida y muerte en *Bodas de sangre*», *Arb,* LXXXIII, 1972, pp. 307-315.

Nourissier, F., *Federico García Lorca dramaturge,* L'Arche, París, 1955.

Novo, Yolanda, *Vicente Aleixandre, poeta surrealista,* Universidad, Santiago de Compostela, 1980.

Nuez Caballero, Sebastián de la, «Una revista de vanguardia en Canarias: *La Rosa de los Vientos* (1927-1928»), *REA,* 11, 1965, pp. 193-230.

Oliver, William, «Lorca: The Puppet and the Artist», *TDR,* VII, 1962, pp. 70-95.

Onís, Carlos Marcial, *El surrealismo y cuatro poetas españoles de la generación del 27,* Porrúa, Madrid, 1974.

Onís, Federico de, y Torre, Emilio de la, «Lorca, folklorista», en *Federico García Lorca,* Hispanic Institute, Nueva York, 1941.

Ortiz, Fernando, *Epistolario inédito de Luis Cernuda,* Ayuntamiento, Sevilla, 1981.

Otero, Carlos P., «Cernuda, poeta de Europa», en Harris, 1977, pp. 129-137.

Ory, Carlos Edmundo de, *Lorca,* Editions Universitaires, París, 1967.

Paco, Mariano de, *El drama rural en España,* Universidad, Murcia, 1972.

——, «García Lorca en el teatro actual», *RR,* 4, 1982, pp. 63-66.

Paepe, Christian de, «García Lorca. Posiciones, oposiciones, proposiciones y contraposiciones (Apostillas a la documentación lorquiana)», *CHA,* 269, 1972, pp. 271-299.

——, «El poema "Sorpresa"», *CHA,* 435-436, 1986 *a,* pp. 591-607.

——, «La esquina de la sorpresa. Lorca ante el *Poema del cante jondo* y el *Romancero gitano*», *ROcc,* 65, 1986 *b,* pp. 9-35.

——, Edición de *Poema del cante jondo* de Federico García Lorca, Clásicos Castellanos, Nueva Serie, Madrid, 1986 *c.*

Palley, Julián, *La luz no usada: la poesía de Pedro Salinas,* De Andrea, México, 1966.

——, «Archetypal Symbols in *Bodas de sangre*», *Hisp,* I, 1967, pp. 74-79.

——, «Jorge Guillén y la poesía de compromiso social», en Ciplijauskaité, 1975, pp. 141-152.

——, «*Presagios* de Pedro Salinas», en Debicki, 1976, pp. 99-107.

Paraíso, Isabel, «Rilke y Cernuda: fuente y afinidad», *Castilla,* 2, 1980, pp. 71-86.

——, *El verso libre hispánico,* Gredos, Madrid, 1985.

Paredes, Pedro Pablo, «Un poema sinfónico: *Llanto por la muerte de Ignacio Sánchez Mejías*», *RNC,* X, 74, 1949, pp. 53-69.

Paz, Octavio, «La palabra edificante», en Harris, 1977, pp. 135-160.

Pinna, Mario, «Lettura dell'opera *Y otros poemas* di Jorge Guillén», en Ruiz de Conde y otras, 1978, pp. 369-386.

Pleak, F. A., *The Poetry of Jorge Guillén,* Princeton University Press, Princeton, 1952.

Pérez, Carlos A., «Rafael Alberti: sobre los tontos», en Durán, 1975, pp. 205-217.

Pérez Marchand, Monalisa Lina, «Apuntes sobre el concepto de la tragedia en la obra dramática de García Lorca», *Asom,* IV, 1948, pp. 86-96.

Pérez Minik, Domingo, *Debates sobre el teatro contemporáneo,* Goya, Santa Cruz de Tenerife, 1953.

——, *Facción española surrealista de Tenerife,* Tusquets, Barcelona, 1975.

Pollin, Alice M., *A Concordance to the Plays and Poems of Federico García Lorca,* Cornell University Press, Ithaca-Londres, 1975.

Popkin, Louise B., *The Theatre of Rafael Alberti,* Támesis, Londres, 1976.

Power, Kevin, «Una luna encontrada en Nueva York», *TN,* 1-2, 1976, pp. 141-152.

Prat, Ignacio, *«Aire nuestro» de Jorge Guillén,* Planeta, Barcelona, 1974.

——, Edición de *Historia muy natural* de Jorge Guillén, Hiperión, Madrid, 1980.

——, *Estudios sobre poesía española contemporánea,* Taurus, Madrid, 1983.

Predmore, Richard L., *Los poemas neoyorquinos de García Lorca,* Taurus, Madrid, 1985.

Prieto, Gregorio, *Lorca as a Painter,* The De la More, Londres, 1943.

——, *Dibujos de García Lorca,* Afrodisio Aguado, Madrid, 1949.

——, *Lorca en color,* Editora Nacional, Madrid, 1969.

——, *Lorca y la generación del 27,* Biblioteca Nueva, Madrid, 1977.

Profeti, Maria Grazia, «Repertorio simbolico e codice nel *Poema del cante jondo*», *LES,* 12, 1977, pp. 267-317.

Proll, Eric, «Popularismo and Barroquismo in the Poetry of Rafael Alberti», *BSS,* 19, 1942, pp. 59-86.

——, «El elemento surrealista en Rafael Alberti», en García de la Concha, 1982, pp. 211-223.

Puccini, Dario, *«Espadas como labios*: algunas notas», en Cano, 1977, páginas 222-229.

——, *La palabra poética de Vicente Aleixandre,* Ariel, Barcelona, 1979.

Ramos Gil, Carlos, *Claves líricas de García Lorca: ensayos sobre la expresión y los climas poéticos lorquianos,* Aguilar, Madrid, 1967.

Ramos Ortega, Manuel, *La prosa literaria de Luis Cernuda: el libro «Ocnos»,* Diputación, Sevilla, 1982.

Real Ramos, César, *Luis Cernuda y la generación poética del 27,* Universidad, Salamanca, 1983.

Remey, Paul, «Le chromatisme dans *Bodas de sangre* de Federico García Lorca», *RG,* X, 1965, pp. 43-79.

Reyes Peña, Mercedes, «Aproximación a la poesía de Manuel Altolaguirre: estudio del tema del agua», *Andalucía en la generación del 27,* Universidad, Sevilla, 1978.

Riley, Edward C., «Sobre *Bodas de sangre*», *Clav,* II, 7, 1951, pp. 8-12.

Rincón, Carlos, «*Yerma* de Federico García Lorca: Ensayo de interpretación», *BRF,* V, 1966, pp. 66-99.

Río, Ángel del, *Vida y obras de Federico García Lorca,* Heraldo de Aragón, Zaragoza, 1952.

——, «El poeta Pedro Salinas: vida y obra», en Debicki, 1976, pp. 15-24.

——, *Estudios sobre literatura contemporánea española,* Gredos, Madrid, 1966.

Rivers, Elias L., Edición de *Hijos de la ira* de Dámaso Alonso, Labor, Barcelona, 1970.

Rizzo, G., «Poesía de Federico García Lorca y poesía popular», *Clav,* 36, 1955, pp. 44-51.

Rodrigo, Antonina, *García Lorca en Cataluña,* Planeta, Barcelona, 1975.

——, *Lorca-Dalí: una amistad traicionada,* Planeta, Barcelona, 1981.

Rodríguez, Alfred, y Tomlins, Jack E., «Notas para una relección del *Romancero gitano*», *RN,* 15, 1973, pp. 541-545.

Rodríguez Cacho, Lina, Edición de *La zapatera prodigiosa* de Federico García Lorca, Comisión del Cincuentenario Pre-Textos, Valencia, 1986.

Rodríguez Monegal, Emir, «La obra en prosa de Pedro Salinas», en Debicki, 1976, pp. 243-248.

Rodríguez Padrón, Jorge, «"Mujer con alcuza". Ensayo de interpretación», *CHA,* 280-282, 1973, pp. 201-215.

Rodríguez Richart, T., «Sobre el teatro de Pedro Salinas», *BBMP,* XXXV, 1960, pp. 397-427.

Rosembaum, S. C., y Guerrero Ruiz, J., «Bibliografía de García Lorca», *RHM,* I, 1935, pp. 186-187.

Rozas, Juan Manuel, *La generación poética de 1927 (estudio y antología),* colab. Joaquín González Muela, 2.ª edición, Alcalá, Madrid, 1974 a.

——, *La generación del 27 desde dentro (Textos y documentos),* Alcalá, Madrid, 1974 b.

——, *El 27 como generación,* La Isla de los Ratones, Santander, 1978.

——, Reedición de *Poesía,* Turner, Madrid, 1979.

——, *Tres secretos a voces de la literatura del 27,* Universidad, Cáceres, 1980 a.

——, y Torres Nebrera, Gregorio, *El grupo poético del 27,* Cincel, Madrid, 1980.

Rubia Barcia, J., «El realismo mágico de *La casa de Bernarda Alba*», *RHM,* XXXI, 1965, pp. 385-398.

Ruiz de Conde, Justina; Gostautas, Stasys; Gascón-Vera, Elena, y Lusky, Mary H., *Homenaje a Jorge Guillén,* Wellesley College-Ínsula, Madrid, 1978.

Ruiz Ramón, Francisco, *Historia del Teatro Español. Siglo XX,* 3.ª edición, Cátedra, Madrid, 1977.

——, «Salinas dramaturgo, ¿compromiso o evasión?», *Estudios sobre literatura y arte dedicados al profesor Emilio Orozco Díaz,* Universidad, Granada, 1979.

——, «Trágica ironía: los santos fusilados», *Est,* VII, 1981, p. 12.

Ruiz Silva, Carlos, *Arte, amor y otras soledades en Luis Cernuda,* La Torre, Madrid, 1979.

Sáenz de la Calzada, Luis, *«La Barraca»: Teatro Universitario,* Edic. Revista de Occidente, Madrid, 1977.

Salinas, Pedro, *Ensayos de Literatura Hispánica,* Aguilar, Madrid, 1958.

——, *Literatura española del siglo XX,* Alianza, Madrid, 1970.

——, «El romance y Jorge Guillén», en Ciplijauskaité, 1975, pp. 333-336.

——, «Vicente Aleixandre entre la destrucción y el amor», en Cano, 1977, pp. 214-221.

Salinas de Marichal, Solita, *El mundo poético de Rafael Alberti,* Gredos, Madrid, 1968.

——, Edición de *Poesías completas* de Pedro Salinas, Barral, Barcelona, 1975.

——, Edición de *Narrativa completa* de Pedro Salinas, Barral, Barcelona, 1976 *a.*

——, «Recuerdo de mi padre», en Debicki, 1976 *b,* pp. 35-42.

——, Edición de *Los santos* de Pedro Salinas, *Est,* VII, 1981, pp. 10-20.

——, Edición de *Ensayos completos* de Pedro Salinas, Barral, Barcelona, 1983.

Salvat, Ricardo, «El teatro de Alberti: De *El adefesio* a *Noche de guerra en el Museo del Prado», PA,* 75, 1975 *a,* pp. 11-17.

——, Edición de *Noche de guerra en el Museo del Prado,* Edicusa, Madrid, 1976.

Sánchez, Roberto G., *García Lorca. Estudio sobre su teatro,* Jura, Madrid, 1950.

Sanchís-Banús, José, Edición de *La piedra escrita* de Emilio Prados, Clásicos Castalia, Madrid.

Sarriá, F. G., *«Sobre los ángeles* de Rafael Alberti y el surrealismo», *PSA,* 271, 1978, pp. 23-40.

Scobie, Alex, «Lorca and Eulalia», *Arcadia,* 9, 1967, pp. 290-298.

Schonberg, Jean-Louis, *Federico García Lorca, l'homme, l'oeuvre,* Plon, París, 1956.

Semprún, Moraima de, *Narraciones de García Lorca. Un franco enfoque,* Ed. Hispam, Barcelona, 1975.

Senabre, Ricardo, *La poesía de Rafael Alberti,* Universidad, Salamanca, 1967.

Sepúlveda Ircondo, A., «Primer intento de interpretación de *Así que pasen cinco años»,* Revista Moderna, Santa Fe, 1951.

Serrano García, Virtudes, «Un poema de *Hijos de la ira*», *Homenaje al profesor Muñoz Cortés,* Murcia, 1977, pp. 705-712.

Serrano Poncela, Segundo, «La canción de gesta de Ignacio Sánchez Mejías», *Cua,* 39, 1959.

Sferrazza, M., y Tandy, L., *Giménez Caballero y la «Gaceta Literaria» (o la generación del 27),* Taurus, Madrid, 1978.

Sharp, Thomas F., «The Mechanics of Lorca's Drama in *La casa de Bernarda Alba*», *Hisp,* XLIV, 1961, pp. 230-233.

Sibbald, K. M., «Jorge Guillén: Portrait of the Critic as a Young Man», en Ruiz de Conde y otras, 1978, pp. 435-454.

——, Edición de *Hacia «Cántico»* de Jorge Guillén, Ariel, Barcelona, 1980.

Silver, Philip, «Tradition and Originality in *Hijos de la ira*», *BHS,* XLVII, 1970, pp. 124-130.

——, *Luis Cernuda: el poeta en su leyenda,* Alfaguara, Madrid, 1972.

Skloot, Robert, «Theme and Image in Lorca's *Yerma*», *DS,* V, 1966, páginas 151-161.

Smerdou Altolaguirre, Margarita, Edición de *Las islas invitadas* de Manuel Altolaguirre, Clásicos Castalia, Madrid, 1973.

——, y Arizmendi, Milagros, Edición de *Poesías completas* de Manuel Altolaguirre, Cátedra, Madrid, 1982.

Smoot, Jean J., *A Comparison of Plays by John Millington Synge and Federico García Lorca: The Poets and Time,* Porrúa, Madrid, 1978.

Sobejano, Gonzalo, «Nuevos poemas de Dámaso Alonso», *CHA,* 71, 1955, pp. 237-241.

——, *El epíteto en la lírica española,* Gredos, Madrid, 1956.

——, «*Sombra del paraíso,* ayer y hoy», *CHA,* 352-354, 1979.

Soria, Andrés, «El gitanismo de García Lorca», *Ins,* 45, 1949, p. 8.

——, «La prosa de los poetas (Apuntes sobre la prosa lorquiana)», *De Lope a Lorca y otros ensayos,* Universidad, Granada, 1980.

Soria Olmedo, Andrés, «De la lírica al teatro: *El hombre deshabitado* de Rafael Alberti en su entorno», *Estudios de Literatura y Arte dedicados al profesor Emilio Orozco,* Universidad, Granada, 1979, pp. 389-400.

——, «El producto de una crisis: *Sobre los ángeles* de Rafael Alberti», *Lecturas del 27,* Universidad, Granada, 1980.

——, Preliminar a la edición de *Alocución al pueblo de Fuentevaqueros* de Federico García Lorca, Comisión del Cincuentenario, Granada, 1986.

Spang, Kurt, *Inquietud y nostalgia. La poesía de Rafael Alberti,* Eunsa, Pamplona, 1973.

Spires, Robert, «Realidad prosaica e imaginación trascendente en dos cuentos de Pedro Salinas», en Debicki, 1976, pp. 249-255.

Spitzer, Leo, «El conceptismo interior de Pedro Salinas», *Lingüística e Historia Literaria,* Gredos, Madrid, 1955.

Stefano, Gianfranco di, «Clasicismo y creacionismo en los *Poemas adrede* de Gerardo Diego», *Proh,* V, 1974, pp. 253-270.

Stixrude, David L., *The Early Poetry of Pedro Salinas,* Princeton University-Castalia, Madrid, 1975 *a.*

——, «El *Largo lamento* de Pedro Salinas», *PSA,* 232, 1975 *b*, pp. 9-36.

——, Edición de *Aventura poética* de Pedro Salinas, Cátedra, Madrid, 1980.

Sullivan, Patricia L., «The Mythic Tragedy of *Yerma*», *BHS,* LXIX, 1972, pp. 265-278.

Szertics, Joseph, «Federico García Lorca y el romancero viejo: los tiempos verbales y su alternancia», *MLN,* 84, 1969, pp. 269-285.

Talens, Jenaro, *El espacio y las máscaras: Introducción a la lectura de Luis Cernuda,* Anagrama, Barcelona, 1975.

Tejada, José Luis, *Rafael Alberti entre la tradición y la vanguardia (poesía primera 1920-1926),* Gredos, Madrid, 1976.

Torre, Guillermo de, «Mis recuerdos de *La Gaceta Literaria*», *El espejo del camino,* Prensa Española, Madrid, 1968.

——, *Del 98 al Barroco,* Gredos, Madrid, 1969.

——, *Historia de las literaturas de vanguardia,* Guadarrama, Madrid, 1971.

Torrente Ballester, Gonzalo, *Teatro español contemporáneo,* Guadarrama, Madrid, 1958.

Torres Nebrera, Gregorio, «Manuel Altolaguirre, dramaturgo», *Sg,* 25-26, 1977, pp. 349-379.

——, Edición de *Teatro* de Pedro Salinas, Narcea, Madrid, 1979.

——, *El grupo poético de 1927,* colab. Juan Manuel Rozas, Cincel, Madrid, 1980.

Touster, Eva K., «Thematic Patterns in Lorca's *Blood Wedding*», *MD,* VII, 1964, pp. 16-27.

Ulacia, Manuel, *Luis Cernuda, escritura, cuerpo y deseo,* Laia, Barcelona, 1984.

Umbral, Francisco, *Lorca, poeta maldito,* 2.ª edición, Bruguera, Barcelona, 1977.

Urrutia, Jorge, «La palabra que estalla (a la vista): "El vals" de Aleixandre», *Reflexión de la literatura,* Universidad, Sevilla, 1983, pp. 181-210.

Utrera, Rafael, *García Lorca y el cinema,* Edisur, Sevilla, 1982.

Valender, James, *Cernuda y el poema en prosa,* Támesis, Londres, 1984.

Valente, José Ángel, «Luis Cernuda y la poesía de la meditación», en Harris, 1977, pp. 29-38.

Valverde, José María, «Plenitud crítica de la poesía de Jorge Guillén», en Ciplijauskaité, 1975, pp. 215-230.

——, «De la disyunción a la negación en Vicente Aleixandre (Y de la sintaxis a la visión del mundo)», en Cano, 1977, pp. 66-75.

Varela, José Luis, «Ante la poesía de Dámaso Alonso», *Arb*, 172, 1960, pp. 38-50.

Velasco, Joseph, «A la découverte du *Romancero gitano* de Federico García Lorca: "Romance sonámbulo"», *BLN*, 188-189, 1969.

Videla, Gloria, *El ultraísmo*, 2.ª edición, Gredos, Madrid, 1974.

Vigée, Claude, «Jorge Guillén y la tradición simbolista», en Ciplijauskaité, 1975, pp. 72-92.

Vila San Juan, José Luis, *García Lorca asesinado. Toda la verdad*, Planeta, Barcelona, 1975.

Villar, Arturo del, Edición de *Ángeles de Compostela. Vuelta del Peregrino* de Gerardo Diego, Narcea, Madrid, 1976.

——, «Gerardo Diego, poeta creacionista», *CHA*, 361-362, 1980, pp. 85-95.

——, *Gerardo Diego*, Ministerio de Cultura, Madrid, 1981.

——, «Imágenes y alegorías en el viaje a Compostela de Gerardo Diego», *NE*, 45-46, 1982 *a*, pp. 39-48.

——, *Los motivos del diálogo en Vicente Aleixandre*, Los Libros de Fausto, Madrid, 1982 *b*.

——, *La poesía total de Gerardo Diego*, Los Libros de Fausto, Madrid, 1984.

Villegas, Juan, «El leitmotiv del caballo en *Bodas de sangre*», *Hispa*, XXIX, 1967, pp. 21-26.

Villena, Luis Antonio de, «La rebeldía dandy en Luis Cernuda», *Luis Cernuda*, Universidad de Sevilla, Sevilla, 1977 *a*.

——, Edición de *Pasión de la tierra*, Narcea, Madrid, 1977 *b*.

——, Edición de *Las Nubes. Desolación de la quimera*. Cátedra, Madrid, 1984.

Vivanco, Luis Felipe, *Introducción a la poesía española contemporánea*, 2.ª edición, Guadarrama, Madrid, 1971.

——, «La generación poética de 1927», *Historia General de las Literaturas Hispánicas*, VI, 2.ª edición, Barna, Barcelona, 1973, pp. 465-530.

Weber, Robert J., «De *Cántico* a *Clamor*», *RHM*, 29, 1963, pp. 109-119.

Wesseling, Pieter, *Revolution and Tradition: The Poetry of Rafael Alberti*, Edic. Hispanófila, Valencia, 1981.

Winkelmann, Ana María, «Poesía y pintura en Rafael Alberti», en Durán, 1975, pp. 265-274.

Xirau, Ramón, «Lectura a *Cántico*», en Ciplijauskaité, 1975, pp. 129-140.

Ynduráin, Francisco, «*La casa de Bernarda Alba*: ensayo de interpretación», en Doménech, 1985, pp. 123-148.

Young, Howard T., «Pedro Salinas y los Estados Unidos o la nada y las máquinas», en Debicki, 1976, pp. 153-161.

Young, R. A., «García Lorca's *Bernarda Alba*: A Microcosmos of Spanish Culture», *ML*, L, 1969, pp. 66-72.

Zardoya, Concha, «Las loas arquitectónicas de Antonio Oliver», *SARD*, 12, 1971, pp. 57-74.

——, *Poesía española del siglo XX. Estudios temáticos y estilísticos*, Gredos, Madrid, 1974.

Zimbardo, R. A., «The Mythic Patterns in Lorca's *Blood Wedding*», *MD*, X, 1968, pp. 364-371.

Zubizarreta, Alma de, *Pedro Salinas. El diálogo creador*, Gredos, Madrid, 1969.

Zuleta, Emilia de, *Historia de la crítica española contemporánea*, Gredos, Madrid, 1966.

——, *Cinco poetas españoles (Salinas, Guillén, Lorca, Alberti y Cernuda)*, Gredos, Madrid, 1971.

——, «Poesía y realidad: *Y otros poemas*», en Ruiz de Conde y otras, 1974, pp. 455-478.

ABREVIATURAS Y SIGLAS

AF	*El Crotalón. Anuario de Filología Española*. Madrid.
AH	*Archivo Hispalense*. Sevilla.
ALEC	*Anales de Literatura Española Contemporánea*. Lincoln.
AM	*Analecta Malacitana*. Málaga.
Arb	*Arbor*. Madrid.
Asom	*Asomante*. San Juan, Puerto Rico.
AO	*Archivum*. Oviedo.
AUIB	*Annals*. Palma.
AUMur	*Anales de la Universidad*. Murcia.
BBMP	*Boletín de la Biblioteca Menéndez Pelayo*. Santander.
BHi	*Bulletin Hispanique*. Burdeos.
BHS	*Bulletin of Hispanic Studies*. Liverpool.
BLN	*Bulletin des Langues Néolatines*. París.
BRAE	*Boletín de la Real Academia Española*. Madrid.
BRF	*Beiträge zur Romanische Filologie*. Berlín.
BSS	*Bulletin of Spanish Studies*. Liverpool.
Cal	*Caligrama*. Palma.
CER	*Cahiers d'Études Romanes*. Aix-en-Provence.
CHA	*Cuadernos Hispanoamericanos*. Madrid.
Clav	*Clavileño*. Madrid.
Cua	*Cuadernos*. París.
CyR	*Cuenta y Razón*. Madrid.
DS	*Drama Survey*.
EC	*El Cuervo*. Madrid.
EMP	*El Molino de Papel*. Granada.
Epos	*Epos. Revista de Filología*. Madrid.
FCE	*Fondo de Cultura Económica*. México.
Est	*Estreno*. Cincinnati.
GLR	*García Lorca Review*. Brockport, Nueva York.
Hisp	*Hispania*. Diversos, USA.
Hispa	*Hispanófila*. Chapel Hill, N. C.

HR	Hispanic Review. Filadelfia.
Ins	Ínsula. Madrid.
LC27	Los Cuadernos del 27. Murcia.
LEL	La Estafeta Literaria. Madrid.
LES	Lingua e Stile. Bolonia.
LLNL	Les Langues Néolatines. París.
LM	Letterature Moderne. Milán.
MD	Modern Drama. Toronto.
ML	Modern Language. Brown, Providence.
MLN	Modern Language Notes. Baltimore.
Mont	Monteagudo. Murcia.
Murg	Murgetana. Murcia.
NE	Nueva Estafeta. Madrid.
NPh	Neophilologicus. Gröningen.
Proh	Prohemio. Madrid.
PA	Primer Acto. Madrid.
PSA	Papeles de Son Armadans. Palma de Mallorca.
RB	Revista de Bachillerato. Madrid.
REA	Revista de Estudios Atlánticos. Santa Cruz de Tenerife.
REH	Revista de Estudios Hispánicos. Alabama.
RF	Romanische Forschungen. Erlangen.
RG	Romanica Gandensia. Gante.
RHM	Revista Hispánica Moderna. Nueva York.
RL	Revista de Letras. Mayagüez, Puerto Rico.
RLC	Révue de Littérature Comparée. París.
RMS	Rennaisance and Modern Studies. Nottingham.
ROcc	Revista de Occidente. Madrid.
RN	Romance Notes. Chapel Hill.
RNC	Revista Nacional de Cultura. Caracas.
RR	Romea Revista. Murcia.
SARD	Seminario Archivo Rubén Darío. Madrid.
Sg	Segismundo. Madrid.
SN	Sin Nombre. San Juan de Puerto Rico.
Sym	Symposium. Siracusa.
TDR	Tulane Drama Review. Nueva York.
TN	Trece de Nieve. Madrid.
UNCS	University of North Carolina Studies in Romance Language and Literature. Chapel Hill.

ÍNDICE DE AUTORES Y DE OBRAS

ÍNDICE GENERAL